湛庐文化
Cheers Publishing

知识让世界更简单！

爆发

大数据时代预见未来的新思维

BURSTS

The Hidden Pattern behind Everything We Do

[美] 艾伯特-拉斯洛·巴拉巴西（Albert-László Barabási）◎著　马慧◎译

中国人民大学出版社
·北京·

生活抵触随机运动吗

胡泳
北京大学新闻与传播学院副教授，洞察中国社会数字化进程第一人

人类的日常行为模式不是随机的，而是具有“爆发性”的。

预测人类行为是一个经久不衰的梦想。科学家乃至伪科学家们为了解开人类行为之谜，已经努力了数百上千年。美国东北大学教授艾伯特－拉斯洛·巴拉巴西，作为全球复杂网络研究权威，“无尺度网络”概念的提出者，畅销书《链接：网络新科学》（*Linked*）的作者，似乎有足够的资格，也来尝试实践一下这个梦想。

原因很简单，巴拉巴西拥有前边的追寻者所不具备的利器，那就是：当今世界的数字化，已然通过互联网、社会化媒体、电子邮件和移动电话等，将我们的社会变成了一个巨大的实验室。人类在这个实验中留下的电子踪迹，比如打上时间印迹的文本、声音和图像，互联网搜索，社交网络中的种种关系等加在一起，合成了史无前例的海量数据集，记录了我们的活动、我们的决定以及我们的生活本身。

这使得下述想法听上去就激动人心：对这些电子踪迹的分析，会不会对人类行为的秘密提供深刻的洞见？**巴拉巴西穷根溯源，宣布自己找到了被长期认为是完全偶然的人类行为之下的有序模式：他将这一模式命名为“爆发”，就是说，我们的工作和娱乐及其他种种活动都具有间歇性，会在短期内突然爆发，然后又几乎陷入沉寂**。用巴拉巴西的比喻来说：“长时间休息之后就会出现短时间的密集活动，就像贝多芬音乐中悦耳的小提琴声被雷鸣般的鼓声打断一样。”

巴拉巴西在结语中论断道：

> 当我们将生活数字化、公式化以及模型化的时候，我们会发现其实大家都非常相似。我们都具有爆发模式，而且非常规律。看上去很随意、很偶然，但却极其容易被预测。

这个论点与前两年的一本热门书《黑天鹅》恰成鲜明的对比。《黑天鹅》的作者塔勒布认为人类行为是随机的，都是小概率事件，是不可以预测的。也因此，塔勒布相信，没有什么比一种随机的智慧对我们的生存更加重要。塔勒布其实反对长期流行的一种见解：前人的经验会给予后人教益。而该见解符合中国的传统史观：以史为鉴，可以知兴替。

如今，恰如时尚的流行风随水转，巴拉巴西提出，人类行为 93% 是可以预测的。你的生活只是看上去随机而偶然；但实际上，无论你访问网页还是访问女友，都是以爆发的方式完成的，因而也是可预测的。这其中的关键在于，**无论在自然界还是人造世界，许多事情遵循幂律分布：一旦幂律出现，爆发点**

就会出现。

幂律在巴拉巴西的上一本畅销书《链接：网络新科学》中已被谈论得很多，现在大家都熟知巴拉巴西在研究网络时的一项重要发现：**互联网是由少数高链接性的节点串联起来的。极少数节点拥有海量点击，而绝大多数网站只有寥寥可数的人造访。幂律决定了网络的结构和网络的走向。**

现在巴拉巴西要证明，**幂律也主宰着我们的真实活动的节奏。**为什么会存在爆发模式？因为我们工作任务太多而时间却太少。当我们遇到这种情况时，我们的应对之道是确定优先次序。我们会先干最紧要的事情，忘掉其他次序靠后的事情。一旦某件事情被忘掉，那它被忘掉可能不是一时半会儿，而是经年累月。幂律就在这种优先次序的排定中产生。

巴拉巴西说："时间是我们最宝贵的不可再生资源，如果我们尊重它，就必须设定优先级。一旦优先级设定了，幂律规律和爆发的出现就不可避免。"巴拉巴西把爆发看成某种生命的推动力：

> 生命远不是流畅或随机的，而是在所有时间尺度内都是爆发的——从几毫秒到几小时的细胞活动；从几分钟到几周的人类活动；从几周到几年的疾病来袭；还有从几千年到几百万年的进化过程。爆发是生命奇迹的必要因素，表明生物为了适应和存活会进行不懈的斗争。

这样看来，偶然性中还是存在某种神奇的规律。"其兴也勃焉，其亡也忽焉"，中国人的历史智慧，其实说的不就是历史的爆发性吗？所以，**巴拉巴西的看法与塔勒布相反，而与中国史家相近：如果了解人的过去，那么其未来就不会存在多少令人惊讶之处。**

作为一个科学家，巴拉巴西的颠覆是大胆的。他批评科学家们仍默然接受人类行为科学的基本范式：我们的行为实际上是随意的、不可预测的、偶然的、无法确定的、不可预知的，以及无规无序的。但这一假定的唯一问题在于，它完全错了。生活如此抵触随机运动，渴望朝更安全、更规则的方向发展。

巴拉巴西在本书中试图论证的是，对于幂律的认知最终会导致对人类行为的精准预测，但他似乎并不能完全驳倒塔勒布式的世界观。

- 一方面，我们当然知道，人类是习惯的产物，所以，人类的所作所为有很多是可以预测的。
- 另一方面，人类的生活中又充满波动性和分叉点，在这个意义上，个体的生活和群体的行动又是不可预测的。

当把随机性等同于不完全的信息时，塔勒布实际上提出了人类知识的脆弱性问题，这和前启蒙时代的思想家是一脉相承的，他们相信人类的理解具有不可靠性。相比之下，巴拉巴西更像一个启蒙后的科学家，高估自己的知识，低估不确定性（也就是低估未知事物的范围）。

最终的问题还在于，使人类行为完全可预测是不是一件可欲之事。试想，如果人类世界也像自然现象一样，可以被理解、量化、预测和控制，那将是一件多么可怕的事情！我们已经用认知自大毁坏了自然，如果按照巴拉巴西理论的潜台词，人类能够从我们的经验中学习的话，那么，面对人类行为的问题，我们更需要认知谦卑。当然，在塔勒布看来，人们是不会具有这种认知谦卑的，所以，“黑天鹅”总会跳出来毁掉许多长久的努力。

在科学和历史之间

姜奇平

中国社科院信息化研究中心秘书长，《互联网周刊》主编

美国物理学会院士巴拉巴西的《爆发》，在最新的时间、最新的领域，讨论了一个最古老的问题：到底应该用决定论的观点，还是用非决定论的观点，看待人类行为？**作为复杂网络研究的权威，巴拉巴西在大数据的新背景下，认为数据、科学以及技术的合力，会使人类变得比预期中容易预测得多。**

这本书写得非常富有趣味和悬念，我是像看金庸的武侠小说那样，一口气读下来的。这本书由科学和历史两部分交织组成。其中历史的部分差不多就是一部小说，它是如此吸引人，以至于看到一半，我开始扔掉每章的前半部分，专看“小说”部分，一直看到主人公塞克勒被处死的大结局。这种感觉就像看电视连续剧，被“欲知后事如何”吸引着，结果顾不得按部就班一集一集地看，直接到百度去搜分集剧情简介了。

> 故事讲的是匈牙利十字军的一段历史，主人公塞克勒受主教之命，征召农民组成十字军。在出征半路上，与贵族军发生“误会”，大水冲了龙王庙，内部打了起来。这一事变，将塞克勒激反，走上起义之路。泰勒格迪曾准确预言事情的走向。最终，塞克勒兵败被擒，坐上“燃烧的御座”，被带上烧红的铁制王冠。

这本书虽然可以当历史小说来看，但它的重心还是在每章的前半部分，即讨论科学的部分。历史故事只是为了证明作者的观点：人类行为 93% 是可以预测的，就像泰勒格迪做到的那样。**在日趋精密的数字技术条件下，有了从四处搜集来的信息，我们不会再把人类的行为视为互不相关、随意偶然的独立事件。相反，它们应该是相互依存的奇妙大网的一部分，是相互串联的故事集中的一个片段。**它们会在不经意时显示次序，在意想不到之处偶然出现。人类行为遵循着一套简单并可重复的模型，而这些模型受制于更加广泛的规律。

爆发，被作者视为宇宙运行的科学。作者认为，**当我们将生活数字化、公式化以及模型化的时候，我们会发现其实大家都非常相似。我们都具有爆发模式，而且非常规律。看上去很随意、很偶然，但却极其容易被预测。**

巴拉巴西的观点虽然独特，但并没有从哲学的谱系中逃逸。作者采用的“科学 – 历史”叙事框架，构成了本书所涉及问题的元问题本身。当科学和历史被“主义”化为科学主义和历史主义时，二者的对立构成的是一个老问题：

自然是决定论的，历史是非决定论的。

- 如果把社会发展当做一个自然过程，作为科学的对象，它是有规律、可预测的。
- 如果把社会发展当做一个历史过程，作为历史学的对象，它是无规律、不可预测的。
- 介于二者之间的观点认为，社会发展是一个自然历史过程。

按照巴拉巴西的观点，自然与历史的比重，大约应是93%与7%的关系。这就不难理解，作者对波普尔的观点，即否定历史决定论的观点，基本是否定的。由此可以看出巴拉巴西的观点在哲学上的大致定位。

作为《链接》一书的作者，巴拉巴西还是一位知名的网络问题专家。**《爆发》一书的新意，并不在于提出了新的历史观，而在于结合科学技术发展新的事实，对特定历史观进行了重新论证。**作为网络研究者，我对此也很感兴趣，**尤其其中提到的“大数据”，正是下一步互联网发展的重要方向，而facebook推出的时间轴（Timeline）与本书反复提到的Lifelinear都是当前网络前沿的时尚。**因此我想就此谈谈我个人的判断。

书中说到的技术事实的部分是可信的，例如谈及手机运营商掌握着我们的实时通信信息和行踪等。目前，这种可供分析人类行为的参考信息主要有几大类：

- 个人在地球上的全部运动轨迹（通过 LBS 采集）；
- 个人的全部支付记录（通过在线支付采集）；
- 个人的全部交往记录（通过 SNS 采集）；
- 个人的全部言行记录（通过邮件、文档、Timeline、视频监控等采集）。

商家通过这些数据，确实可以预测客户的行为，从而提供有别于他人的个性化服务。从这个意义上来说，巴拉巴西的预言是有道理的。

但是，这些事实是否足以改变“决定论－非决定论”这个水平上的哲学结论，每个人可能都会有自己的判断。人具有自由意志，这是不同于分子随机运动之处。我们有可能成功预测到一个沉默的人在某个时刻突然爆发，但要猜透这个人的斯芬克斯之谜，光有科学和技术可能还是不够的。

不在爆发中爆发，就在沉默中沉默

周涛
电子科技大学教授，互联网科学中心主任

诸位捧起这本书的时候，千万不要以为这只是一本妙趣横生又充满噱头的科普小册子，事实上，这是一本野心极大的著作——它只是在一面厚墙上凿开了一个小洞，但如果你贴上去，使劲儿张望，就可以隐约看见隐藏其后的宏大世界。**巴拉巴西，复杂性科学最富盛名的国际领军人物，借由此书向大家传递的，不是一个现象、一种观点或若干模型，而是一整套理解人类行为时空模式的观念和理论。**这让我想起了十多年前帕·巴克的名著《大自然如何工作》：一样才华横溢的作者，一样独领风骚的理论，一样路人皆知的野心！不同的是，巴克对外探求自然界运作规律的蛛丝马迹，巴拉巴西却试图解剖人类自由意志也不能甩脱的可预测的模式——两者尽皆美妙！

霍金说："21 世纪将是复杂性科学的世纪！"大量典型的复杂系统，都直接或间接和人发生关系。

- 从人的社会属性出发，我们研究社会经济系统中通过人的相互作用和策略博弈涌现出来的复杂性。
- 从人的生物属性出发，我们研究人体内的神经系统、代谢系统、基因调控系统等如何协同工作。

然而，前者把人看得太小，后者又把人看得太大，**对于与人相关的复杂系统的整体认识，尚缺失一个环节，就是人类自身行为在时间和空间上表现出来的复杂性。《爆发》一书迈出了弥补这一缺失环节的坚实的一步：它向我们展示了人类行为自身的复杂与多样，又从这复杂与多样中总结出了若干简单的规律，最后再告诉我们可能导致这些规律的背后机制。**

爆发，英文写做"Burst"，科研文献中往往翻译为一个更低调的词：阵发。单从时间这个维度上看，"爆发"可以理解为某类事件在一段较短的时间内密集发生，之后是很长的一段沉默期，然后同类事件再次以很高的频率在短时间内多次发生。

> 譬如某人在一段时间内疯狂打游戏，然后会有一段时间不打游戏，下一次开始又会很高频率地打游戏。如果计算相继两次登录游戏的间隔时间，其分布会近似符合幂律。

爆发不仅仅在人类行为中普遍存在，在自然界中也是常见的。譬如一次大地震前前后后有很多较小的地震，这些地震都在短期内密集发生，而两次大地震之间往往会有很长的一段沉默期。即便我们不考虑余震，只观察大地震发生的时间序列，我们依然会发现同一地区相继两次大地震发生的间隔时间分布很不均匀——总是较长的沉默期隔开了事件密集出现的集簇。

爆发仅仅反映了人类行为时间上的异质性，实际上，人类行为在空间上也具有异质性：我们会频繁地访问一些地点，其他地方只是偶尔到达；我们在有些地方会流连忘返，其他地方只是走马观花；大多数时候我们只是在近处逛逛，但偶尔也会安排长途旅游。人自身的特征也具有极大的异质性：有的人腰缠万贯，有的人一贫如洗；有的人朋友遍天下，有的人却形单影只。这些表面上看绝无关联的事物，却都被幂律所统治：

- 打游戏的间隔时间是幂律的；
- 地震的间隔时间是幂律的；
- 地方访问频数分布是幂律的；
- 地点停留时间分布是幂律的；
- 旅行距离分布是幂律的；
- 个人财富分布是幂律的；
- 社交网络上朋友的数目是幂律的；

……

这本书从时间的异质性出发，想表述的却不仅仅是时间规律，还包括一切异质性中的普适特征；这本书从人类行为出发，想刻画的却不仅仅是人类行为，还包括宇宙运行的万千规律。

这本书向前迈出了一步，而更远的征程上的美景或许来自于各位读者的贡献。不管是叫爆发、阵发还是异质性，我们都会无数次遇到以幂函数为代表的一类非常广阔的分布函数，这些函数中的一大部分都具有发散的二阶矩。对这类分布函数进行抽样分析、参数估计、检验以及置信区间的确定等，都需要更加完善的数理统计理论基础。既然事件到达的时间间隔是异质的，无法用均匀过程或者泊松过程来刻画，那么以前大量从泊松过程得来的排队论的结论都需要重新审视。同样，间隔时间分布中发散的高阶矩再次成为完美理论的拦路虎。事实上，面对这样异质的序列，计算事件发生的记忆性这样简单的任务都变得不同寻常。**我们有理由相信，这些普适而美妙的统计规律的发现，会给概率论、数理统计以及随机过程这些传统的学科提出新的问题，而刻画爆发特性的分布函数有一天将成为概率统计与随机过程教材中的常客。**

本书的很多结论在学术界仍然存在很大的争论，本书也提出了若干亟待解决的问题。这些争论和问题包括：

- 人类行为的时间规律真的可以分为两个具有不同幂指数的普适类吗？
- 任务优先级的模型能够在多大程度上刻画人类行为，其他因素如人类活动的周期与节律，人类行为的兴趣因素等，又分

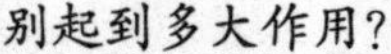

别起到多大作用？

- 社会相互作用会对人类行为爆发模式起到重要影响吗？
- 人类个体的出行距离分布真的符合幂律吗？

在科学出版社 2012 年出版的著作《社会动力学》中，我和我的同事韩筱璞、闫小勇、杨紫陌、赵志丹，对这些现象、模型和结论进行了仔细的分析，并介绍了目前存在的几乎所有的分歧和挑战。这些内容可以作为本书的有益补充。

我记得《爆发》这本书英文版问世的时候，荣智海和王煜全分别向我推荐过，后来辗转得到一本，那时候就觉得应该有一个中文的译本以飨读者。非常感谢湛庐文化以及译者的努力，使得这个愿望成为现实。该译本不仅仅是一个简单的翻译，还对原书的结构进行了优化重组。高手下棋，不仅敏于子力和实地，还讲究行棋的节奏，所以看国手下象棋、围棋，有欣赏音乐之感。本书结构精巧，读起来亦有品乐之感，既有节奏舒缓的慢板，又有力量集中的华彩，实为译著中难得的佳品！

很多具有爆发性质的事件也具有很强的记忆性：爆发后易再爆发，沉默后易再沉默。希望本书能够像一个引爆物，激发中国学术界一连串的爆发。

BURSTS
THE HIDDEN PATTERN BEHIND
EVERYTHING WE DO
目录

历史不会重演，却自有其韵律

虽然万事皆显出自发偶然之态，但实际上它远比你想象中容易预测。马克·吐温曾说过：历史不会重演，却自有其韵律。忘掉那些将生命看做掷骰子或是巧克力盒的比喻，把自己想象成处于自动驾驶状态的做着美梦的机器人，你就会更加接近真相。

如果不出意外，在你读完此书后，我会让你相信，**虽然万事皆显出自发偶然之态，但实际上远比想象中容易预测**。这绝非我的个人臆断。跟身边一同生活以及工作的每个人一样，我本人的行为也是容易预测的。事实上，我实验室里研发的那套揭示人类可预测程度的演算法，是对无数人进行试验的结果——但只对一个人不适用，他就是哈桑，哈桑·伊拉希（Hasan Elahi）。

哈桑的旅行

这是底特律大都会国际机场，五十多个外国人被移民局扣留在这里，哈桑也在其中……空气中弥漫着焦虑的气息。“能看出他们是第一次来美国，每张脸上都写满了恐惧，”哈桑回忆道，“但这令我很困惑——我为什么也被带到这儿来了？”

哈桑的护照先后三次被延期，上面盖满了边境章，拿在手里厚厚的，就像一本廉价的平装小说，不难看出，他早已对移民和出入境问题有了相当的了解。按理说，美国公民入境时是不会被移民局扣留的，至少通常情况下不会。困惑多于恐惧的哈桑试图从警卫那里了解被扣留的原因，但随后发现他们跟自己一样不解。

最后，一个穿着深灰色制服的人走到他面前，以一种公式化的语气开门见山地说："你没我想象中的老。"

这个开场白让哈桑觉得颇为尴尬，为了缓和气氛，哈桑试着用一种轻松的口吻回答："抱歉，我也在努力让自己赶紧变老。"

这么说一点儿用都没有——这个时间，这个地点，任何玩笑都开不得。所以，哈桑决定切入正题："你能跟我解释一下是怎么回事吗？"

他看着哈桑，沉默数秒，似乎在试着找寻适当的表达方式，但最后他只是耸了耸肩，用一种不带任何感情的语调说道："恐怕你得自己解释。"

事情发生在2002年6月19日，30岁的哈桑·伊拉希是一位多媒体艺术家，当时他刚结束了为期6个月的疲惫旅程准备回家。在此期间，哈桑从佛罗里达州的坦帕飞到了底特律，然后辗转阿姆斯特丹、里斯本和巴黎，最后又到了塞内加尔的达喀尔市。10天之后，他又乘长途巴士费时48个小时去了马里首都巴马科，随后又到了科特迪瓦。在参观了非洲最大的教堂之后，哈桑在5月28日抵达了科特迪瓦南岸的主要港口阿比让。旅行到此，他已经筋疲力尽了。"西非就在眼前，这简直就是考验我的耐性。"他回忆道。在一场暴雨冲塌了他投宿的旅馆房间之后，他觉得是时候离开了。他飞回达喀尔，但仅在一天之后就又坐上了前往比绍的巴士。然后，他又接连穿越了两个边境，还没回到塞内加尔，他就在冈比亚将满头金发用红丝线编成了发辫。

哈桑花了六七天时间为达喀尔双年展设计了一套艺术装置。随后，他返回巴黎，乘火车去了斯特拉斯堡，然后步行经由德国边境去卡尔斯鲁厄一个以数字艺术收藏著称的博物馆参观，又顺便去卡塞尔看了看文献展。在这之后，他又从汉诺威飞到了葡萄牙最南端的旅游胜地法鲁。在海滩游玩了两天之后，他在里斯本机场过了一夜，并在第二天一早飞回美国。

此时此刻，周身散发着成熟气息、顶着一头红色长发辫的哈桑，就在密歇根州底特律市的一个小小讯问室里，试图找到最为恰当的答案回答那个穿着深灰色制服男子的问话——“你都去过哪儿？”

该从哪儿说起呢？他决定尽量长话短说，“嗯，我刚从阿姆斯特丹回来。”

“之前呢？”那个人又问道。

“里斯本。”

“再之前呢？”

“法鲁的海滩。”

哈桑一个接一个地回忆他到过的地方，当说到达喀尔时终于有机会停了下来。

“那是哪儿？”那个人问道。哈桑看了看面前那张木纹L型桌，意识到这不是测试或是玩笑——那个男子确实不怎么清楚达喀尔在哪儿。

“虽然还是不知道到底发生了什么事，但我估计可能跟恐怖主义有关，而我则被当成了嫌疑人，问我话的人也许是政府官员或执法者，”哈桑回忆道，“很显然，这时不能对他们发火，也不能说你真是个笨蛋，连西非最大的城市都不知道。不管有多想说出口，也绝对不能说。我必须冷静下来，然后尽量表现得很合作。”

所以，哈桑用手指在桌面上画了一幅虚拟的非洲地图，然后指着它的西部，解释说，达喀尔是美国当年进行奴隶交易时一个非常重要的中转站。

“那儿有穆斯林吗？”那人接着问道。

“有，总人口的95%都是。”哈桑略带讥讽地答道。

“你在这些地方都见了什么人？”

“艺术家，就是一些艺术界的人，作家，记者。”哈桑答道。然后，他开始耐心地解释一些有关艺术的事。

“你是搞什么艺术的？”

这个问题同样不太容易回答。哈桑虽说是一个艺术家，但他的作品不是可以挂在家中餐厅里的那种，而是一些富于美感和灵感，以一种独特而又犀利的角度呈现周围世界的作品。举例来说，他在达喀尔设计的那套装置本身是一个4.5米高的通信塔。该塔全部由竹竿建成，顶端还装上了电线。塔内有四盏氖灯，将塔身渲染成蓝色，而且塔内安放的扬声器会随意发出嘶嘶的声音。在一般人眼里，这些东西并没有什么意义，但实际上，其中的每个元素都富含深意。

塞内加尔给哈桑的第一印象就是每样东西都是那么的蓝。“特别是当你站在海边，看着那蓝蓝的水、蓝蓝的天，那景色真是棒极了。”他回忆道。基于此，他才在装置中加入了蓝色的氖灯。另外,他还注意到塞内加尔人在交谈中会发出嘶嘶声。令人费解的是，就算两人离得有半个街区远，其中一人也能听出是谁在“嘶”他。因此，在装置中放一台扬声器是必不可少的，它能让大家看看塞内加尔人对一个会“嘶”他们的艺术品有怎样的反应。

一想起那个审讯官要求他解释自己的艺术专业，哈桑还是会忍不住笑出声来。“就算跟其他艺术家讲都很费劲，”他饶有兴致地回忆道，“更别提向一个执法者解释了。”由于那个装置很像一座雕塑，所以他干脆对那位审讯官说：“我是一个雕塑家。”然后就到此为止，因为要是提及多媒体装置，无疑会让事情变得更复杂。

然后，审讯官突然问了下一个问题：“你在大学附近是不是有个仓库？”

“没错。”哈桑点头道。自从进入南佛罗里达大学任教并搬到坦帕后，他就租了一个仓库。

“里面都有什么？”

“一些在佛罗里达穿不着的冬衣，一些我的小公寓里放不下的家具，还有一些淘来的旧东西，因为我这个人什么东西都不肯扔——里面只是一些乱七八糟的东西。”

“没有爆炸物？”审讯官现在才开始问一些令人疑惑的问题。

“没有，我敢保证里面没有任何爆炸物。”哈桑回答道。

在这之后，随着一个接一个问题，哈桑逐渐弄清了自己被扣留的原因。数周前，坦帕的联邦调查局接到线索，说一个在仓库里私藏炸药的人于2001年9月飞去了国外，而这个嫌疑犯的名字，就叫哈桑•伊拉希。

> “虽然没有证据，但我敢确定一定是租给我仓库的老板报告的。我认识他们，每月去付仓库租金的时候，我都会坐下来跟他们闲谈，有时候甚至会聊几个小时——那是一对老夫妇，他们是从肯塔基州搬到坦帕来经营仓库出租生意的。
>
> “你应该先了解一下当时的国民心理。那是2002年夏天，当时的人们都抱着一份无论看见什么都如实报告的心理。现看现报，千万不要等新闻出来后再说。如果他们遇到一个棕色皮肤的人，而且知道了他的名字，他们就会聚在一起讨论：‘那是什么名字？听起来应该是阿拉伯人，他一定藏有炸药！’
>
> “那对夫妇并没有恶意，也并非小人，而且跟我也无冤无仇，他们只是觉得有必要这么做。”

不到10分钟，哈桑就意识到了这些。不过，尽管名字听起来很像阿拉伯人，哈桑绝对不是基地组织成员。出生于孟加拉国的他操着一口稍带纽约口音的英语，那是因为他7岁的时候就到了布鲁克林，并在那里度过了自己的童年。没错，他是棕色皮肤，但那一头金黄色的头发表明他绝不是异教徒。他只是一个普通的移民二代，一个说美国英语、生活在美国、感受着美国文化的邻家男孩。没花多长时间，联邦调查局探员就弄清了这一点，然后就让哈桑乘飞机回坦帕了。

正常情况下，故事到这儿也就告一段落了，但“9•11”之后的世界可没有什么正常可言。如果你有一个“哈桑”这样的名字，而且还是棕色皮肤的话，就算你是佛罗里达州唯一一个没有枪支弹药的人也不管用。所以，在接下来的5个月里，哈桑不得不频频出入坦帕的联邦调查局，而且每次都会被查问数小时。

> “基本上，我把我人生中经历的所有事情的细枝末节都告诉了他们，没有一丝隐瞒。”他回忆道，声音中没有任何怨恼之气。“你知道，当跟那些掌握着你生死大权的人面对面坐着的时候，你似乎失去了理性。你觉得自己应该做些什么，但却又什么也不敢做。”

5个月后，也就是感恩节过后没多久，经过一轮烦琐苛刻的测谎程序，一个短头发的大块头探员告诉哈桑，一切都结束了，他自由了。这让哈桑大吃一惊。就这样？就这么结束了？就像过去5个月什么事情都没发生过一样？他看着探员说：“等一下，伙计，我马上又要出国了，回来的路上不会又发生什么吧？”

“你要去哪儿？”

“印尼。”

“哦，你要多加小心，那儿发生过恐怖袭击。”探员关切地看着他。

哈桑对这种莫名其妙的变化感到很诧异。经历了种种之后，他心想，这家伙肯定是在跟他开玩笑。不过，探员看起来真的很担心他，所以哈桑决定坦率地说出自己的想法。

> 你瞧，伙计，我最害怕的不是飞机失事或是大厦爆炸。我最怕的是你们中有人自以为所做的一切都是对的，然后随意把我带走。一旦这样的事情发生，没人知道我在哪儿，也没有人知道该怎样把我从困境中救出来。

就在美国开始把从世界各地抓来的犯人关进位于古巴的关塔那摩监狱的当下，哈桑知道那位探员会懂他的意思，而且他是真有这样的担忧。虽然探员什么都没说，但他的肢体语言和表情告诉哈桑：没错，这样的事情确实会发生，我也很替你担心。受到鼓励的哈桑紧接着说："我们需要的只是不要让这次的事情重演。那么，我现在该怎么做呢？"

探员想了一会儿，然后掏出钱包，拿出一张卡片给哈桑，说："上面有一些电话号码，如果你遇到麻烦，就打电话给我们。"他稍稍停顿了一下又说："我们会马上处理，而且一定在第一时间赶到。"

哈桑看了看那张卡片，又看了看探员，如释重负地说："太好了。"最后，他还逗趣地说了句："哇哦，我请到了最佳的保镖。"

数据，让一切成为可能

现如今我们享有的众多先进技术，如电脑、手机、太空旅行以及各种新药物，都建立在数百年来的科学探求的基础之上。**而在这一过程中，驱使人们不懈努力的是一个从未动摇过的信念：自然现象能够被人类理解、描绘、量化和预测，并最终受人的控制。**大部分人对科学很是痴迷，而抱有这份信念的好处在我们身边随处可见。

> 我们学会了控制半导体中的电流，制造出了晶体管收音机和iPod音乐播放器；我们破译了无线电波的规律，使得人们可以通过手机进行无线通话；我们掌握了人体中众多化学物质的作用，为治疗日常疾病提供了线索；我们还发现了万有引力定律，让去月球旅行成为了可能。

遗憾的是，这种富于启发性的革新仅仅停留在了自然科学领域，在人们日益关注的地方却止步不前，那就是个人以及人类社会的行为。一旦涉及人类行为，我们日常所见的一系列事件就像15世纪人们眼中的行星运动一样神秘莫测。

在日常生活中，虽然我们可以针对某些事情自由做决定，但似乎人生的大部分时光还是处于“无人驾驶”状态。人类社会从资源丰富走向资源匮乏，从战争回归和平，又在和平中爆发战争。这一切不禁引起大家的思索：人类发展究竟有没有遵循潜在的规律，遵循那些并非人类自创的规律？

哈桑的故事就是个很好的例证：他与联邦调查局的冲突是出于偶然，还是可以从肤色、名字以及最重要的行为举止上预见？他的经历是否符合能被社会接纳的一般规律和结果？那对来自肯塔基州的夫妇是否只是通过臆断就恰好堕入了爱国主义和后“9・11”恐惧心理交织的复杂大网之中？人类的行为是否受一系列法则和原理控制，而这些法则又刚好如牛顿万有引力定律那样富有预见力？天哪，我们能否走到可以预知人类行为的那天？

到目前为止，问题的答案只有一个：不知道。其结果是，虽然如今我们对木星有了进一步的了解；能够预测电子的移动方向；可以偶尔来个转基因实验；甚至能将机器人送往火星。但是，一被问起是否能够解释或预测人类的行为，大家都还是一头雾水。

原因很简单：**过去我们没有相关数据，也没有一定的方法来探究人类的行为。**实际上，当我们把细菌放在显微镜下观察的时候，它们不会生我们的气；月亮也不会因为我们在它上面停驻宇宙飞船而投诉我们。然而，人类不会跟细菌和月亮一样不在意我们孜孜不倦的探查，也不会欣然接受一些侵犯性调查。

不过，有一个人例外。

从被监视者到自我监视者

鉴于对安全的新认识，哈桑养成了一个新习惯。

在每次出国之前，他都会打电话给那位探员，告知自己的旅行计划。“也不是一定要打电话给他，只是我自己想要这么做。我想让他知道我会到哪儿去，会做什么事儿，”他解释道，“当然，我不会有什么出人意料的举动，我可不想引起他们的注意。”

随着时间的推移，他开始将联络方式由电话换成邮件，而且经常发一些旅行照片和简短说明。渐渐地，那位大块头的探员对哈桑来说不仅仅是一个执法者了。哈桑开始把他当成自己私人的联邦探员，而这位“保镖”也在履行诺言——哈桑虽各地游走，却再也没受过骚扰。

然而，距底特律大都会国际机场事件一年半后——在这段时间里，哈桑已经发了无数行程表和旅行照片给联邦调查局，2004 年 1 月，哈桑有了新想法：为什么只跟联邦调查局分享自己的旅行信息呢？为什么不让所有人都知道？

> “要是有人搞错了，或是某些事儿出了差错怎么办？”他这样问自己，“虽然那些家伙已经对我了如指掌，但他们得到的信息到底有多详细呢？他们肯定会漏掉一些东西。”
>
> “自从有了这些顾虑，我就给自己建了一个并行数据库，以复原我的联邦调查局档案。其实，不只是复原，而是重建一份比他们的档案精确度高得多的档案。”

他开始在自己创建的网站上传照片，并设置流动坐标。这个习惯很快变成一种痴迷并延续至今。实际上，如果你打开 www.trackingtransience.net，就能看到首页地图上有个红色箭头在闪动，它能告诉你哈桑目前的下落，而网站上的照片可以让你一瞥他所在之地的风情，照片中的可能是旅馆房间、咖啡屋，或是机场。点击地图下面的一系列图标，你就能看到一个包含 3 万张照片以及他所到之处的场景图的文件夹，里面从餐点照片到他用过的小便池的照片，从完整的航班号目录照片到详细的账单照片，应有尽有。

为了确保所有信息都能公开，他把监视视角颠倒了过来，将自己由被

监视者变成了监视者。现在，他既是嫌疑人又是联邦探员，并代表联邦调查局对自己进行实时追踪。

至此，隐私权的概念对哈桑已经完全不适用了。他变成了一个一举一动都受大家监视的特殊标本。他的生活成了他最大的艺术品，一直延续，没有尽头，而其中的一部分已经被展示在世界各地的博物馆、展厅以及画廊中了。

他的这件艺术品极具偶然性，一路走下来，总有一些事情他无法预知。通过记录并公开自己的行动和下落，哈桑为科学探究活动中最受人忽视的领域提供了非常详细的实时信息资料，而颇具讽刺意味的是，这个实验的对象就是他自己——哈桑·伊拉希。

大数据时代的大机遇

不过，哈桑并不孤单。

十年前，微软实验室的高级研究员戈登·贝尔（Gordon Bell）[①]就开始随身携带一个能够自动拍下他眼前每个人照片的数码相机，以及一个能够随意捕捉身边大范围内的各种声响的录音机。同时，他还建立了一个数字指纹库，用来存储他有意无意间接触到的所有事物，并将其归档。在过去十年中，这个数据库

① 戈登·贝尔和吉姆·格默尔（Jim Gemmell）合著《*Total Recall: How the E-Memory Revolution Will Change Everything*》一书中文版即将由湛庐文化策划出版。——编者注

中的信息量与日俱增，已保存了 10 万封电子邮件，数万张照片，他的所有通话录音、近千张病历以及他读过的每一本书，甚至还有他品尝过的每种葡萄酒的商标图片。

同样，麻省理工学院媒体实验室的计算机学家德布 • 罗伊（Deb Roy）在他儿子出生前，就在家里安装了 11 个摄像头和 14 个麦克风，记录下家中发生的一切，并将所有记录都通过电缆传输到地下室里存储量为一百万兆字节的磁盘阵列中。磁盘存储了他儿子的每次欢声笑语、每回换尿片的样子，以及他与妻子的每次畅谈和争吵。目前，磁盘中已经积累了 25 万小时的音像资料。

对我们这些没有伊拉希、贝尔或是罗伊那样偏执，也没有太多资源的人来说，有股更强大的力量在对我们施加影响：**我们正处于一种不断变化但却日趋精密的被监视状态中。事实上，现在我们的一举一动都能在某个数据库中找到线索。**

> 我们的电子邮件都保存在电邮供应商的日志文件中；我们的通话记录都被加上时间标记备份在电话公司的大容量硬盘上；我们何时何地买了什么东西，我们的喜好、品味以及支付能力都被信用卡提供商编目归档；我们所有的个人网页、空间、facebook 文件，还有博客的信息都被保存在多个服务器上；我们的即时行踪完全被手机供应商掌握；我们的容貌和穿着打扮都被安装在各大商场和街角的摄像头捕捉并记录。虽然我们通常选择不去多想，但事实上，我们的生活完全能被这些雨后春笋般出现的数据库所记录的信息串联起来。

毫无疑问，**正是这些记录的存在引爆了个人隐私危机，而这一问题的严重性再怎么夸大也不为过。然而，它同时也创造了一个历史机遇——它**

第一次毫无偏见地为我们提供了成千上万人，而不是少数人的详细行为记录。在过去几年里，这些数据库为各大实验室提供了不少帮助，使很多计算机学家、物理学家、数学家、社会学家、心理学家以及经济学家得以在强大的计算机和新技术的支持下，对某些问题进行仔细研究。实验的结果令人振奋。**他们有充分的证据证明，人类的大部分行为都受制于规律、模型以及原理法则，而且它们的可重现性和可预测性与自然科学不相上下。**这些发现并不只是科学家在纸上谈兵，其中一些模型和原理已经价值数亿，像谷歌和雅虎这样以追踪人类行为为商业模式的公司都身价不菲。可以说，它们颠倒了乾坤。在过去，如果想了解人类的行为和想法，你必须去考个心理学家证书，但现在，你可能需要先拿到计算机专业的学位。

现在，本书的根本目标就浮出了水面。我会向大家展示，在日趋精密的数字技术创造的这个巨大、复杂而又翔实，并且超越以往任何科技水平的研究实验室面前，人类赤裸裸的一面。通过对这些发现进行追踪研究，大家会看到生命的韵律，会发现人类行为中更深层次的规律，并确证这些行为是能够被探究、被预测，而且无疑是能够为人所用的。

有了这些四处搜集来的信息，我们不会再把人类的行为视为互不相关、随意偶然的独立事件。相反，它们应该是相互依存的奇妙大网的一部分，是相互串联的故事集中的一个片段。它们会在不经意时显示次序，在意想不到之处偶然出现。我们观察得越仔细就越容易发现，人类行为遵循着一套简单并可重复的模型，而这些模型则受制于更加广泛的规律。

忘掉那些将生命看做掷骰子或是巧克力盒的比喻吧，把自己想象成处于自动驾驶状态、做着美梦的机器人，你就会更加接近真相。

历史韵律背后的深意

尽管开篇我讲述了哈桑的故事，但本书最终的主角不是哈桑，也不是美国国土安全部。我是想说明，在人类行为的问题上，哪些是普通的，哪些是特殊的。

不过，要说明这个问题，在接下来的章节中我们还是会提到哈桑以及他与联邦调查局之间的故事。我们将看到，刚开始，那名探员为他提供的保护还管用，但没过多久，当政府不再信任由狂热的市民自己追踪罪犯的时候，他的方法就失效了。要想弄懂哈桑为什么会被在世界各地以反恐名义布下天罗地网的美国政府扣押，我们需要仔细研究他个人网页上的信息，并且将他的行为与世界上成千上万的其他人做比较。结果会令人吃惊吗？从某个角度上看，美国国土安全部做得对——至少，他们发现了哈桑行为的不同寻常之处。哈桑是一个十足的异类，这一发现对我们来说非常重要，因为一说起他的行为，本书所总结的很多人类行为的一般模型都不再适用了。

然而，哈桑并不是本书提到的唯一一个异类。我们还会追溯到路德[①]、哥白尼以及米开朗基罗生活的时代，带领大家重回人类生活与占星学、奇迹、巫术、鬼魂、精灵以及预言紧密联系的年代。我们这么做的原因，就是要追踪一系列与当代人哈桑的旅程一样奇妙的事件。在这个过程中，我们会遇到另一个异类，一个被同时代人称为乔治·塞克勒（György Székely）的人。

> 但事实上，他家乡的人们并不叫他塞克勒。跟其他一些游历世界各地的人一样，他的名字来自于他的故乡——一个难以捉摸的匈牙利语部落，当地的塞克勒人自称为匈奴王阿提拉的后人。他们居住在特兰西瓦尼亚东部的，令

① Luther，公元15世纪至16世纪抗议罗马天主教会的传教士。——编者注

人叹为观止的喀尔巴阡山上——那里正是布拉姆·斯托克（Bram Stoker）笔下的吸血鬼德拉库拉伯爵的居住地，也恰巧是我的出生地。

随着对科学和历史的深入了解，我们会发现，跟哈桑一样，乔治·塞克勒在很多方面都很普通。不过，他对反复无常的历史通常有独特的、令人难以捉摸的反应，这使他最终带领一支教皇的十字军，在根本没接近敌人的情况下就大败敌军。

不过，不仅仅是乔治·塞克勒与众不同的一面吸引了我们，更让我们着迷的是，他每次力挽狂澜改变历史的事迹都被一个与他同时代的人预测到了。这么看来,他好像跟你我以及身边所有人一样完完全全被看透了——好吧，哈桑除外。现在，我们要想知道一个人的下落，可以依靠能够每时每刻监视我们的尖端科技，但是要想在16世纪预测战况，判断教皇、红衣主教以及士兵们的行动可就没那么容易了。那么，为什么有人在遥远的16世纪就对他祖国的命运有如此精确的预见？

马克·吐温曾说过：**历史不会重演，却自有其韵律**。让我们来聆听这韵律，让哈桑·伊拉希、乔治·塞克勒、你和我，以及身边成千上万人之间存在的明显差异，指引我们发现人类行为背后的深意。**诚然，不管生命中的小细节多么迷人，科学在实验室中发现普遍和一般规律的能力仍然闪耀着光辉。至于人类的行为，那只是我们的一种追求，是我们对大千世界的一瞥。**

选举新教皇

地点：梵蒂冈

时间：1513 年 3 月 10 日，教皇十字军东征前一年

正如英国著名诗人柯勒律治所说，只有甘愿暂时搁下理性的质疑，我们才能继续前进。我们要回到遥远的 16 世纪早期，变成一只苍蝇，趴在刚刚完成的《西斯廷教堂》（*Sistine Chapel*）壁画上。这是一个绝佳的观测点，从这里我们可以一窥那个历史的关键时刻，它的影响将波及远在千里之外的匈牙利。在我们慢慢展开这幅历史画卷的时候，我将尽量用事实说话。由于当时的西斯廷教堂并不像现在这样到处安置了摄像头，所以我们必须将自己的想象力发挥到极致。你可能会心存疑虑，这也很正常。不过，不管事情是否真的这样发展，你都要牢记：**想象力是一切创造的核心。任何对想象力的破坏或限制，都会使其中的趣味丧失**。所以，请耐心听我说，暂时搁下你的理性，让行动引导你的理智和本能。

随着教皇的去世，过去五天的遭罪经历让巴科兹主教有些招架不住。他不得不从漂亮的别墅搬到西斯廷教堂里一间又小又黑的房间居住。尽管身体有

些吃不消，但他明白，为了即将来临的选举，必须这么做。选举辩论结束了，他要投出自己的一票。其实，他早已为竞选教皇做好了万全准备。

他停顿片刻，扫了一眼旁边的那些主教，看到的只是特权。他们中有很多都还乳臭未干，起码巴科兹这么认为。彼得鲁奇主教只有 22 岁，克拉诺主教刚满 30，乔凡尼•德•梅第奇主教也只有 37 岁。小小年纪就地位显赫，让人觉得非常不可思议。

刚被法国人放出来的乔凡尼•德•梅第奇主教就是个很好的例子。这个梅第奇还不会说话就被任命为圣杜斯修道院的院长，然后又在 13 岁时被推举为红衣主教。因为教皇的私生子娶了梅第奇的姐姐，所以这也可以算是前任教皇送给佛罗伦萨人的礼物。不过，最后连教皇本人也觉得自己对他太过偏袒，所以有 3 年时间拒绝让他享有红衣主教的特权。

强大的梅第奇家族当然希望梅第奇主教能登上教皇宝座，但教会里可没人愿意再等上个几十年才进行下次选举。所以这次，这位年轻的主教注定不再是宠儿。一个老教皇，一个像巴科兹这样的教皇则不会让他们等那么久，所以他才是最好的人选。

当巴科兹的思绪回到投票上时，教堂天花板上那幅米开朗基罗的壁画令人吃惊地散发出一丝记忆的味道。他再次停下来，眼前仿佛出现了一个制车匠的家,这正是壁画的味道所引出的画面。这个味道就是他曾经说过的家的气息。跟梅第奇及其他主教不同，巴科兹从未享受过任何特权。他出生于贫困家庭，但颇得上帝恩泽，而他也并不隐瞒，总是时不时地对身边的人提起这一点。现在，壁画的味道让他记起了旧日的卑微和今日的辉煌。

巴科兹回过神来，看着面前的投票箱，他意识到这轮投票将决定谁是最后的赢家。众人皆知罗马人民需要谁，以及谁最具影响力。5 天前，当他还在庆祝圣灵降临节时——这是教皇选举会议前最后一次公众活动，教皇人选的最佳竞争者已经锁定至 3 人：意大利主教利拉奥，威尼斯主教格里马迪，以及他自己，匈牙利主教巴科兹。

他是否曾经妄想过自己有这个机会？有可能，但是他可不只是坐等上帝的恩赐，相反，他认真地收集了选票。他的第一个支持者是 8 年前许诺过的马克西米利安大帝。当然，匈牙利皇室也是他背后的支持者，在那里他已经拥有了“主教、国王，以及所有他曾想望的身份”。而且，一旦威尼斯主教格里马迪处于劣势，威尼斯总督就会将票投给巴科兹。同时，25 位主教中有 20 位是意大利人，很明显，他们希望自己的同胞当选。理清了当前的复杂局势之后，结果就显而易见：他唯一的竞争者就是前任教皇西克斯图斯四世的侄子，意大利主教利拉奥。

巴科兹慵懒地蘸了蘸墨水，全然不在乎鹅毛笔头发出的刺耳嗞嗞声，在面前的选票上写下了一个名字。然后，他将这张选票折叠，举起来让大家看了看，径直走到圣坛前，慢慢地将它放在圣盘里。在众主教的注视下，他托起圣盘慢慢地将选票倒入了圣杯中。

尽管过去的 5 天犹如弹指一挥间，但现在，25 位主教依次走向圣坛，往圣杯里投掷选票的这短短一分钟却犹如永恒一般。仪式最终结束了，年轻却虚弱的助祭乔凡尼•德•梅第奇开始用舒缓而谦恭的语调唱票。他前一天刚接受过手术，但今天却必须认真地履行职责。

巴科兹一边听着梅第奇唱票，一边将那双因积聚了 72 年的压力而微微颤抖的双手藏在法衣里。为了坚守信念到底，他强迫自己将注意力集中于在西斯廷教堂里回响的唱票声中。

“塞拉主教。”梅第奇念出了第一个名字，然后小心翼翼地将那张选票放在一边。

“巴科兹主教。”他念出了第二个名字。这不禁让巴科兹心潮澎湃。这是巴科兹参加的唯一一次教皇选举，现在他就站在那儿，是最具竞争力的教皇候选人之一。尽管现在说胜利还为时过早，但他的心已经开始蠢蠢欲动，全然不顾大脑发出的警示信号。

当梅第奇念出另外一张选票上的名字"巴科兹主教"，并盯着他看时，他更是信心满满。

他已经得了两票，而且是前三票中的两票。要登上教皇宝座，他必须得到 2/3 以上的票数。虽然在第一轮就当选的可能性几乎为零，但毕竟到目前为止，胜利是属于巴科兹的。

"巴科兹主教，罗维尔主教，塞拉主教，费纳利主教，巴科兹主教，塞拉主教，塞拉主教，格里马迪主教，塞拉主教。"接着，助祭停顿了数秒，念出了自己的名字："梅第奇主教。"故意表现出谦逊之态后，他继续平静地唱票。

巴科兹在脑中稍加计算，一股激动和谦逊交加的情绪立即赶走了他的疲惫。塞拉主教得票最高，有 14 票，不过离 2/3 的支持率仍有一段距离。实际上，这位最年长的西班牙主教并不是当教皇的料，只不过其他主教大多想掩饰自己的野心，才把票都投给了他。

大家心里都明白，最具教皇之才的是那三名主教。但他们当中，格里马迪主教只得了两票。这个消息对巴科兹来说最好不过，因为一旦格里马迪出局，在下轮投票中自己将得到威尼斯的支持。而拉法埃罗·利拉奥，意大利主教们的希望，竟然连一票都没得到，这对巴科兹来说真可谓大胜。第一轮投票结束之后，巴科兹确信大家都已看到，三个最有可能登上教皇宝座的人中最具竞争力的就是他，巴科兹主教。

他已不记得自己不相信奇迹多久了。然而，现在，他看着米开朗基罗所绘的上帝，多年未有的谦逊感终于在他死之前再次油然而生。很多参观教堂的人都会因壁画上上帝创造亚当的温存而心生感动。但是，巴科兹最近却与一个全然不同的上帝成了朋友。这位上帝就在两块天花板外的另一幅壁画上，是可以使太阳和月亮转动的强大造物者。

今天在教堂里发生的一切绝不仅仅是上帝的神迹，而是一种貌似和谐却实如行星运动般冷酷的精心安排。这都要归功于他近 14 年的四处游说，以及往外送银子时的毫不吝啬——这些钱足以使两个国家富足起来。跟威尼斯建立起来的 20 年的友好关系，使他得以在仅次于罗马教皇的君士坦丁堡大公宗主教那里获得了一席之地。同时，一年前他胜利挺进罗马，空前盛况直逼教皇的欢迎仪式，这使他在选民中大受欢迎。

事实上，通过散金和游说，很多大门都为他大开，其中不乏被他轻易俘获者。不管怎么样，他已经悄悄挤进了权力的中心。他轻轻地吹动那滚动的骰子，直到他的名字出现在最上面。

● ● ●

随着一个个主教的出局，巴科兹离当选教皇只剩一票之差。他抬眼看了看其他主教，给他们一个机会向未来的教皇表示虔诚。通过眼角的余光，他注意到已出局的利拉奥主教正慢慢地朝病恹恹的梅第奇的专席走去。作为颇具竞争力的教皇候选人，他以零票惨败，当然要去他虚弱的朋友那里寻求安慰。

但巴科兹主教随后注意到，梅第奇的宿敌阿德里亚诺•卡斯特里西也跟着利拉奥走向梅第奇，他的胃里开始翻江倒海。这次的感觉不是之前等待结果时的焦虑和疲惫，而是一阵发自肺腑的痉挛，是一种像他这样实力雄厚而锋芒四射的人不曾有过的感觉。那是一种赤裸裸的恐惧，一如早先的基督徒眼睁睁地看着狮群冲破大门，意识到不管自己的信念有多强大，都无法避免在一片狼藉中被活活吃掉时的那种恐惧。

看着那两人庄重地站在梅第奇的椅子后面，提着他那长长的礼袍，巴科兹还没等理清头绪，就已意识到大事不妙了。

关于图片的说明

我特别邀请了一位艺术家来为本书绘制图片，以精美的蚀刻图画来为这部与中世纪相关的书增色。

《爆发》一书中的15幅图均出自特兰西瓦尼亚艺术家博通特•莱斯（Botond Részegh）之手。他放弃了在东欧两个首都的众多机会，以便能待在茨希克什哲烈达——一个位于塞克勒中心地区的特兰西瓦尼亚小村庄，保持独立的创造力。他在一个无窗的小储藏室进行蚀刻创作。这个储藏室是他的老师借他使用的，朋友和崇拜他的人都可以去参观。他的一些粉丝会用优美的字体给他写信。

他是背负着一个任务来创作本书的15幅图片的，即建立过去和未来的联系，让历史事件的典型场景与必不可少的科学元素相融。博通特将历史和科学的元素融合了起来，在它们之间搭起了一座桥梁，使读者能够文图并进。

BURSTS

THE HIDDEN PATTERN BEHIND EVERYTHING WE DO

| 第一部分 |

人类看待自身和世界的传统思维

在无数个“显微镜”下现形

扩散理论

人类跟悬浮在水中的花粉微粒其实没什么不同。我们大部分时间也是运动不止。不同的是，我们不是受到微小而不可见的原子的撞击，而是被转化成一系列任务、责任以及动机的不可见的神经元的颤动所驱使。很多新工具都能追踪人类的活动，都能预见我们的下落：不是当下的，而是未来的。

在2002年之前，唯一能激起盖瑞·卡尼斯（Gary Kanis）兴趣的就是那些便于携带的美钞。2002年1月12日，他坐在桌子前，桌面上整齐摆放着一盒盒雷明顿和温切斯特子弹，还有点44口径的镍铜合金、平头、硬铅芯马格南子弹，他根本没想到他与钞票之间的简单关系即将结束。很快，他将有机会在一沓沓美钞上做标记，而这将带给他极大的满足感。

他的展台只是俄亥俄州奈尔斯市的伊斯特伍德枪展中心（Eastwood Expo Center Gun Show）上百个展台之一。很多展台都展示着各式枪支——从20世纪90年代德意志武器弹药制造公司（DWM）生产的鲁格手枪，到雷明顿700P警用狙击步枪，应有尽有。还有一些展台迎合了人们对枪支亚文化的扭曲幻想，那里的商品大多是一些军服、第一次世界大战时的头盔、军刀，以及纳粹徽章。这是男人们引以为傲的男性气概中极不和谐的一笔。

如果你对盖瑞客户的价值观感兴趣，看一下他隔壁展台所搜集的印有各种标语的贴纸，你就会豁然开朗。只需花3美元你就能买到一张印有“欢迎来到美国，请讲英语，不然就走开”的醒目黄色标语贴纸。再多掏3美元你就能惹恼美国的半边天——“女人应该待在家里，但绝不是那个白色的家（白宫）”。

盖瑞，五十多岁、胡梢泛白、两鬓染霜但打理整齐、额间稍显皱纹，他跟你印象中的老枪商可不一样。虽然稍微有点大肚腩，而且看上去也不怎么细心，但他的穿着还算整洁，举止也算优雅。他曾经在老家沃茨堡开了一家子弹商店。

> 沃茨堡位于宾夕法尼亚州，离该州西北角的伊利湖大约25公里。在沃茨堡这样一个只有378人，17%的家庭生活在贫困线以下，而且人均年收入达不到1.4万美元的小城，做什么生意都难，就算是卖枪弹也不例外。

单靠这么一个小城人们的消费根本就赚不到钱，所以盖瑞经常去外地销货。他每年都带着一箱箱从批发商那里批来的子弹，准备好一大摞零钱，在全美20个枪展上兜售他的商品。另外，他还开了个装点门面的网店。如果价钱合适，他很乐意包邮。但从网上买子弹的人很少——大部分人都喜欢一手交钱，一手交货。所以，像在奈尔斯举办的这种能够当面交易枪支的枪展，就成了盖瑞维持生意的一线希望。

“被乔治”的钞票

1月12日，这天跟往常一样，没什么特别。一位客人从盖瑞那里买了一盒子弹，然后递给他10美元。但盖瑞注意到那张10美元纸币上有点儿古怪——有人用醒目的红色墨水印上了WheresGeorge.com这一网址。好奇的盖瑞特意将这张钱收好，打算以后再研究。

3天后，盖瑞终于有时间坐在自家的电脑前，打开那个网站。输入网址后，他按下回车键，出来的画面竟是乔治•华盛顿那直视人的双眼，上面的标题用大家熟知的美国财政部的字体煞有介事地写着——美国货币跟踪项目。

打开了这个网站后，盖瑞马上意识到，他轻点鼠标进入的这个世界与几天前还在奈尔斯时的世界完全不同。

> 一次枪展能吸引 5 000~7 000 人，人们来自五湖四海，大多行为谨慎。我曾经问盖瑞能否给我一张他在枪展上跟那些商品在一起的照片，他一口回绝了。为了消除我的误会，他马上解释说，并不是因为他不想跟我分享，而是因为他干这行 25 年来从没拍过一张照片。
>
> “如果警卫发现你在枪展上携带相机，马上就会把你赶出去。”他在给我的邮件里如是说。他还补充道：“想了解枪展的最好办法就是亲自参加。”我真的亲自去了一次。在我还没进去之前，我就明白了盖瑞那么谨慎的原因。入口处一条醒目的黄色大条幅明确表明了那里的规矩：
>
> **枪展**
>
> 21 岁以下必须由父母陪同
> 枪支不得上膛
> 所有枪支务必自行拿出以接受检查
> 不准携带相机及其他记录设备

这个保守、多疑、隐私重于一切的枪支销售世界，跟打开天窗找寻我们的钱在哪里的 WheresGeorge.com 网站形成了强烈对比。这个网站跟哈桑·伊拉希那个把隐私抛诸脑后的网站有些类似——那么多的现金，毫无保密也没有隐藏，它们的一举一动都有人追踪并且还公之于众。没错，这就是我要说的重点。

德克的发现

2004 年 3 月，德克·布洛克曼（Dirk Brockmann）飞往蒙特利尔参加美国物理学会的年会。每年都会有 7 000 多位学者和学生蜂拥至美国某个重要城市参加美国物理学会 3 月会议，但这一年会议在加拿大召开。一场 5 天之内有 6 000 多人发言的大会，对演讲者和参与者来说，就像跑马拉松一样令人精疲力竭。

三十多岁、留着光头的德克周身散发出一种魔鬼般的冷静。2004 年，他还是德国马普动力学与自组织研究所（Max–Planck–Institute for Dynamics and Self-Organization）一名资历尚浅的物理学家。他演讲时恰当的停顿给人留下了一种善于思考的印象。

“这只是我个人的想法，不过说真的，我不太喜欢这种大型会议。”他有一次这样跟我说。停顿些许思考了一会儿，他又说道：“我飞了一万多公里去那里听了所有演讲，但可能只对两个演讲还有印象，效率太低了。”但是，他还是会去参加会议，做演讲，听听其他学者的意见，兴致勃勃地跟同事和朋友们共进早餐和晚餐，共度美好时光。5 天高强度的会议结束之后，筋疲力尽的德克离开了蒙特利尔，去拜访大学时的好友丹尼斯·戴瑞巴里（Dennis Derryberry）。

丹尼斯是德克在杜克大学读书期间交到的第一个朋友，两人一见如故。在德克的印象中，他的这位好友是个不折不扣的天才，做什么事都毫不费力，但却没什么野心。丹尼斯写过诗，还当过词曲作者，而且挣到了不少钱。最后，他和家人一起定居在佛蒙特一片青翠森林的舒适木屋中，靠做细木工匠维持生计。

德克去他家拜访的那晚，两人穿得厚厚的坐在木屋的门廊上，就着山里的寒气小口抿着冰凉的啤酒。丹尼斯问：“你最近都在研究些什么啊？”

德克最近感兴趣的这个问题一眼看上去似乎跟他物理学家的头衔不怎么沾边——他想弄清流行病是怎么传播的。

> 鉴于最近各大媒体大幅报道猪流感或非典型性肺炎，大家都意识到在全球化的今天，病毒的威胁日益严重。
>
> 14 世纪时，30%~60% 的欧洲人死于洪水猛兽般席卷欧洲的黑死病。几十年间，这种病通过步行或骑马的旅人传播开来，摧毁了一个又一个村庄。相比较而言，如今的病毒可以通过受感染的墨西哥人或是香港人乘坐的飞往多伦多的飞机，而在几天后扩散至整个加拿大，令那里的疾病防治官员手足无措。
>
> 所以，现在的问题不是下一个致命的传染病会不会出现，而是何时出现。还有，一旦它传到了美国，将有多少人被传染？

怎样避免下一次的流行病突发不是一个生物学和病毒学的问题，因为研发预防新病毒的疫苗可能需要数月或数年，到那时已经没人需要治疗了。**最好、最快的病毒防治方法就是阻止它的扩散。要做到这一点，我们首先要弄清人类是怎样活动的。**

但面对丹尼斯的问题，德克认为要讨论病毒的话题肯定会破坏这诗情画意的佛蒙特之夜，因而他只简单地说道：“我想知道人们是怎么旅行的——比方说，他们多久旅行一次。”

德克的问题引起了丹尼斯的注意，所以丹尼斯问道：“你听说过 WheresGeorge.com 这个网站吗？”

过去 15 年，德克一直在德国生活，所以并没有接触过这个网站。第二天早上，热心的丹尼斯给他看了这个网站，他马上就意识到自己找到了宝藏。

人类活动的追踪者

通过 WheresGeorge.com，大家可以追踪每一美元的下落，这主要归功于数以千计的美国人的一个嗜好。这个网站的工作原理是：输入一张钞票的序列号以及你所在地的邮编，网站很快就会标示出这张钞票的位置。然后，你在这张钞票上写上或印上 WheresGeorge.com 这个网址，像往常一样将它花出去。看到这个网址的人，可能会出于好奇打开网站，然后他就会输入这张钞票的序列号以及自己所在地的邮编，这样，这张钞票的新位置就标示出来了。它对人们的吸引力就是，满足人们追踪钞票历史的好奇心，因为网站会在美国地图上标示出这张钞票以前到过的所有地方。一张钞票去过的地方越多，点击率就越高，那么第一个在网站上注册它的人就越有可吹嘘之处。

纪录保持者是一张 2002 年 3 月 15 日在俄亥俄州代顿市被标记的钞票，用乔治网的老网民的行话说就是“被乔治”的钞票。两个月后，它在 369 公里外肯塔基州的斯科茨维尔再度现身。又一个月后，它两次在田纳西州现身，一次在教堂山，一次在尤宁维尔。

在消失了半年后，它又重现于佛罗里达州的弥尔顿。在接下来的 5 个月中，它在得克萨斯州多次被注册，之后才辗转到犹他州的潘圭奇。它最后一次现身是在 2005 年 3 月 26 日在密歇根州的拉迪亚德，此时距离它首次被注册已 3 年多。

利用这些数据，我们可以算出这张钞票以每天 6 公里的平均速度走完了 6 745 公里的路程。恰恰相当于一个成年人悠闲行走的速度。

跟“被乔治”的钞票在枪展上初次相逢的数月后，盖瑞•卡尼斯一直关注着那些印有 WheresGeorge.com 字样的钞票。他在 2 月的时候发现了一张，在花出去之前，他将它的序列号输入了系统中。接着，他在 3 月时发现了两张，4 月时发现了两张，11 月时又发现了一张，他将这些钞票一一在网上进行了注册。到了 12 月中旬，他更加仔细地观察了这个网站，然后无奈地笑笑说："它在走下坡路啊。"12 月 10 日到 12 月底之间，他在网站上注册了 1 024 张钞票，大都是单张一美元的，然后将它们都花掉了。

事后看来，盖瑞刚开始时只是偶尔标记一张，但后来就近似疯狂了。实际上，在 6 年中盖瑞已经标记了 110 多万张钞票，共计 350 万美元。这样算下来，他大概一天标记 340 张。不管是工作日，还是节假日，他都一如既往。通过尽职尽责地标记经手的每张钞票，盖瑞已经成为这个游戏的顶级玩家。而他不知道的是，他的努力也为我们打开了一扇前所未有的窗户，供我们了解人类行为的详细信息。

神秘的永动力

1905 年经常被称为阿尔伯特•爱因斯坦的奇迹之年。年中的时候，26 岁的阿尔伯特•爱因斯坦给他的朋友康拉德•赫博瑞奇（Conrad Hebrich）草草地写了一封信。这封信表面看来语气轻松，因为爱因斯坦在信中称赫博瑞奇为"冷冻的鲸鱼，你这被熏干的罐装人精"。但揶揄之下却是封急函，因为他要催赫博瑞奇交出他推迟已久的博士论文。作为鼓励，爱因斯坦表示，如果赫博瑞奇交了论文，他将与他分享自己正在准备的 5 篇研究论文。

他称这五篇中的第一篇"具有革命性"，因为它"涉及光的辐射和能量特性"。事实上，14 年后他就是凭借这篇论文获得了诺贝尔奖。第二篇论文集中于"找出原子的真正尺寸"，这是现在人们广为引用的一个论点。不过，令爱因斯坦享誉盛名、家喻户晓的理论来自于第四篇论文，关于这份手稿，他在信中却这样写到，那"只不过是份草稿"。但完成后，它就是我们熟知的相对论。

但我们感兴趣的是第三篇论文。

> 1905年，爱因斯坦向朋友承诺他会专注于研究微小物体落入液体中时的“不规则运动”，这一研究主要是基于1828年英国植物学家罗伯特·布朗的发现，即落入露水中的花粉会进行剧烈而不规则的运动。
>
> 布朗观察到的最奇怪的一件事是，露水中的花粉从未停止过运动。他很快又发现悬浮在水中的灰尘会跟露水中的花粉一样进行剧烈而不规则的运动，从而排除了花粉微粒会那么运动是因为它们存在生命活力的推断。

布朗的发现留给他以及同时代的人一个难题：让花粉保持运动的那种神秘的永动力是什么？

一种可能的解释是，快速运动的水“分子”不断随机撞击花粉微粒使其运动。想象一下，一个大气球被放在情绪激昂的人群中时是怎样一幅情景。随着人流涌动，气球被抛向不同的方向。其结果是，气球时而向左运动，时而向右运动，整体上呈现出一种不规则的激烈运动。这种想象是非常合理的，花粉微粒大约是水分子的25万倍，它在水中恰如一个大型气球飘在密集人群中。

这种解释只存在一个问题：1905年，原子和分子的存在还未得到物理实验的证实。当时最富影响力的物理学家威廉·奥斯特瓦尔德（Wilhelm Ostwald）指出，原子只是虚幻的存在；而爱因斯坦的偶像以及后来的劲敌恩斯特·马赫（Ernst Mach）也对任何不能直接用眼睛看到的物体表示怀疑。

爱因斯坦，这位当时不受权威人士推崇的物理学家，对人们的批评不予理睬，下定决心“要找到能证实确实存在一定大小的原子的最有说服力的事实”。他先提出了一个简单的问题：如果我们承认是原子的撞击使花粉呈现不规则的随意运动，那么花粉每次能运动多远？

起初这个问题的意义并不大，因为如果花粉的运动轨迹是不规则的，那么根本就不可能预测到它未来的位置。爱因斯坦并没有对此表示异议。

不过，他意识到自己还是能够推算出花粉运动轨迹的一些特征。利用相对简单的数学知识加上一些直觉，他推测花粉微粒在某一方向上位移的距离跟它在水中的时间的平方根成正比。也就是说，如果你等上 4 倍长的时间让它做杂乱无章的往复运动，花粉也不会飘到 4 倍远的地方，而是飘到离落入点两倍远的地方。

然而，这只不过是个推测，并没有花粉运动轨迹的相关实验证实。不过，3 年之后，法国物理学家让•巴蒂斯特•皮兰（Jean-Baptiste Perrin）发明了一项能够追踪水中悬浮微粒运动轨迹的技术，最终证实了爱因斯坦的推测。实验结果与爱因斯坦所做的假设吻合，结束了人们对原子是否存在这一命题长达一个世纪的争论。同时，它还帮助皮兰赢得了 1926 年的诺贝尔奖。如果爱因斯坦在 1905 年只是发表了关于原子不规则运动的论文，那么他将和皮兰一同分享这个诺贝尔奖。但是他早在 5 年前就因为在 1905 年发表的 5 篇论文中的第一篇获得了诺贝尔奖，所以他只能放弃这次的奖项。

人类运动轨迹的本质

人类跟悬浮在水中的花粉微粒其实没什么不同。受到某种跟左右花粉运动一样神秘的原因的驱动，人类大部分时间也是运动不止。不同的是，**人类不是受到微小而不可见的原子的撞击，而是被转化成一系列任务、责任以及动机的不可见的神经元的颤动所驱使。**我毫不怀疑，只要进行简单的回忆，我们就能详细描述出自己昨天，甚至是两周前的经历。但对于那些不了解我们日常生活和工作的人来说，我们的活动轨迹可能跟布朗显微镜下的花粉所做的曲线运动一样不可预测。

虽说我们在什么时间到哪儿去跟别人无关，但正如德克在佛蒙特向他的好友说明的那样，我们的不断运动确实是传染病威胁地球的主要原因。如果我被某种病毒感染了，只要我离开屋子，就有可能将病毒传染给所遇到的任何人。所以，要想推断出某一流行病的传播轨迹，我们必须先弄清那些受感染的人在哪儿，以及他们是在哪儿被传染的。由于人类的活动跟花粉微粒的运动一样不可预测，所以我们有理由假定我们也是随机运动的。因此，爱因斯坦在 1905 年提出的关于原子随机运动轨迹的理论，就可以用来追踪欧洲的瘟疫史，以及解释近来疯牛病的传播。事实上，他的随机假说已经被应用到科学领域的各个分支当中。

> 你想知道你吞下的药丸是怎样进入你的细胞中的吗？这个答案，至少是部分答案，可以在爱因斯坦 1905 年发表的论文中找到。你想了解思维或创新的扩散规律吗？请参见扩散理论。实际上，随机和扩散理论影响了从纳米材料的设计到新药品的市场营销等各行各业的发展。

然而，现在人们所面临不是原子和药物的问题，也不是那些携带鼠疫的中世纪祖先们所面对的问题：现在的人们可以携带病毒以更快的速度到更远的地方去。实际上，我们只需钻进车里，几分钟后就能带着病毒出现在数公里以外的地方；我们只需登上飞机，数小时后下了飞机，就会把病毒带到另外一个国家。所以，如果我们想预测出传染病的蔓延规律，首先需要回答一个简单的问题：爱因斯坦的理论能否捕捉到我们的运动轨迹?

有人可能会说，现代的交通工具只不过提高了我们的速度，将我们从原子变成了速度更快、跳得更远的类固醇罢了。但是人类运动轨迹的本质依然没变,而且我们的运动仍然跟原子一样不可预测。哈桑的活动轨迹——从美国到阿姆斯特丹，再到里斯本和巴黎等，无疑证明了这一点，证明了人类运动有着明显的随意性。

我们不能排除人类的运动轨迹与原子和分子在本质上有所不同这一可能性。而且，解释一个人怎样运动和旅行肯定比预测原子或花粉微粒的运动轨迹有意义得多。这一研究不仅能帮助我们制止下一个致命性疾病的传播，而且还有可能帮我们建造更好、更稳定的城市。也许我们可以利用它升级我们的电脑，使其能够预见我们的下落，为我们提供所需的任何信息——不是当下的，而是未来的。

诚然，要想获得这样的进步，我们必须像让·皮兰在1908年处理分子那样对人类进行实验：设计一种能够追踪人类行动的方法。但问题是，没人知道我们在哪儿，我们要到哪儿去，因为除了哈桑这个特例外，没人愿意将自己的生活放在显微镜下任人观察。但是丹尼斯·戴瑞巴里，这个住在佛蒙特的万事通，马上就意识到我们能通过WheresGeorge.com追踪人类的行动。事实上，**钞票能够运动的主要原因就是人们带着它一起旅行。所以，像盖瑞这样一丝不苟地记录每张钞票的运动轨迹的乔治网网民，就是21世纪的让·皮兰，是人类活动的追踪者。**

无规律运动的规律之处

跟朋友在佛蒙特的星空下畅谈后不久，德克·布洛克曼就回到了位于哥廷根的家。然后，他将WheresGeorge.com这个网站介绍给了自己的同事拉尔斯·胡夫纳格尔（Lars Hufnagel）及老板西奥·盖泽尔（Theo Geisel）。

拉尔斯是出了名的惜字如金，除非特别必要，不然他绝不开口。这次他只说了句“嗯，很有意思”，然后就开始从WheresGeorge.com上下载每张钞票的运动轨迹。几天之后，他拿出对那些钞票所覆盖的距离的初步分析给德克和西奥看。

> 他发现，57%在纽约被标记的钞票，两周之后的位置距离它们首次被标记的位置都不超过10公里。同样，相同时间间隔内在佛罗里达州杰克逊维尔被标记的钞票有74%仍然待在附近——它们从一个人的钱包跑到出纳的抽屉里，然后又到了另一个人的钱包里，随后又在两个街区开外被花了出去。

这样的发现并不令人吃惊，而且几乎跟原先的预测一致，即钞票的运动是随意的。鉴于钞票是因人们携带而四处运动[①]，它们的运动轨迹也就说明人类的行动也是不可预测的。

然而，有些钞票的运动轨迹并不是随意的。在最初的循环过去两周之后，大约7%的纽约钞票以及3%的杰克逊维尔钞票都到了至少800公里以外的地方。它们不仅运动速度比其他钞票快，运动模型也跟其他钞票的扩散性有所不同：**它们的运动轨迹受很多长距离运动的左右。爱因斯坦的理论适用于钞票在小范围内的运动，但却无法解释这种少数的超长距离的跳跃运动。**

如果你好好想想，就会发现这些长距离的跳跃并不奇怪。

> 比方说，在去肯尼迪机场等待飞往西雅图的航班之前，你在纽约皇后区的自动取款机上取了些现金。等到了西海岸

① 钞票当然是经常在我们的钱夹外四处晃悠——它们偶尔会从商人手中回到银行，然后又转移到另一家银行或另一个商人手中。但比起我们带着它们四处旅行所走过的距离，这样的距离我们简直可以忽略不计。——作者注

需要打车的时候，你可以从钱包里拿出现金给出租车司机。这样一来，你就带着钞票走过了4 500公里，随后它们就开始在西雅图当地的经济圈内进行随意运动。

德克和他在哥廷根的同事们饶有兴趣地发现，这些远距离运动的钞票遵循一种不同于爱因斯坦理论所推导出的运动模型。利用这种模型，他们能对钞票的运动轨迹做出相当准确的推断。

一滴红色染料坠入一杯水中之后，会在它的坠入点留下痕迹。但大约一个小时之后，染料会与周围的水充分混合，它的坠入点就看不清了。染料受到水分子的随机撞击才会跟水混合，而根据爱因斯坦在1905年提出的理论，我们能准确计算出坠入点消失在混合水中所需的时间。同样，利用德克的超级扩散理论，我们也能推断出在皇后区被花出去的一沓钞票会在多久之后失去线索。这是一项非常重大的发现。特别是如果你有一箱子假钞，又不想让警察查到的时候，利用这个理论就能办到。

德克预测，68天之后你的老窝就安全了。也就是说，在两个月内你的假钞就会遍布整个美国，而联邦调查局根本没办法查到它们的来源。

这个推测只存在一个问题：它完全错了。事实上，德克经过计算发现，大部分源于纽约的钞票在100天之后会重新在附近出现。**尽管德克的超级扩散理论没有错，但有只无形的手放慢了钞票的运动速度，使它们无视这一规律，再次回到了原地。**

钞票真的会说话吗

德克·布洛克曼一开始在《自然》杂志上发表有关钞票移动的论文时并没想到会受关注。

“追踪钞票有助于建立疾病传播模型”，《新科学家》2006年1月26号的封面上这样写道。同时，英国《卫报》的头条是《钞票会说话：钞票追踪有助于解释疾病传播方式》。总之，包括CNN和中国的《人民日报》在内的多家新闻媒体都对此进行了报道。

对那些根本不认识德克的乔治网网民来说，这个消息显得更是意外。而且，即使是那些太专注于标记钞票而没有看到新闻的网民也注意到WheresGeorge.com的速度变得很慢，几近停滞，最后竟然崩溃了。媒体曝光后，大量网民涌入乔治网，网站的服务器根本应付不来。

可能有人会觉得乔治网网民面对如此严重的混乱会感到沮丧。但恰恰相反，随着网站的崩溃，网民一片欢欣雀跃。

● 已经标记了13 686张钞票的来自圣路易斯的珍高兴地说道：“这是对那些反对我们这个兴趣的人最好的回应，”然后她又补充道，“不，我们不仅没有损坏钞票，还科学地帮助人们进行实验研究！这真是太棒了！”

● 已经有3 560张个人标记过的钞票在市面上流通的托尼说道：“现在，我很高兴自己是个乔治人！”

● 来自纽约的安德鲁也有同样的感受：“多年来大家一直嘲笑我这个嗜好，但现在我终于可以说，我们所做的一切是有实际用途的。”

● 一个网名为休比的乔治人想到了一个更现实的问题：“我想，如果下次收银员再质问我，我就告诉他这是科学实验的一部分，是通过分析钞票的运动轨迹来追踪疾病传播的方式。”

● 来自匹兹堡的迈克则回应道：“我不建议这么做。除非你愿意花很长时间跟他们仔细解释，不然他们就会觉得这些钞票已经带有传染病毒了。”

这同样也给德克造成了很大麻烦，因为他发现自己不得不不厌其烦地向媒体解释说，不，我们并没有发现艾滋病是通过钞票传播的。

数据让追踪成为可能

爱因斯坦在大家根本没见到原子的模样的时候，就想弄清它们是怎样运动的，但他不得不等到让·皮兰观测到不可见的原子撞击微粒后呈现的颠簸运动的报告发表。虽然皮兰没见到原子的真身，但他观测到的现象足以说明它们的存在。同样，德克·布洛克曼想弄清人类的运动轨迹。虽然他不可能一个个地进行追踪，但是通过追踪钞票，他发现了追踪人类活动轨迹的方法。

爱因斯坦和皮兰的诺贝尔获奖作品为原子存在提供了充足的证据；而德克的努力让我们第一次真正地看到总有一天我们能推断出人类行动规律的希望。本着良好的科学精神，这一发现也让人们产生了一个重要的疑问：

为什么钞票不像超级扩散规律预测的那样快速运动？是爱因斯坦的方法错了，还是我们错误地应用了他的理论，将适用于原子和分子的理论运用到了人类的活动上？毕竟，还原到最简单的问题上，人类并不是原子，我们的行为总是含有一种不可预测的因素。

爱因斯坦和皮兰的研究问世后的那一百年里，实验方法取得了长足的进步，人们不再需要依靠花粉微粒证明原子的存在，通过一系列功能强大的显微镜，我们亲眼看到了它们。同样，**随着手机、GPS 以及其他手持设**

备的迅速普及，很多新工具都能追踪人类的活动。有了这些机器设备，如今我们的一举一动都在无数个“显微镜”下现形。然而，各种设备所采集到的数据并不是装点门面的：

- 企业利用它们来提高生产力，并追踪从装船到发货等各方面的信息；
- 政府利用它们来追捕恐怖主义分子；
- 无数个新兴企业想利用它们追踪人类的一举一动，期望变成下一个谷歌。

我们生活在一个信息丰富的世界。利用这些有利可图的数据，人们不断推动科技往更高的方向发展，立志发现有关人类的更多东西。我们终将看到，一些科技会证明德克的发现中存在的那些矛盾显示出了人类行为的基本属性。这些矛盾迫使我们重新审视我们对时空的特性以及实验方法所抱有的很多神圣认识。

现在，让我们暂时忘掉这些可爱的钞票，发扬爱因斯坦式的精神，越过时空的界限，重回1514年的Nándorfehérvár，也就是现在我们所熟知的塞尔维亚语中的贝尔格莱德。在那里，我们将遇到一个人。在接下来的旅程里，我们将被他那杂乱无章的行踪所主导。

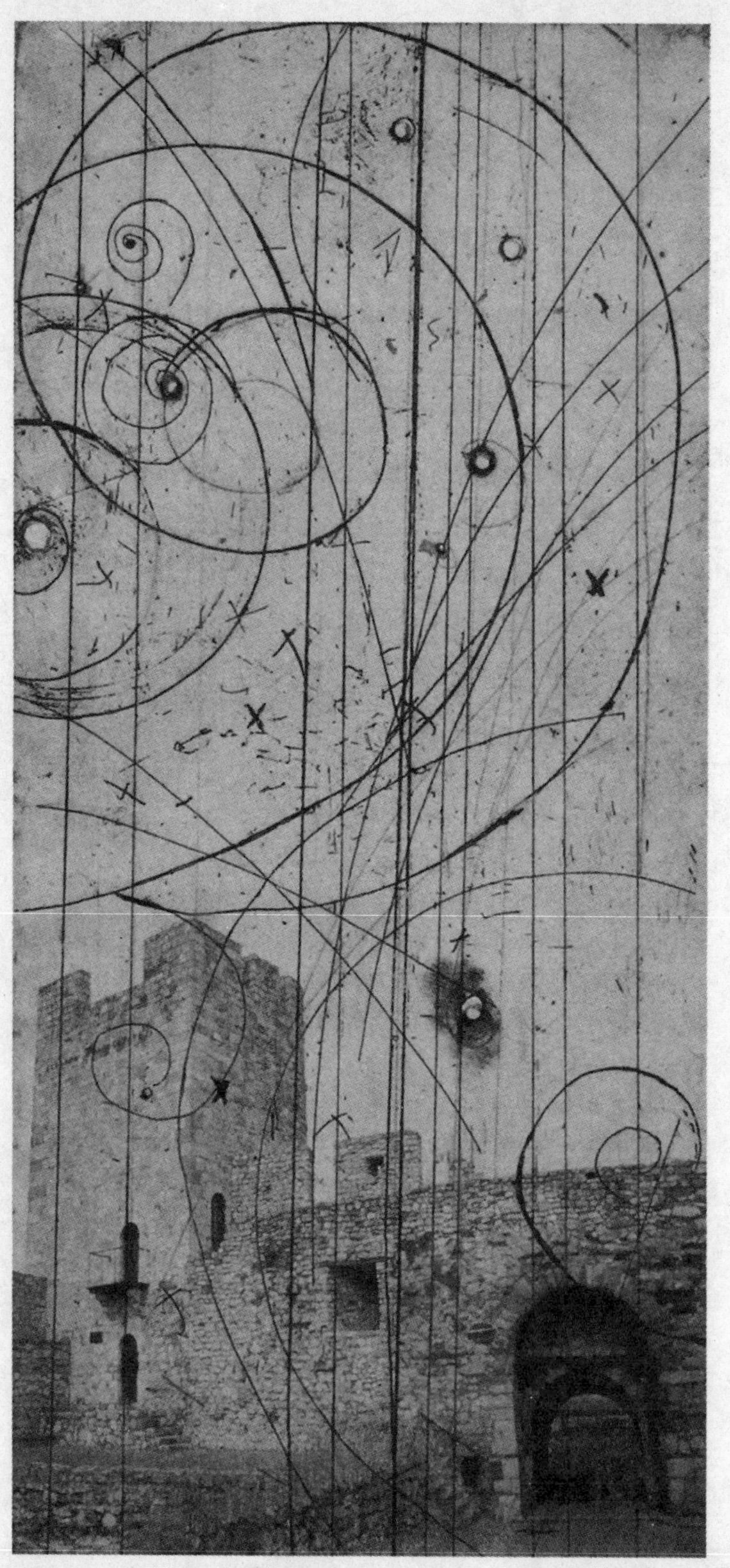

决斗在贝尔格莱德

地点：贝尔格莱德

时间：1514 年 2 月 28 日，距教皇选举 11 个月后

“为什么要无谓地自相残杀？”正当骑兵队即将全速前进时，这位奥斯曼土耳其首领突然叫停并这样喝道。他的部下不得不在斗志昂扬时勒住马缰。最终，他们只是跟匈牙利人打了个照面。这位首领个子虽小但身体很结实，宽阔的胸膛再配上坚挺的盔甲使他显得更加威武。穹顶状的头盔遮住了他部分脸颊，颈甲护喉和肩部防护甲装备齐全。他强壮、敏捷而又泰然自若，他就是来自伊派瑞斯的艾利，令人生畏的桑多最高统领。他在匈牙利是无人不晓的勇士——他杀人无数，所有活着的人都能说出一两个死在他刀下的人。

“我们之间的战争已经使你们的国家变成了不毛之地，我们也没有什么可掠夺的了。”艾利继续说道。放眼望去，万亩土地闲置，千家万户篱栅残破，牛舍萧条，处处证明艾利所言非虚。只有环绕贝尔格莱德的那面雄伟的白石城墙还完整地屹立在骑兵团身后，在二月的阳光下熠熠生辉。这座堡垒是匈牙利南部防御工事的重中之重，南、西两面崇墉百雉，北临渊深难越的多瑙河。内部的城堡和宫殿由上城的主要兵力把守，外围是位于下城的市中心和教堂，港

口位于多瑙河之上。这三部分被千条沟、万道门和高耸的黄墙巧妙地隔开，整座城简直固若金汤。

离那些躁动不安的奥斯曼土耳其骑兵更远处，距贝尔格莱德城两万步开外的地方屹立着桑多的壁垒要塞，其中 21 座堡垒都是模仿强大的君士坦丁堡建成。桑多城是匈牙利为了防止奥斯曼土耳其人的侵犯而在摩拉瓦河与多瑙河交界处建立的战略三角要塞。然而，1459 年这一要塞失守，现在是艾利的管辖之地。他的骑兵团正蠢蠢欲动，面对匈牙利骑兵已经有些不耐烦了。

“这片荒凉之地已经不堪一击。”艾利又开口说道。此时，教堂的钟声正好响起，与他的声音交织在了一起。尽管在两国的血腥交锋下这里已经荒芜一片，但没有一个匈牙利人愿意放弃自己的土地。他们守卫的这片土地非同一般，信仰基督教的欧洲人早在大约六十年前就将生死押在了这里。1456 年，穆罕默德二世率领战船 200 艘、士兵 7 万人抵达这里。贝尔格莱德的防线弱不禁风，仅集结了 7 000 多人，只有易守难攻的城墙还算有利。他们满心希望能得到特兰西瓦尼亚的总督、匈牙利的统治者约翰•匈雅提的救援。然而，对贵族而言，匈雅提日益壮大的力量对贵族的威胁比奥斯曼土耳其人横扫欧洲更大。因此，他们承诺将派出的救援部队迟迟未到。尽管教皇卡里克斯特三世因为害怕贝尔格莱德一旦陷落，基督教将就此终结，所以大力呼吁军队出兵，但大家仍然无动于衷。焦虑不安的教皇为了提醒大家危险即将降临，下令正午时分鸣钟，为绝望的防卫者祈祷。

匈雅提的唯一支持者是一个年长的圣方济会修士乔凡尼•达•卡皮斯特拉诺。这个 70 岁的修士虔诚地为十字军祈祷，感动了成千上万的农民，促使他们拿起弹弓和镰刀加入了匈雅提的军营。多亏了这个口才极佳的老修士，匈雅提的军队迅速扩充到了 3 万人。这支大部分由毫无经验的农民组成的军队根本不是奥斯曼土耳其 7 万精兵的对手。不过，匈雅提这位天才军事家率部出其不意地偷袭了奥斯曼土耳其军队，给了穆罕默德二世一次重创，使其不得不全线撤退。

这场令人难以置信的胜利的消息迅速传遍了整个欧洲，教皇下令正午时分继续鸣钟，以庆祝基督教最终得救。

如今，当教堂正午鸣钟的时候，很少有人知道这是为了纪念打败奥斯曼土耳其人的那场战役。然而，就在匈雅提打了胜仗的五十多年后，面对新的进犯者，鸣钟对匈牙利军队来说仍然没有失去意义。

“让我们好好想想，别一味地好大喜功。”艾利对敌人喊道。此时，教堂的钟声正好响起。

事实上，匈牙利人很清楚这一小队奥斯曼土耳其骑兵如果没有大炮的帮助，根本动不了贝尔格莱德城一根毫毛，所以他们根本就不需要从这个要塞撤走。或许，他们心中还有一丝骄傲，一线能够击败敌人的希望。不管怎么样，对阵与否取决于他们的队长，一个高个子、宽颧骨、留着马蹄形浓密小胡子的人。他身穿一件几乎罩住整个身体的锁子甲，跨坐在马背上。他的头盔是一顶插着羽毛的旧制钢盔，盾牌饰有纹章，头盔上面有一个倒置的已然破旧褪色的皇冠。

在他身后不远处，他的弟弟也跨坐在坐骑上。这对形影不离的兄弟被战友称为塞克勒，这也是他们部落的名字，该部落位于特兰西瓦尼亚东部。据当代一位历史学家指出，塞克勒人“不会向任何人纳税，不会给国王，更不会给其他任何人”。在当时，只有贵族阶级才享有这种特权。作为交换，他们立誓为国王战斗，他们的部落每次都要接受血之剑—— 一种传统征军方式。

实际上，几百年来的戎马生活使得塞克勒变成了一个军事社会。在塞克勒，即使是最卑贱的人一旦受到征召，也会立即带上头盔，佩上短剑，拿起战刀出去战斗。

有了这样的渊源，在匈牙利王朝和奥斯曼帝国交界的这片危机重重的无主之地上，两兄弟在这场决战中的表现并不会令人吃惊。不过，令人不解的是为何他们甘做佣兵，而不是待在自家部落中做贵族。由于这两人此前从未有过骄人的战绩，所以他们的部下大多很期待两人在这场生死决战中的表现。

尽管兄弟二人体格相似，但他们的性格却宛如白天和黑夜。哥哥乔治•塞克勒意志坚定、脾气暴躁。这使他在这片凡事要用拳头和刀剑说话的土地上非常受人拥戴。相反，弟弟格瑞格里•塞克勒则稳重而心思缜密，没有考虑周全之前绝对不会开口做决定。虽然他的剑术也很高明，但他此前能够多次帮助乔治脱离险境，凭借的是过人的智慧而非高明的剑术。很多人都猜测，既然这两兄弟同时出现在贝尔格莱德，那么乔治之前因忽略弟弟的建议而导致的麻烦将不再重演。不过，没人知道真相，因为没人问过这个问题。

“如果你们中哪一个匈牙利人想证明自己的价值，并且自信不会输的话，”艾利在交界处大声喊道，“那就站出来，跟我一对一决斗！”他的话在匈牙利骑兵中掀起了一阵骚动。作为地主，站在坚不可摧的城墙之上，他们没什么可怕的。但独自对阵艾利……这个，就没人有这个胆子了。

艾利的挑战发出之后是一阵长长的沉默，一秒接着一秒，伴随着教堂的钟声，时间被画上了分节符。当、当、当……过去辉煌战绩的纪念钟声现在却变成了对沉默骑士们的嘲弄和羞辱。大家都谨慎地不去与他人对视。

根据多年并肩作战的经验，格瑞格里几乎能够感觉到哥哥的热血在沸腾。他的肌肉紧绷而扭曲，身体已经做好了战斗的准备。格瑞格里很清楚哥哥去应战等于是送死，但他又不知道怎么去阻止自己的哥哥。直接劝他别去无疑会产生反效果。但怎么办呢？最后，格瑞格里咬紧牙关，从牙缝里挤出一句只有他哥哥能听见的话：“乔治，如果我们两人中有一个人必须去送死的话，那个人肯定不是我。”

这位队长并未退缩，从眼角微微泛起的细纹来看，一丝笑容已经化解了他脸上的冷酷。他紧张的姿势也有所缓和，盔甲下面的肌肉似乎也开始放松下来。然后，乔治点头表示同意。格瑞格里松了一口气，形势总算缓和了一些。

但乔治突然扬鞭抽打战马侧翼，一声嘶叫打破了沉默。很明显，格瑞格里的激将和挑衅失败了。战马扬起前蹄，乔治身体前倾，把脑袋藏在马鬃后面，冷静地松了松缰绳。马箭一般冲向前去，每飞奔一步就更靠近艾利一步。

如他扬鞭般突然，乔治又猛然间勒住了缰绳，狠狠地盯住艾利。然后，他从鞘中拔出长剑。与此同时，艾利也举起单柄弯刀对准对方。

就像被一只无形的手推了一把，两名勇士突然向着对方加速，锋利的剑锋在空气中嗖嗖作响，两人之间的距离瞬间缩短，双方砰然给对方以重创。艾利的弯刀狠狠地砍在了乔治的盾牌上，如果不是有盾牌，乔治的手臂就被砍断了。就在同一刻，乔治的长剑遭受震创，瞄准无效，从艾利的盔甲上滑落。

长剑施加的余力再加上击打对方盾牌的反冲力使得艾利失去了平衡。尽管艾利自认无碍，但他最终无法恢复平衡。沉重的铁甲将他拉下了战马，艾利跌倒在尘土飞扬的地上。

看到艾利跌下战马、丢了军刀，匈牙利的骑士们爆出一阵欢呼声。但就在艾利试图重新站起来拾起军刀的那一刻，欢呼声又戛然而止。

正当艾利爬起身试图重拾战刀的那一刻，乔治•塞克勒掉转马头，令马儿一个飞身跃起，径直向仇敌踏去。乔治丢掉缰绳，双腿用力夹紧战马两肋，双手齐下，紧握剑柄，右倾，俯身。

眨眼间，乔治的长剑已经平行于地面。而后，在艾利握紧战刀的瞬间，乔治的长剑直逼艾利盔甲之薄弱处，从他的腋下深深地刺了进去。就在大家还没从一连串动作中缓过神来的时候，艾利的右臂已经从肩部脱落，飞向了空中，而他的五指仍然紧紧地握着刀柄。断臂“砰”的一声重重摔在二月寒冷的地面上，战刀也跟着摔在石头上。

15分钟，36分钟，还是36小时

转化模型

安迪·沃霍尔说：“在未来，每个人都有成名15分钟的机会。”然而，一只无形的手在放慢人类行动的进程，在今天这个信息饥渴的时代，一条新闻在多长时间之内才算新？我们真的能度量转瞬即逝的成名吗？

当电视和电脑的屏幕变得可以互相转化且多样化，使得新闻和娱乐更具自主性的时候；当思想理念、凡人凡事从忘却的记忆中重现，曝光在聚光灯下受人仰慕、厌恶或大展魅力，而最终又被人遗忘的时候，艺术大师安迪•沃霍尔（Andy Warhol）的名言：“在未来，每个人都有成名15分钟的机会”，现在看来比他在1968年初次说出时要更加接近现实。

> 《时代》杂志在2006年将“你”评选为“年度人物”，承认了这一趋势。的确，是“你”通过YouTube、聚友网、维基百科、facebook以及《美国偶像》，将以前那个只有像爱因斯坦或沃霍尔这样的头号天才才会受人敬仰的社会，变成了只需15分钟的曝光机会、普通人也能闻名世界的社会。Fame（出名）已经让位于Fameiness（我出名）[①]——这是《洛杉矶时报》一个专栏创造的词汇，用以形容这种转瞬即逝的“以我为中心”的出名方式。

未来还无法检索。我们紧绷神经游走在它的边缘，努力吸收徘徊在过去和未来之间的各种信息。人们如饥似渴地期待下一个头条，所以现在的

① 由fame变成fameiness，其中的“i”可以看成是英语单词“我”（I）的小写，“-ness”是抽象名词的后缀，这个“iness”就变成了“i-ness”（“小我”）。——译者注

头条总免不了被遗忘。一个故事可能会引起新闻界的广泛关注，不过一旦新的情况出现，老故事就会很快，且不可避免地失去新闻价值。

当然，这只是公众和媒体之间社会契约的一部分。**正如雪花一接触温暖的手指就会融化，新闻也只是在你接触它的第一时间才显得重要。新闻就应该是新的，要不断更新以满足人们定期追踪的欲望和需求，要让昨天的报纸变得毫无价值。**你必须快速阅读，因为这一章可能马上会变得无关紧要。

沃霍尔说对了吗？真的只需要 15 分钟吗？还是必须要花上半天时间？或许更短，只需要 5 分钟？在如今这个信息饥渴的时代，一条新闻在多长时间之内才算新？我们真的能度量转瞬即逝的成名吗？或许你会觉得这些问题很傻，但它们绝对不是微不足道的。一旦我们将它们放在科学和魔法下审视，它们就会揭示出人类行为的奇妙与不可思议。

一条新闻的半衰期

在盖瑞•卡尼斯标记钞票的第二年，我利用年假离开了美国，前往匈牙利的布达佩斯高级研究所（Collegium Budapest）。

> 这个研究所位于布达城堡中心处一座 16 世纪意大利巴洛克风格的壮丽建筑中。这里原是布达城的市政厅。当 1873 年位于多瑙河两岸的布达和佩斯合并，更名为布达佩斯之后，这座建筑的原主人就不存在了。1992 年，这里成了新成立的供进修深造之用的研究所。它是一个精英聚集的研究所，每

年都会吸引世界各地的学者到访。

研究所有个著名的罗马尼亚设计师，他参与设计了无数正统教堂建筑，他告诉我，过去的教堂总是建造在神圣的地方。山顶或高地是首选，因为它们能让会众更加接近上帝。其他的吉祥地还包括四通八达的道路交叉口、十字路口以及市中心。

根据这样的原则，加之这座建筑自1265年起就坐落在了匈牙利最高峰的顶端，那么据此判断，如今的这座研究所过去肯定是一座教堂。厚厚的墙壁加上幽深的窗户，让很多大厅都散发出一丝修道院的气息，也让研究所显得异常壮观。置身这样的深墙大院，总是让人觉得自己罪孽深重，不敢有一丝妄念。

我的上一本书《链接》的匈牙利文版恰好在年假期间出版。翻译事宜由脱离前匈牙利国有电话公司的网络公司赞助。公司总裁乔治•西蒙（György Simó）是一位社会学家，大学毕业后就参与经营匈牙利首个地下社区广播电台。1997年，他进入国有电话公司，创立了Origo.hu，并很快使其变成匈牙利最大的门户网站。2003年春天，我跟西蒙以及他的另外两个朋友共进晚餐，并聊起了《链接》以及联络的话题。

那个时候我对网络科技的另外一个大问题颇感兴趣：网络是如何被利用的？一个网站何时会访问万维网？人们在什么时候以何种方式相互影响？遗憾的是，这些重要数据都由一些大型公司掌握，而他们通常将这当做商业机密小心保管不会泄露给外人。

爆发实践

像谷歌和雅虎这样的网络供应商和搜索引擎，正以令人难以置信的速度将人们在何时做过什么事记录下来。但是，这些数据飞速地商业化使得那些乐于研究人类基本行为的科学家们无从下手。如今，谷歌是这一趋势的标兵，它那著名的“不作恶”

理念就是一个巨大的智力黑洞。谷歌不惜挥金数十亿网罗业内顶级的工程师和科学家，然后将他们藏在位于圣克拉拉的谷歌总部中，让他们签署严格的保密协议，确保他们不会对外发表自己的研究发现。

2003年那个春天的夜晚，曾经身兼学院派与地下文学作家双重身份的西蒙细心地倾听了我的问题，并为我提供了帮助。第二天，他介绍了安德拉斯•卢卡奇（András Lukács）给我认识。卢卡奇是一位数学家，负责将访问Origo.hu的人们的网页浏览模型归档。他并不知道这些用户是谁，但每次只要有人登上网页，他都知道对方在浏览哪篇文章，以及在点击别的链接之前在这篇文章上停留了多久。Origo.hu每天的访问量非常之大，所以根本无法及时追踪某个用户。但数月之后，数据库会模糊再现一下百万人的点击状况。卢卡奇和他的搭档会从一个月的记录中，将能够识别出身份的个人信息从数据库中删除。一个月的点击率通常是650万，相当于整个匈牙利网页点击量的40%。利用他们提供的信息，我们差不多有机会了解匈牙利全国人民的网页浏览习惯。

利用卢卡奇提供的浏览记录，我在圣母大学（University of Notre Dame）的团队中的研究生研究员佐尔坦•德若（Zoltán Dezsó）和博士后助理艾文德•阿尔马斯（Eivind Almass）试图解答下面这个问题：

> 在一定时间内，Origo.hu上某条新闻的受访时长是多少？换句话说，每个15分钟曝光时长的新闻实际能坚持多久？为了找到答案，他们决定先统计出每小时浏览某篇文章的人数。结果毫不令人吃惊，一条新闻在网上发表后，在最初的24小时内的访问量占总访问量的28%。第二天，点击量会明显下降，总共只占总访问量的7%。

这肯定是有道理的：如果你对一条新闻感兴趣，在浏览网站时肯定会先读它。到了第三天或第四天，所有对这条新闻感兴趣的人，应该都读过了，就不再有人读了。问题是，事实并非如此。大部分新闻在发布很久之后，仍然会被阅读很多次。

这似乎令人难以理解。首先，这些文章很久之前就已经被撤下首页，那么人们是怎么找到它们的呢？其次，为什么会有人对旧新闻感兴趣？

第一个问题很容易回答：一些文章会在热门论坛上重获新生，有些网站也会进行转载。但第二个问题就不那么容易回答了：为什么有人会定期查看一周甚至是一个月之前的旧新闻？

神选之子与贤者之石

> 土星上藏身着不死灵魂。用它的枷锁禁止它去看，因为之后那上面就会出现一颗善良的东方明珠。土星和火星用爱的纽带连接起来。它耗尽了强大的力量用灵魂劈开了土星的身体。从它们的连体之躯形成那不可思议的明亮之水，有太阳落入其中。金星是被火星拥抱的最明亮闪耀的一颗星。它们的力量应该结合起来，因为她是太阳和我们真正的亮银之间唯一的纽带，利用她可以将两者永远地结合起来。

这个文章片段写于1670年，作者“神选之子”（Jehova Sanctus Unus）试图说明行星在亲属关系以及爱情中所起的作用。这是占星家们今天仍然感兴趣的一个话题。然而，文章的实际意思并非字面上表达的那样。文中提到的“土星”不是指一个星球，也不是指罗马之神，而是指代“辉锑矿”，其主要成分为化学元素“锑”。“不死灵魂”也不是指某位神，而是指代“锑”本身—— 一种一经加热就会挥发的不稳定元素。“金星”代表“铜”，

“火星”代表“铁”，土星吞没火星是指借助铁将辉锑矿还原为锑。最后，“那不可思议的明亮之水，有太阳落入其中”并不是描绘海上日落壮丽景观的诗语，而是指金子溶解于水银中的景象。

这个如谜般难解的片段说的不是占星学方面的事，而是在说它的近亲——炼金术。它用一种密码般的语言道出了将普通金属转化成“贤者之石”的秘密公式。整个中世纪，炼金术士们都坚信这种石头能够去除任何金属中所含的杂质，使其变成永不褪色的不朽黄金。同时，“贤者之石”也能治愈人类的疾病，所以它是人类超越自然力量的最终象征。

虽然“神选之子”如今并不为人所熟知，但在他生活的时代他却是举世无双的天才。他解开了自然的密码；他的盛名让爱因斯坦都甘愿称他为“值得我们膜拜的天才发明家”。究竟谁是“神选之子”？究意谁是本始智慧，谁是从摩西以及包括毕达哥拉斯和柏拉图在内的世代贤哲们手中传下来的神秘智慧的拥有者？

1936年，久负盛名的苏富比拍卖行拍卖了329份手稿，其中三份详细记录了尝试制造“贤者之石”的实验过程。这些手稿的作者在1727年去世前，在手稿上面明确标注了“不宜出版”的字样。保密是经过深思熟虑的，因为这份文件揭露了“神选之子”的真正身份，而这个人一生都在尝试将普通金属变成黄金。这个人不是别人，正是伊萨克·牛顿爵士。

众所周知，牛顿从未成功地将锑、铅以及其他金属变成黄金。即便如此，这一时期的他却相当高产。在进行炼金实验的间隙，他写出了《自然哲学的数学原理》(*Philosophiae Naturalis Principia Mathematica*)，一部解开万有引力以及行星运动之谜的见解深刻的数学专著。然而，他终其一生研究的炼金术却没有成功，这个谜在两个世纪后才被破解。

1901年，当弗雷德里克·索迪（Frederick Soddy）目睹了放射性钍自动转化成镭之后，兴奋地冲着他的同事欧内斯特·卢瑟福（Ernest Rutherford）喊道："卢瑟福，这就是转化（炼金术术语）！"卢瑟福并没有跟他的朋友一样因这个发现而感到兴奋，他冷淡地说道："索迪，看在上帝的份儿上别把这叫做转化好吗？他们会像杀掉炼金术士那样砍掉我们的脑袋的！"最终，他们凭这个发现获得了诺贝尔化学奖，彻底证明了不借助人类的力量，一种元素确实能够转化成另一种元素。

尽管皮埃尔·居里（Pierre Curie）和亨利（Henri）早索迪、卢瑟福一步观察到了镭变成铀的过程，但因为卢瑟福成功地量化了他的发现，列出了转化定律，所以他赢得了诺贝尔奖。他的观点很简单：所有镭原子都是相同而无法分辨的，因此它们随时都有均等的机会转化成钍。也就是说，一个镭原子受某种"不可救药的自杀式狂热"的驱使而转变成钍的时间在本质上是随机的。卢瑟福根据他的实验数据推导出，镭原子的数量迟早会按指数律减少。

36 分钟，还是 36 小时

现在，让我们回到匈牙利以及门户网站 Origo.hu 上来。想象一下，如果每个登录网站但并未阅读某条新闻的网民都是一个尚未分解的镭原子的话，出于某种致命的好奇，他们会打开这条新闻的链接。而对并不知道这些访问者的计划和动机的我们来说，他们阅读这条新闻的时间就是随意的。一路下来，他们就构成了一种类似镭原子随意分解的模型。因此，根据卢瑟福的理论，我们就能推导出一个数学关系，以此计算出那些尚未浏览自己感兴趣的新闻的网民的数量。计算结果表明，**潜在读者的数量在快速减少，实际上，正如卢瑟福的转化定律所指出的那样，这个数量是按指数律减少的。**

这个理论的迷人之处在于它很简单：你只需一个参数—— 一个用户每

天点击链接数的平均值，就能推导出每条新闻的访问历史。这个参数很容易得到，因为数据显示一个用户每天将在网站上点击 26 次。有了这个条件，将卢瑟福的理论用在网站上就会得出一个非常特殊的结论：一条新闻在发布 36 分钟后，超过半数想阅读它的访问者就已经点击访问了。也就是说，一条新闻的半衰期大约为 36 分钟。

36 分钟和 15 分钟并非天壤之别。事实上，这已经相当接近了。所以，经过严密的计算和推理，我们最终证实了安迪•沃霍尔关于出名的观点的正确性。虽然沃霍尔说的是人出名，而我们关注的是新闻"出镜"问题，但其实无论是刚出道的女明星本身，还是她所制造的言论，沃霍尔的看法都一样。然而，沃霍尔是如何在 1968 年就看到今天人们的行为模式的呢？仅仅是个巧合，还是他的先见背后藏着某种更深层次的真相？

但是，最终，我们的推导并没有站住脚。实际上，我们很快就意识到不依靠理论和模型也能直接测量出每条发布在网上的新闻的半衰期。结果是令人沮丧的：我们的测量非但没有证实沃霍尔的 15 分钟理论，而且连我们的 36 分钟理论都推翻了。**实际上，半数用户点击某条特定新闻需要的时间是 2 100 分钟，也就是将近 36 个小时。**因此，我们的推测以及沃霍尔的观点都与现实相差十万八千里。

你可能会问又有谁在乎这些呢？也许你是对的——无法精确地定位帕丽斯•希尔顿闯祸新闻的持续时间可能还算幸事一件。有哪位自重的科学家会把精力放在这种蠢事上呢？

坦白来讲，我们关心的是帕丽斯•希尔顿还是安迪•沃霍尔，并没有什么区别，我也并非为此困扰。我关心这些事并不是因为我真

的需要知道 Origo.hu 上一条新闻的半衰期，况且直接的测量已经表明这一数值是 36 小时。其实，真正困扰我的是，为何我们的预测和实际测量之间存在那么大的差异，这意味着我们对网站访问过程的理解存在问题，而且存在着很大问题。转而来想，这同样意味着我们对人类行为的理解也严重受限。

放慢人类进程的手

卢瑟福有句傲慢的口头禅："自然科学指的就是物理学，其他学科都是集邮一般的小儿科。"诚然，物理学的终极追求就是探究基本原理和理论，而这正是现如今取得的很多重大进步——从晶体管到太空旅行的基础。然而，其他科学分支也同样在探究这些问题。生物学家需要面对复杂无比的细胞，脑科学家要应付不可思议的神经系统，而社会学家和经济学家在大家不断质疑迷宫般的社会和经济进程（像经济泡沫和经济危机等）根本不存在基本原理之前，还处于困惑不已的状态中。相比而言，也有很多人会批评物理学家对探究普遍原理的坚持，认为他们不仅是误导而已，更糟糕的是他们终会走向失败。

鉴于本书目前提到的两次失败的研究方案——德克·布洛克曼关于人类旅行原理的发现以及我们对追踪网页访问现象的努力，那些怀疑论者将更加坚持他们的观点。的确，这两项实验证实了将物理学方法应用于人类行为研究上存在局限性。虽然卢瑟福的指数原理精确地说明了转化问题，但它却不能解释网页访问量的减少问题。同样，爱因斯坦的扩散理论很好地捕捉到了原子的不规则运动，但却不能正确地预测出钞票的流通规律。

同样令人困惑的是，这两次失败存在着某种相似之处。在这两个案例中，我们预测出的周期值都太短。实际上，美元的流通速度比用爱因斯坦的扩散理论推出的结果要慢很多，而实际的网页访问半衰期也要比利用卢瑟福的模型推测出的时间长很多。也就是说，这两项实验都暗示了有只无形的手在放慢人类行动的进程。预期与实际的差异确实令人沮丧，但它也提出了一个更加惹人深思的问题：究竟我们能否像描述物质世界那样精确地描述人类行为？

如果新闻节目可以播报未来

现在，你只需花上 24 999 美元就能请伊利诺伊的一家公司将你的亲人的骨灰变成一颗 1.5 克拉的钻石。尽管我不确定自己是否真的愿意看到自己的祖母变成一枚钻石戒指，但我不得不佩服市场针对这些高科技做出的大胆尝试。严格来讲，这并不是炼金术语中的转化，因为骨灰和钻石都是由碳元素构成的。不过，他们做得不错，不是吗？ 1980 年，继欧内斯特•卢瑟福之后，格伦•西博格（Glenn Seaborg）再次成功地从铋元素中分离出黄金。这一壮举无疑会让牛顿感到骄傲。但是西博格发现这一过程消耗了太多的能量，几乎没什么经济价值。

不过，西博格的成功确实能够说明，定量法适用于一些科学家们长期怀疑，甚至是幻想的命题。

那是不是可以说，如果我们完善科学方法，总有一天能够在研究人类行为上取得一样的成就？我们能不能把它转化成一项精确又可预测的科学？我们能不能通过定位病毒的走向，精确地告知人们哪个街区明天要做好防御准备，以达到避免下一次大瘟疫扩散的目的？我们的晚间新闻会不会不再需要播放已经发生的事情，而是可以像天气预报那样播报未来几天的人间世事？

但另一方面，这些问题远远超出了现有的学术能力，以至于大部分科学家都选择绕道而行。现在，我们甚至都不清楚到底哪门学科最适合解决这个问题，也不知道它能不能胜任。物理学、生物学、经济学、计算机科学、心理学，还是某一门社会科学？不管怎么样，现在看来，预知人类行为的重任是落在了商业顾问以及算命师的肩上。

虽然他们的预测可能是瞎编乱造，但接下来我们将看到，正是那些不受世间金钱琐事叨扰的算命师和预言者，决定了一个王国、整个十字军，还有离我们更近的，一个商业帝国或整个经济体的命运。

0·4×0·385
0·2×0·385
ZERO
10 20 30 40 50 60 70 80 90 100 110 120 130 140 150

血腥预言

地点：布达城的皇宫

时间：1514 年 3 月 24 日，乔治 • 塞克勒与伊派瑞斯的艾利决斗 3 周后

“如果将教皇的意愿传达给民众，我相信很多人都会积极应召。”伊斯特凡•泰勒格迪若有所思地说道。[①]他毕恭毕敬地转向匈牙利国王乌拉兹洛，但却小心翼翼地将话锋指向周围的贵族。阴冷黑暗、修缮不周的宝殿里仍旧回响着巴科兹主教的声音，他刚刚向宫廷宣布了教皇的旨意。

两年前，正是在这座宝殿里，乌拉兹洛王及其心腹聚集在一起，与即将赴罗马竞选教皇的巴科兹主教告别。大家为他提供了中肯的建议、坚定的支持，并为他祈祷，还以重金相赠，送别这位匈牙利准教皇。但今天，离大家得知教皇宝座落入乔凡尼•德•梅第奇手中已经过去一年多了，匈牙利宫廷还是感到困惑：为何红衣主教团会抛弃精于外交的阴谋大师巴科兹，转而投票给一个乳臭未干、娇生惯养的奉承者?

巴科兹主教最近一直烦闷难耐，毕竟他曾那么接近教皇宝座。他曾跟人说起过当意识到自己已然击败对手的那一瞬间的美妙，不过最后竟意外发现自

① 引自耶奥尤斯·塞雷米（Georgius Sirimiensis）的《匈牙利王国灭亡信札》（*Epistola de perditione regni Hungarorum*）。——作者注

己出局了。巴科兹有所不知的是，他早已成了新故教皇的眼中钉。

教皇朱利斯二世临终前将自己的遗愿托付给了他的心腹：选谁也不能选匈牙利人。所以，为了防止巴科兹主教登上圣彼得宝座，卡斯特里西主教只能折中选择与宿敌乔凡尼 • 德 • 梅第奇为盟。在红衣主教团中，巴科兹已经获得了足够多的选票，但如若票数超不过 2/3，他仍然无法当上教皇。年轻的主教们则希望他们中的一个人当选——一个年轻但不能在位太久的意大利人，这样一来他们仍有机会在罗马一展宏图。

手术新愈坐在轿子里的梅第奇成了最后的赢家。不过他的任期应该长不了。就这样，那天早上卡斯特里西主教投出自己的一票后，梅第奇就成为了新教皇。当一团团白色烟云升上罗马的蓝天，那些主教们才注意到他们疏忽了一件事：尽管梅第奇在 30 年前就已经戴上了主教的宽边红帽，但他从未真正承接圣职。不过，补救的办法很简单：第二天他将被授以圣职，第三天就为他举行主教授职礼。最后，在 1513 年 3 月 19 日，乔凡尼•德•梅第奇正式被加冕为教皇利奥十世。

"既然上帝给了我们神权，那我们就该好好享用。"利奥十世如是说，他也是这么做的。

但是现在，新教皇的旨意却在匈牙利宫廷中引起了一阵骚动。泰勒格迪继续谈论着那些可能对教皇的号召做出反应的人。"但什么样的人会应召呢？那些死刑犯，或是因犯罪而被驱逐出境的人？"他转向巴科兹主教继续说道，"那些背负耻辱、四处流亡，而且了无生趣，只有继续堕落和作恶的亡命之徒、债台高筑者、皮条客和暴民？"

然而，作为国王最信任的外交官，泰勒格迪并未意识到主教回到布达并非出自他自己的意愿，更不是他自己的主意。教皇竞选惨败后，作为梵蒂冈最有影响力的主教，巴科兹辞去了主教之职，打算在罗马度过余生。但是，在自我流放数月后，巴科兹又被授予了一项重要使命，或许这是那个世纪最重要的一项任务——攻克君士坦丁堡。

利奥十世希望将这颗50年前被抢走的东方基督明珠从奥斯曼土耳其人手中夺回来，所以必须成立一支新的十字军。谁能担此重任呢？当然是这位来自数世纪来不断阻截奥斯曼土耳其人进犯欧洲的国家的主教了。

所以，巴科兹回到了布达。他是以宗座代表的身份回来的。他手中拿着教皇敕令，被任命为“匈牙利、波西米亚、波利尼亚、底特律、塞尔维亚 、普路萨姆、俄国、利沃尼亚、立陶宛、瓦拉奇、斯利姆、摩拉维亚、卢萨蒂亚、特兰西瓦尼亚、斯洛文尼亚、大麦町、克罗地亚和莫斯科”，也就是大部分信仰基督教的欧洲国家的代表。根据敕令，他可以为这场战役招募军队、征收税款，还会得到所有捍卫基督教精神的人们的宽容和祝福。正常情况下，只有教皇本人才享有这样的特权。但正如匈牙利国王以及他在朝中的心腹认为的那样，当下的情况再正常不过了。

虽然巴科兹主教被授予了空前的权利，但还有一个重要问题有待解决：他需要佣兵百万才能攻克君士坦丁堡。但是这些兵力从何而来？环顾这座简陋的宝殿，我们就知道国王不可能筹到那么多军资。别看现在这么破败，这座曾经美轮美奂的布达城堡可是伟大的约翰·匈雅提之子马提亚王千里迢迢从意大利请建筑师来设计建造的。马提亚王发起建造了这座宫殿，但还没等建完他就西去了。现在，这座宫殿已变得如废墟一般。就算是在宫殿内部摆着国家最高权力宝座的地方，也处处显出破败之象。庭院里那座华丽的雕刻喷泉已经干涸，基座断裂的石缝中杂草丛生；破碎的窗户鲜有修缮，碎片沿墙跌落，在墙角堆成了一座灰尘满布的小山；阴森、凌乱的弃堡中到处都能勾起人们对过去辉煌成就的回忆。

那招募新军的资金怎么办呢？有一件事是肯定的——乌拉兹洛绝对不会从自己的金库中拿钱出来。教皇敕令赋予的无上权利更多的是一种象征，周边的国家不可能去遵守。虽然已经向威尼斯以及其他受奥斯曼土耳其帝国威胁的国家发出了支持请求，但巴科兹至少要花上好几个星期才能等来他们的答复。这儿有个问题：既然这位主教十分清楚形势不容乐观，他为什么还会同意在没有充足的兵力和资源的情况下组建十字军呢？那是因为他自有计划。

1456 年，约翰•匈雅提挡住奥斯曼土耳其人的铁骑，使基督教世界免遭蹂躏的一幕仍然让人们记忆犹新。他率领那支人数众多但缺乏训练的农民军，在贝尔格莱德击败了强大的穆罕默德二世。巴科兹主教只需重演这一幕即可——以教皇和神圣的十字军的名义招募农民从军，教他们打仗，让他们把君士坦丁堡抢回来。

● ● ●

泰勒格迪，这位富有的地主毫不掩示地说出了自己的顾虑。“我相信很多农民都会积极应召，”他说，“但是他们会不会只是想逃避辛苦的耕作、报复平时受到的不公，或是逃脱惩罚和严刑拷问呢？”

公元 14 世纪至 15 世纪，匈牙利人口激增，居民数量在原来的基础上翻了好几番，已经达到了大约 350 万人。其中大部分是受雇于农庄的奴隶和农民。由于贵族需要服兵役，所以他们的税收可免，但奴隶必须承担苛捐杂税。很多人都试图逃往城里，因为那里的税轻一些，但这却引来了贵族更加严格的看管。泰勒格迪的农庄里有成千上万的农民在劳作，他非常清楚他们的处境有多艰难。虽然这位国王的亲信说得有理，但主教却确信减轻农民重负的最好办法就是带他们去遥远的战场，远离眼前的艰辛。而且，泰勒格迪并不是朝中唯一一个需要说服的人。

巴科兹主教的突然归来打乱了乌拉兹洛宫廷悉心维持的权利均衡。在这位主教离开匈牙利的两年里，他的权利已经由年轻的约翰•萨普雅王子接手。马提亚王驾崩后，只有 3 岁的约翰就被后来担任维也纳首领的父亲抱出了摇篮。这位父亲满怀信心地声称：“你将来一定会成为国王。”如今，年仅 24 岁的约翰•萨普雅已经是匈牙利势力最大的地主，而且作为特兰西瓦尼亚的总督，他统治着匈牙利大部分领土。

之前，主教在宗教和世俗规则面前都显得游刃有余，使得这位年轻的总督难以接近权力中心。但两年时间对政治运作来说好比永恒，那些效忠于萨普雅的朝中大臣早已爬上了布达城堡的权利顶峰。国王本人并没怎么参与宫廷权利纷争，他一直把精力放在对至爱亡妻的哀悼，以及对两个年幼继承者的教养上面。他对国家事务漠不关心，一遇到正事总是显出一副犹豫不安的模样。于是，大家给他起了个绰号叫“多勃雷”，即波兰语中“好”的意思，因为每次需要他签署文件的时候，他都这么说。

由于国王的懦弱，宫廷中的决策者由以前的巴科兹主教变成了现在的萨普雅。这位年轻的总督无疑会反对成立新的十字军。他对奥斯曼土耳其人并没有什么好感——事实上，正当巴科兹、泰勒格迪以及朝中众臣就教皇的敕令展开争论的时候，萨普雅正在前线跟奥斯曼土耳其人打仗。而他之所以反对十字军，是因为十字军会帮助主教恢复势力，这是他和他的支持者们不愿看到的。

在萨普雅不在的时候，他就只能指望这些追随者们约束主教的夺权行为。即便如此，萨普雅的阻挠运作还是非常顺利，因为泰勒格迪也算是他的自己人，而泰勒格迪似乎也对主教的计划感到困扰。

“如果贵族们抱怨土地杂草丛生，农民日常劳作的役租地荒废不堪怎么办？如果贵族因十字军带来的破坏和损失指责我们怎么办？如果他们监禁农民以阻止他们去从军，或者将应召归来的奴隶视为逃亡者，抑或是监禁从军者的家人朋友又怎么办？这是经常发生的事，而且我们将无法忘记自己的罪行，并最终因自己的贪婪尝尽苦果。另外，如果战争结束了，你还能让这群乌合之众继续听你调遣吗？”泰勒格迪咆哮道。然后，他又以一种灾难性的预示做了总结：“这些手拿武器的农民会不会反过来攻击贵族，以从现在的悲惨遭遇中解脱？那些配发给他们作为上阵杀敌之用的刀剑会不会反过来对准我们？如果真是这样，我们的妻儿和手足都将被侮辱和蹂躏！”

泰勒格迪停了下来。主教谨慎地环顾四周，掂量了一下这篇黑色演说的威力。泰勒格迪太富有了，要收买他没可能，而且他对整个王国的命运的真诚担忧让很多人肃然起敬。他话语中流露出的无私公正，更加重了这番说辞的分量。他积极地说出了在场的每个人心中的困惑和不安。

“他能说服大家吗？”巴科兹主教在心里盘算着，“他会不会把十字军扼杀在摇篮里？”在他73岁高龄时，他的教皇梦破碎了，所以他没多少选择，他必须将宝押在一件事上：不惜一切代价率领十字军取得胜利，然后以英雄身份荣归罗马，使自己有机会再争教皇宝座。

是接受绝望，还是追随希望

量子力学

如果真有透视未来的千里眼，历史真的不会重演，人类的动机和欲望也不会重复吗？我们总是想要更好、更多、更不一样的东西？正如我们以揭开次原子世界的真相为目标进行的物理研究一样，是不是说人类就会变得完全或部分可预测？

战场上，取你性命的那一声爆炸声你是听不到的。所以，每听到一声爆炸声都会让人松一口气，庆幸被炸的不是自己。不过，教授似乎对时不时震得房子乱晃的爆炸并不在意，他平静地继续尝试预测下午的天气。

他的进展很慢，因为总是要去战场抬伤员。虽然他不需要出去战斗，但他的工作也不是没有危险。几天前，当他们冲进森林救助一个受伤的炮兵时，一颗炸弹刚好落在他们的救护车上。虽然没有一个人受伤，但这次死里逃生的经历还是让大家心惊胆战。

但当教授认真分析早上 7 点的天气预报，并努力预测 6 个小时后，也就是下午 1 点的天气状况时，昨日的恐惧早已被他抛诸脑后。然而，一个小细节让他的努力看起来近乎可笑：他正尝试预测的是 1910 年 5 月 20 日那个平静下午的天气情况，但日历上明明白白地标着那一年是 1917 年。第一次世界大战把外面的世界搅得一团糟，所以那些在法国前线的战士们只会摇头心想："谁在乎什么天气啊？"

刘易斯·弗赖伊·理查森（Lewis Fry Richardson）是一个高个子，为人和善，反对一切暴力的贵格教徒。

理查森的天气预报

1913 年，他加入了英国气象服务站（British Meteorological Service），随后在同事的帮助下很快掌握了天气预测技巧。对他们来说，这一技巧更像是一门艺术而不是科学。那里的天气预测员每天都会监测当天的天气情况，然后找到与这天的天气情况相似的过去某天的天气记录。“天气预测是在假设以前的气候状况会重复的基础上进行的。”理查森解释道。

作为一名物理学家，理查森很久以前就发现还有一种更好的预测方法。1913 年，流体运动方程已经公之于世。所以，如果知道当下的天气状况，原则上你就能推测出随后的大气变化。这就意味着，利用物理和数学知识，他就能预测第二天的天气情况。

理查森在前一年完成的书稿中已经介绍了这一新方法。但在将书稿送去出版之前，他想对此做一下验证。所以，在仔细考察了 1910 年 5 月 20 日早上 7 点的天气情况后，他就开始系统地预测 6 个小时后，也就是当天下午 1 点的天气情况。第一次世界大战爆发时，虽然他信仰和平宗教而不愿参军，但他还是参加了贵格教徒组织的朋友救护小组（Friend's Ambulance Unit），负责将伤员从战场上拉回来。在驾驶救护车驰骋西部前线的间隙，理查森还是顽强地继续着他的天气预测研究。

通常情况下，要想预测 6 个小时后的天气情况，理查森需要 6 个星期左右的准备时间。但事实是，只有一天 24 小时不眠不休，他才能在 6 个星期内得出结果。最后，由于他每天都被多次打断，在法国前线的两年时间里，这项计算工程花去了他大部分精力。虽然花了无数的时间和精力，但结果却令人大失所望。当他预测某个地方的气压变化是 145 毫巴时，实际的变化却只有 1 毫巴。鉴于当时英国有记录的最大气压变化值都不足 130 毫巴，所以他的预测简直大错特错了。甚至可以说，这跟预测温暖的八月会飘雪差不多。

然而，计算结果的准确性不高并不是唯一令人头疼的事，计算过程中需要的资源才更让人抓狂。在计算机还没问世之前，理查森在大脑中想象出这样一个预报作坊——在一个铺着世界地图的大厅中，人工“计算器”坐了满满一屋子。这些精通数学的人们埋头苦算各自桌子覆盖区域的天气情况。

理查森估计，要想跟上变化无常的天气，他的预报作坊必须雇上64 000人。事后证明，这一预测跟他的其他预测一样不准，起码少算了136 000人。难怪没人愿意将他的作坊付诸实践。鉴于人们对这一想法的冷淡态度，理查森想将天气预测变成一门精确科学的梦想也就不了了之了。

透视未来的千里眼

尽管伊斯特凡·泰勒格迪在匈牙利宫廷的朗朗演说有点儿拐弯抹角，但他的意思很明确：如果你召集农民并交给他们武器，他们就会倒戈。他们的敌人不是奥斯曼土耳其人，而是本国的贵族，是那些贪得无厌的地主。如果你现在为不能攻打君士坦丁堡感到惋惜，明天就得小心自己的性命。

泰勒格迪难道有能透视未来的千里眼？还是只是一个怕分裂、怕改变的多事老头儿？

之前，我们曾经遇到了另外两个性质不同的预测案例。德克·布洛克曼预测在纽约花出去的钞票将在68天内漫游各地，以至于我们根本无法寻到它们的轨迹；还有就是我们预测一条新闻的生命大约为36分钟。

这些都不是预言，而是跟理查森的天气预报一样，是通过数学公式推导出来的。但实际上，这些预测都失败了。钞票的运动速度比扩散理论预示的要慢，而新闻的生命周期是36小时，而不是36分钟。所以，泰勒格迪的预测、布洛克曼的估计、理查森的预报，还有我们的研究，其中三项都错了，现在只剩泰勒格迪的预言……嗯，你会看到结果的。

对于预测，我们既不是迷信之人，也不是怀疑论者。迷信之人会完全信任那些预言家、读心者以及商业顾问的说辞，并不惜重金购买16世纪预言家诺斯特拉德马斯（Nostradamus），这位谜一般预测出人类文明中所有大事件的人的所有专著。而怀疑论者则认为诺斯特拉德马斯的含糊说辞并没有显出真正的预测能力，然后又指责一些专家的预测失误连连。

举例来说，全美房地产经纪人协会（National Association of Realtors）的经济学家们提醒我们，平均房价“自1968年来一直保持着不降价的良好记录”，而且还预测2006年内房价会上升6.1%。然而，那一年房价跌了3.5%，预示着美国房地产泡沫即将破裂。你可能会想，这些预言家碍于上次失误的尴尬，可能会改变一下策略。但实际上，他们仍然遵循着那种奇怪的逻辑，在2007年12月9日的新闻上乐观预测：“2008年现有房屋销售量将攀升！”事实再一次不合作，房屋销售量在2008年12月23日跌了11%，是大萧条以来下跌最厉害的一次。

鉴于这些预测的失误，让我们再次问一问怀疑论者：为何像泰勒格迪这样一个深谙当时社会和政治现实的人不能预测出十字军的结局？毕竟，人类就是靠开动脑筋精确预测某些事情来进化受益的。在打网球的时候，我会根据对球打过来的时间、位置以及速度的即时预测，在球场上跑动，以将球打回给对方。同样，看到一辆疾驰而来的汽车，我很容易就能预见如果我慢慢走过街道的话肯定会被撞到。

我们有充分的理由在反驳他人之前先相信一些预测。我们找到了内在规律，所以能对那些遵循自然规律的事件做出精确预测——比如网球的飞行轨迹，以及疾驰汽车的运动轨迹。但要预测由数以万计的农民参加，并且受到一群国王、主教、奥斯曼土耳其王以及总督们左右的战役的结果就非常困难了。虽然仅凭人类的意愿，这样的事情是很难预测的，但是难并不代表不可能。所以，**既然我们要探究人类行为的科学性，那么就该问自己一个重要的问题：原则上讲，我们能不能预知未来呢？**

我们能预测革命吗

这个颇具批判性的问题的提出者不是别人，正是20世纪科学史上最著名的哲学家之一卡尔•波普尔（Karl Popper）。他将社会科学将做出历史预言的期望称为“历史主义”，并指出这些观念是“人类最古老的梦想之一——预言的梦想，即我们能知道将来我们会遭遇些什么，我们能据此调整我们的政策并从这种知识中获益”。在他1959年发表的《预测和预言》（*Prediction and Prophecy*）这篇标题贴切的文章中，波普尔说：“我们能够高度精确，并且远在发生之前就预测到日食。为什么我们不能预测革命呢？”

波普尔的观点丝毫不留歧义，并为将来数十年的社会科学研究确立了议程：一旦涉及人，预测就会变得不可能，所以大家也无须困扰。他的观

点简单却令人信服：

> 我们的太阳系是一个稳定而周而复始的系统，而日食的预言只有建立在季节规则性上……才可能成真；这还因为一个偶然因素，即太阳系由于拥有浩瀚的空间，脱离了其他力学体系的影响，所以相对地摆脱了外界的干扰。和人们普遍的认识相反，对这种周而复始的体系的分析在自然科学中并不具有典型性。这些周而复始的体系仅仅是些特例，虽然其中的科学预测给人留下特别深刻的印象，但仅此而已。

历史不会重演，人类的动机和欲望也不会重复：我们总是想要更好、更多、更不一样的东西。所以，鉴于波普尔的权威，在人们还没真正展开讨论之前，这篇论文的出版事宜就定了。一旦涉及历史或社会科学问题，你就无法进行预测。泰勒格迪的观点无疑是可笑的，而且在这一问题上任何尝试预测的行为都将以失败告终。

量子力学的局限

现在，我们的全球天气预报系统在过去五年里对未来 3 天的天气预测的准确度已经达到了 95%。令人吃惊的是，这一取得巨大成功的系统正是利用了理查森书中的方法。我们不禁会想，为什么他自己的预测错得那么离谱呢？

问题不在于他的方法，而在于他掌握的数据。现在的气象系统依靠的是精密的雷达和卫星地图，地面和高空的温度也会在世界各地的气象站即时更新，而不再需要像理查森那样到处收集参差不齐的大气情况数据。另外，高速计算机已经取代了他要求的二十万左右的人工计算者，而且还规避了那些妨碍计算的不稳定因素。**这是不是说明人类预知未来的能力只是**

受到了数据质量以及计算机速度的限制？还是不管我们掌握多少数据，无论我们的处理器变得多快，只要涉及人类行为的问题，我们就注定无法进行预测？

这是一个典型的爱因斯坦式两难推理。爱因斯坦在给康拉德•赫博瑞奇的信中提到的第一篇论文，也就是后来帮他赢得诺贝尔奖的那篇论文中介绍了量子力学的雏形。现在，量子力学无疑可算做将人类的预知能力发挥到极致的科学理论。

> 比方说，根据量子力学，我们精确地推导出了电子的磁偶极矩，并将误差锁定在了 $1/10^{10}$ 内。这可算做科学史上最精确的推测了。另外，据估计美国现在的国民生产总值中的30%来自于那些通过量子革命出现的科技，如手机、iPod等。

尽管如此，量子力学在本质上还是不能准确无误地预知未来。大多数情况下，它只能提供某个特定事件的发生概率。事实上，对于像这本书这样的大目标来说，它在你阅读过程中突然消失的可能性为零。但对于组成这本书的其中一个电子来说，事情就不一定了；它很可能从这里消失，然后又在世界的另一边出现。你可能注意不到，但它绝对是在量子宇宙的可能范围之内。

这种概率架构让爱因斯坦感到烦恼不堪，以至于后来他干脆拒绝研究量子力学。直到去世，他都在寻找一种更加接近现实的理论，一种不牵扯概率的理论。他那句“上帝从不掷骰子”的名言是他新知识运动的核心论点。他幻想能发现一种跟牛顿力学一样，能够精确预测未来的完全确定的理论。

这只是一个顽固不化的科学巨人的不切实际的追求吗，就和巴科兹主教坚持率军征战君士坦丁堡一样？难道人类的预知能力真的存在一种难以逾越的障碍，即使理论再强大、资料再充分、电脑再快也无济于事？

现在，我们知道爱因斯坦错了。**根据量子力学的推断，宇宙是存在概率的，而混沌理论的出现又给预知能力的实现一记重击。**比如说，掌管明天天气情况的大气现象，如果我们对当下的现象有一丝不确定，那么不确定因素就会快速扩大，使得长期天气预报变成徒劳。正是因为这个原因，现在人们还是难以预测两周以后的天气情况。

科技进步给我们留下了一个难题：我们能否为未来行为中的不可预知的因素提供数学验证？鉴于我们身体中的每个原子和分子都是遵守量子力学规律的，是不是说我们人类从内部就无法预知？

然而，如果我们不能发现人类预知能力上存在的严格限制，是不是就意味着人类行为实际上是可以预测的，而且还存在着揭开人类未来行为秘密的概率构架？如果我们投资研究揭示人类行为的规律，正如我们以揭开次原子世界的真相为目标进行的物理研究一样，是不是说人类就会变得完全或部分可预测？我们是接受波普尔的绝望，还是追随泰勒格迪的希望？

寻找未解之谜的答案

到目前为止，本书只是列举了一系列有趣的未解之谜和问题。德克·布洛克曼发现爱因斯坦的扩散理论无法解释美元的流通轨迹，于是推测有种无形的力量放慢了钞票的速度，我们也发现转化模型无法预测网络访问量。

而我们讲述的中世纪故事也一样令人困惑[①]。我们看到巴科兹主教未

① 虽然我一直称1514年的历史事件为“中世纪”事件，但其实是在文艺复兴中期。不过，很多学者对此都各有看法。——作者注

能如愿当上教皇，而一年之后又被乔治·塞克勒将奥斯曼土耳其大将大卸八块的骇人一幕吓到。主教带着一支耀眼的新十字军重回布达城堡——这是藏在他法衣袖子里的王牌，然而我们却听到了泰勒格迪为反对十字军计划而给出的可怕警告。这些山重水复、曲折离奇的情节就跟杂乱无章的天气一样让人难以捉摸。到了该把这些情节串一串的时候了。

- 这一个个中世纪的人物，塞克勒、主教，还有大预言家泰勒格迪是怎么联系起来的?
- 我们为什么连反映人类行为特点的最简单的模型都无法推导出来?
- 为什么旅行方案失败了，网络浏览器实验也没有成功，更别提跟经济相关的预测了?

在接下来的几章中，我们将会看到答案。

圣战奇兵

地点：马提亚教堂，布达
时间：1514 年 4 月 24 日，圣乔治节

马提亚教堂并不位于布达城堡的中心位置，但它的确已成为其精神核心。这座教堂是整个国家的圣殿，是城堡区最引人注目的建筑。它坐落在高级研究所旁边，离伊斯特凡·泰勒格迪数百年前进行激情演说的匈牙利宫廷大殿只有数步之遥。每次重大战役之前，全军统帅都会在此参加大弥撒仪式，以示祝福。如果军队胜利凯旋，大家就会高唱圣歌迎接他们。当他们面对天国唱响圣歌的时候，失败者的旗帜就将被悬挂在教堂内壁上。

1444 年，约翰·匈雅提站在这座教堂里，看着奥斯曼土耳其帝国的旗帜，那是他在那年冬天那场漂亮仗中收获的。十年后，乔凡尼·达·卡皮斯特拉诺同样站在了这里。这位有着三寸不烂之舌的年长圣方济会修士，曾帮助匈雅提招募参加贝尔格莱德之战的军队。如果你乐意沿着渔夫堡那宽阔的台阶爬上 121 级，就正好能看到匈雅提的铜像。他手扶一柄长剑，目光越过宽阔的多瑙河，仿佛仍在凝视着遥远的贝尔格莱德。

现在，一排排的长椅几乎摆满了整个教堂，不过这是最近新添的。1514

年的时候这座教堂里没什么东西，很像一个挤满了欢呼雀跃的三教九流的集市。1514 年 4 月 24 日这天，骑士、贵族以及富商都聚集在这里寒暄闲聊、互相祝福，那的确不是一般的嘈杂。

● ● ●

当6个身穿白色亚麻圣衣的辅祭手捧长长的烛台，从教堂前厅进来的时候，嘈杂声才渐渐消失。紧随辅祭的是身着仪式长袍的执事和神父。当列队靠近圣坛时，辅祭们就走到一旁给红衣主教让路。主教虽然年事已高，但还是以这类场合必需的那种华丽而自信的态度结束了整个游行。

从容而庄重的主教将左手放在圣坛之上，在胸前画了一个十字，然后用能让所有人听见的洪亮声音开始了弥撒仪式。他高声吟道："奉圣父、圣子、圣灵之名。"

众礼拜者大呼"阿门"，然后主教继续说道："我要走向上主的圣坛。"

礼拜者们聆听着熟悉的经文，目送主教鞠着躬走向圣坛。主教右手握拳击打胸膛三次，并吟唱道："我罪、我罪、我的重罪。"

尽管这种拉丁仪式在此前被无数次地重复过，但这次的弥撒绝对非同一般。如果你抬眼看看雕刻精美的空王座，你定会感触良多。王座旁边站立着十几个战士，其中有骑士也有雇佣兵。骑士都是地主，而雇佣兵是按日取酬。如果他们开始相敬如宾，那就表示可能要打仗了。

一名披坚执锐、全副武装的骑士在列队中显得尤为耀眼。不过，如果你注意看从那身红色制服刺绣精致、金丝镶边的袖口露出来的粗糙双手，或是留意到他那浓密胡须遮掩下的脸上的风伤泛红的皮肤，就会怀疑这不是他惯常的着装。身着这身昂贵制服的正是乔治 · 塞克勒，我们已经将他抛之脑后两个月之久了，当时他正忙着砍断伊派瑞斯的艾利的手臂。他原来那身嘎吱作响的盔甲、锈迹斑斑的盾牌以及褪色的头盔，已经被胸前的金链和锋利闪亮的鱼尾金柄长剑取代。这身装备可值不少钱。如果你还是怀疑这个表情严肃的人不是他，那跟他站在一起的弟弟格瑞格里应该能让你确定那个人就是他了——格瑞格里没有佩戴华丽的装备，只是擦亮了原来的盔甲。

杀死艾利对乔治·塞克勒来说既是铤而走险，又是一个历史性的胜利。他给艾利的那致命一击让前线的骑兵如沐清泉，骄傲地欢呼起来。随后爆发的欢呼声让他吃了一惊。突然之间，他就成了众人皆知的一招将伊派瑞斯的艾利致死的大英雄。

乔治·塞克勒本想缴获艾利的战马，但那匹马由于感受不到熟悉的主人的双手而惊慌落跑了。这匹骏马随后被匈牙利的马术师抓住，给乔治的胜利留下了瑕疵。最后，乔治放弃了这匹战马，以300块金币的价格卖掉了它。大家喋喋不休的闲话坚定了他离开决战场的决心。既然他已经拥有足够多的钱可以买到想要的坐骑，那现在的问题就只剩下该去哪儿了。对于这个问题，他和他的弟弟格瑞格里心有灵犀——回家乡是不二之选。

但就在乔治·塞克勒盘算下一步的计划时，有消息来报说主教正从罗马赶回来。传言称主教这次身负十字架归来，这就意味着彻底击败奥斯曼土耳其的大战即将展开。塞克勒认为他在与艾利的决战中的优秀表现可能会对新战役有帮助，所以就调转马头，带着满袋的金币，朝着布达城堡的方向进发。他在前线另外一个要塞腾斯法停留了数日。当他流连于市井各大酒馆，将钱散尽之后，他还不知道这趟征途的起点也将成为终点。

布达城里熙熙攘攘，街道上到处都是骑士、雇佣兵和商人。信使快马加鞭地进城，每天都有很多人涌入城内。时值春天，万物复苏，城里的居民很乐意从过冬的发霉窑洞和小屋中走出来。乔治·塞克勒在那些雇佣兵经常厮混的地方吃惊地发现，他击败艾利的事迹已经在宫里传开了，而且大家还添油加醋地将他夸了个天花乱坠。说他是男性荷尔蒙爆发也好，疯子般的勇敢也好，他在贝尔格莱德的功绩已经被大家当做众人追求的爱国主义和英雄主义史诗广为传颂。多亏了这种夸张的传言，塞克勒发现那一扇扇自己原本不可能叩响的大门，现在都为他敞开了。

他并没有对传言多做解释，而且很快就得以觐见国王，并得到了国王的赞扬。但他的殊荣绝对不是靠几句空话装点的：国王赐他靴刺和宝剑，封他为骑士，并把腾斯法和贝尔格莱德之间的一处拥有 40 户居民的土地和庄园赏赐给他。国王还赏赐给他一件绣有带血断臂的战衣，以传颂他在贝尔格莱德的胜利。此外，还有双倍俸禄、一条纯金项链、一件他正骄傲地穿在身上的绣金猩红战袍，同时，国王承诺从国库中拿出 400 块金币赐予他，以保证乔治·塞克勒和他的弟弟后半生都能安乐度日。

尽管得到了很多礼物，也受封了爵位，但乔治·塞克勒似乎并没有适应他的新身份。他的快速晋升使得他看起来像个不懂装懂的假内行。当他去取国王允诺的 400 块金币的时候，高贵的伊斯特凡·泰勒格迪让人将金币扔了出去，这更加剧了他的不安。另外，乔治·塞克勒的新庄园所在教区的主教米克洛什·萨基竟当面指责起他过去的不端行为。到目前为止，他在布达的经历就如同坐了一趟过山车——今天还受到国王的赏识，明天就遭到了傲慢的泰勒格迪和萨基的羞辱。

● ● ●

弥撒仪式结束后，红衣主教巴科兹终于站起身，开始了大家静候已久的演讲。

“在被奥斯曼土耳其帝国占领了 50 年后，君士坦丁堡是该回归了。”主教这样说着，他同时还强调回归基督教精神是神的旨意。他表示自己授命率领十字军东征实在是诚惶诚恐，并声情并茂地要大家做好随时为这场圣战牺牲的打算。然后，他以教皇的名义为那些勇于抛头颅、洒热血的子民祈祷，并请出教皇的公证人、帕维亚地区的主教伯纳德伯爵上前宣读教皇利奥十世的诏书。在一位圣方济会修士简单地将诏书内容翻译成匈牙利文后，主教又补充说，父子中的任何一方阻止另一方参加圣战都是公然触怒上帝的行为。

然后，主教做了个手势，邀请乔治·塞克勒走向圣坛。这位骑士恭敬地走了上去，他的贴身长矛击打着教堂的石阶，砰砰作响。主教递给他一面绣有红色天鹅绒十字标志的白色大旗。这面大旗是严格按照圣战骑士进入圣地时所举的旗帜制造的。得到教皇的祝福后，旗帜就直指君士坦丁堡了。乔治·塞克勒接过大旗跪了下来，主教的裁缝敏捷地在他的战袍上绣上了同样的十字标。

每个人都清楚这一刻所代表的意义。通过这个简单的动作，主教正式封这位此前鲜为人知的前线战士、这位来自偏远喀尔巴阡山脉的塞克勒人，为十字军最高统领。

1514 年 4 月 24 日是圣乔治日，也是乔治·塞克勒的命名日，而且如果他的父母是遵守传统，在他受洗时用他出生那天的圣人的名字为他命名的话，那一天实际上也是他的生日。还有比这更神圣的生日礼物吗？如果这不是上帝的旨意，那么上帝肯定从不干预人类的生活。十年来，乔治·塞克勒一直效忠国王，为他而战，俯首称臣。现在，他被主教赋予了更高的权利，他身上那块红色的十字补丁使他成为了基督的战士。

乔治·塞克勒不知道主教为什么会对他这个微不足道的人委以重任。但在这一刻，他什么都不在乎了。教皇下诏许诺每个参加奥斯曼土耳其之战的战士，不论成功或失败都能升上天堂，更何况他并不打算吃败仗。他命中注定要举起教皇的白色大旗，直捣土耳其帝国的中心，并胜利凯旋，将君士坦丁堡的旗帜挂在教堂内壁上，聆听胜利的颂歌。

但这位皮肤黝黑的前线战士并不是唯一一个应该庆贺的人。主教也很高兴，因为他最终在宫廷之上说服位高权重的怀疑论者泰勒格迪，并得到了国王的支持。他成功地为十字军选择了一位统领，使得他的游说最终得以成功。

这个国家从来不缺能够担纲重任的经验丰富的骑士，比如，特拉西瓦尼亚的总督萨普雅。从他之前对抗奥斯曼土耳其的一系列战役中俘获的战利品和俘虏上，我们就能看出他的英武。但是主教绝对不会傻到将十字军交给自己的政敌。

还有跛脚的腾斯法首领伊斯特凡·巴赛瑞（István Báthory）。他来自军事世家：1457 年另外一位伊斯特凡·巴赛瑞（后来当上了特兰西瓦尼亚的总督）攻破了奥斯曼土耳其的盟国瓦拉几亚公国（Walachian）的博雅堡垒（Boyars），将弗拉德公爵（Vald the Impaler）囚禁在了南罗马尼亚的皇宫中。这位后来广为人知的德拉古拉伯爵作为宫廷的俘虏和客人，在被囚禁在布达城堡的 14 年中逐渐赢得了总督的信任。还有一位伊斯特凡·巴赛瑞，他是不朽的波兰王，是唯一一个击败王国的宿敌俄国的人。所以伊斯特凡·巴赛瑞应该是领导圣君的最佳人选。不过可惜，这位身经百战的贵族对领导一支农民十字军没有丝毫兴趣。

就在主教一筹莫展之时，乔治·塞克勒出现在了他的面前。尽管他能否成为大军统领还有待考验，但他也算久经沙场，而且农民军和雇佣兵都很尊重他。没打任何小算盘的他可谓白纸一张，而且势必会对主教忠心耿耿。因为每个人都很清楚，如果没有主教撑腰，他谁也不是，只不过是个剑术高明的雇佣兵，一把耐用的剑而已。

上帝从不掷骰子

泊松分布

只要遇到无法理解的事情，我们就会说那是偶然，似乎这种表面上的偶然行为推动了历史的演进，而事情发展之迂回曲折似乎如掷骰子一般。但这种偶然真正意味着什么?

1991年5月31日，正准备去后院泳池的莫莉听到了敲门声。当时还不到11点，她刚度过一个繁忙的早晨，她去学校取了成绩单，这学期也就算结束了。听到敲门声时，她正一个人待在位于俄克拉何马州塔尔萨市枫叶岭郊区富裕的家中。由于自己没有钥匙，这个聪明的11岁姑娘建议来访者跟她在后门碰面。

陌生人告诉莫莉，他是来整理院子的。这个人一副休闲打扮，小个子，很瘦，留着一头亮红色短发，脸上刮得很干净，但长了一脸痘痘。

莫莉很有礼貌地解释说父母不在家。她想快点结束这次谈话，然后去泳池游泳。

他似乎理解了。

不过，在离开之前他问了一下时间。

莫莉不知道几点了，但是她身后就有一个钟。

她转过身去看时间。

突然，门开了，还没等她回过神来，那个陌生人就用结实的手臂抱住了她。

案发时蒂姆在哪里

在南边320公里外的得克萨斯，蒂姆•德拉姆看着父亲的背影消失在达拉斯射击俱乐部的门后。听到门锁的咔哒声后，他收起了父亲的护目镜、耳塞，还有一把点 410 来复枪和一包点 28 口径的子弹。他拿着这堆东西上了一辆黑色林肯大陆。

富有的詹姆斯•德拉姆在塔尔萨经营着一家电器商店，同时他还是个双向飞碟射击迷，他的儿子蒂姆也是。他们一同驱车去达拉斯参加全美双向飞碟射击大赛，顺便拜访家族好友杰西和詹姆斯•斯普兹夫妇，并与他们共度周末。

老德拉姆参加了比赛，而小个子、红头发、满脸络腮胡的蒂姆被禁止用枪，所以就去当了裁判。

第二天就是蒂姆 29 岁的生日，他很期待斯普兹家的女儿们为他准备的生日派对。

> 过去这些年，他可没少触犯法律——在公共场合酗酒、酒后驾车、偷东西，还擅自用朋友父亲的信用卡刷了 70 美元。虽然都是些小偷小摸的轻罪，但也令人担忧。更糟糕的是，他最近又在一家当铺里卖了一把枪，这违犯了假释条例。他这种人是不能携带枪支弹药的，更别说去商店卖了。因为这次过失，他可能马上就会被关进监狱。

其实，现在他收拾起父亲的武器也算违法。不过，他人在得克萨斯，而不是俄克拉何马，所以当他跟着父亲进入俱乐部的时候，他很自信地认为警察追到这儿的概率太渺茫，根本不需要担心什么。因而，当莫莉在塔尔萨打电话报警的时候，蒂姆和他的父亲已经离开俱乐部，驱车去斯普兹家吃午饭。

杰西•斯普兹帮蒂姆热了热前一天晚上在橄榄园餐厅打包的饭菜。在跟蒂姆的妈妈一起去做美容之前，她看到这对饿坏了的射击选手正狼吞虎咽地吃着意大利家常菜。

中午时分，杰西和詹姆斯的女儿辛西娅顺便回家吃了盘意大利面。此时，沿着75号高速公路驱车向北4个小时的地方，塔尔萨警方的警笛声打破了枫树岭社区的平静。

陪审员越多，错判概率越小

我们相信没有人能总是做出正确的决定，尤其是那些会影响到我们自由的人。哈桑回想起跟联邦调查局之间的经历时说道："当你面对一个掌握着你的生死大权的人时，你就会变得不理性。"于是我们引入了陪审员，因为大家相信与一个人单独在审讯室相比，12个人一起更能看到事实的真相。

事实上，就算我们假设一名陪审员有80%的时候能看到真相，但他还是有20%的出错机会。所以，你肯定不想把自己的自由押在一个陪审员的手上。但如果有12个陪审员，虽然每个人出错的概率仍是20%，但你被冤枉的可能性只有 $(0.2)^{12}$，也就是0.000 000 4的概率。这就意味着12名陪审员参加5亿次审判才有一次冤枉被告的可能。这对蒂姆•德拉姆来说是个再好不过的消息了。

"谁也没想过这样的事会发生在自己身上。我太愤怒了！我不知道为什么会有人做这样的事。"莫莉的妈妈在7月15日的时候对一个记者说道。

此时，距离她11岁的女儿遭到陌生人野蛮强暴已经过去6个星期了，她绝对有理由感到绝望。调查全无头绪，使得住在俄克拉何马州这个高档社区里的人们，不得不开腔对这件悬而未决的案子表示愤怒。

但不久之后，警方有了意外突破。塔尔萨一名警探的妻子（她在缓刑部门工作）告诉她的丈夫，她知道有个人符合莫莉对疑犯的描述。那个矮个子、红头发的人很像处于缓刑期的蒂姆•德拉姆。

警方将蒂姆的照片和其他人的照片一起拿给莫莉看，但她并不确定。他们又试了一次，这次她似乎觉得这张照片上的人有些熟悉了。“看上去像他。”莫莉指着蒂姆的照片说道。基于此，警方在1992年1月逮捕了蒂姆•德拉姆。蒂姆很吃惊，他坚称自己无罪，因为有十多个人都说曾在达拉斯的双向飞碟射击大赛上见过他，其中不乏受人尊敬的商人和老教徒。

在法庭上，被告的辩护律师安排了11位证人。这些目击者都坚称，当那个红头发的男子在俄克拉何马强奸那位11岁的女孩时，被告跟他们一起在得克萨斯。他们还告诉陪审团，袭击发生时蒂姆•德拉姆已经留了一年多胡子，所以不可能是莫莉口中那个脸刮得很干净的男子。

> 然后，原告开始提起诉讼。检察官助理出示了取证人员的证词。取证人员仔细地将犯罪现场发现的红发跟蒂姆的头发做了比对。另一位DNA专家检测出，莫莉泳衣中残留的精液在某种程度上与蒂姆的基因相符。只有5%的人与他们取证时用的标记基因相同，这足以证明蒂姆当时在犯罪现场。检察官又质疑了蒂姆不在场的证明，声称11位目击者都是老年人，不能，或者是根本不愿意准确地回忆起案发当天的事情。最后，莫莉站上了证人席，指证剃掉胡须的蒂姆就是侵犯她的人。
>
> “受害者给人的印象非常深刻，”陪审团主席在闭庭后对美国广播公司的记者说道，“她的态度非常肯定。”

所以，1993年3月13日，蒂姆•德拉姆因强奸一位11岁的女孩被陪审团定罪并判以3 220年监禁。这是塔尔萨法庭历史上对非谋杀案件判罚最严厉的一次。裁定结束后，蒂姆的妈妈，一位优雅的、满头白发而且笃信上帝的女士，把自己的圣经扔到了墙上。

“发生了这样的事，我再也不会相信什么体制了，绝对不信。”她说。

陪审团可能会弄错，但她不会。案发的时候，她正和她的儿子一起在达拉斯。那天之后，她再也没有去过教堂。

必然，还是偶然？

虽然偶尔会出错，或者说因为会出错，我们的司法体系才能暴露出很多有关人类决策及其弱点的信息。然而，正如那些在陪审团任过职的人所知，陪审员都是私下进行讨论的。只有在他们达成一致意见之后才能做出裁定，这使得人们几乎不可能知道每个人的决定。不过，芝加哥陪审团项目却不这么认为。

> 根据对大量担任过陪审员的人、辩护律师以及法官的调查，他们指出裁定结果往往偏向于第一轮投票结束后大多数陪审员的意见，而且在91%的案件中，陪审员都是在尚未进行讨论之前就达成了共识。要推测出裁定结果，就必然要着重考虑大多数人的意见。这样一来推算结果就变了，现在12个陪审员冤枉被告的可能性就从原来的0.000 000 4变成了0.4%。这一变化是显著的，也就是说在1 000个案件中就有4个被告可能被冤枉。

可能有人会说，这一数据只能说明错误判决不常见。这话虽然没错，但对蒂姆•德拉姆来说可不算什么好消息。

虽然蒂姆的遭遇已经无法挽回，但我们发现了这种方法的不足。我们先入为主地认为，陪审团在80%的情况下是正确的。但实际上他们的准确率是不是要更高，或者蒂姆这样的案例其实没预想中的那么多？从某个角度上看，我们是否能够断定陪审员在一般情况下都能做出正确的裁定？

由于没人能确定到底谁有罪、谁没罪，所以我们找到答案的概率很渺茫。但是，正如我们从 19 世纪一位法国数学家身上学到的，一些问题并没有它们最初出现时那么难。

西莫恩·德尼·泊松曾回忆自己初学走路时，有一次父亲发现他被绳子吊起来的经历。罪魁祸首是个女仆。她坚称那么做是为了防止孩子被地上的蚊虫叮咬，但实际上她是想把孩子关起来，然后做自己的事。

> 虽然年幼的泊松还在犹豫自己要不要去学数学，但他的家人坚持把他送到枫丹白露学医。但第一个病人的死吓到了他，所以他毅然退学回了家。
>
> 赋闲在家期间，泊松的父亲当上了皮蒂维耶的市长。身为市长，他的父亲要订阅很多有名的杂志，其中包括《综合工业学院学报》（*Journal of the Polytechnical*）。在乡间百无聊赖的泊松开始翻阅这些杂志，不想却因此对数学产生了浓厚的兴趣，之后他便开始一一破解杂志上的难题。他的家人重新讨论了他的未来，然后决定把这位无所事事的青年送到枫丹白露学数学。这次他没有再退学（毕竟方程式是杀不了人的），反而进了巴黎的综合工业学院。他成为那里的教授，并在 7 年后成功破解了傅里叶级数。

如今，以泊松命名的科学发现不计其数——如泊松积分、位势理论上的泊松方程、弹性学上的泊松比，以及电学上的泊松常数。人们将他的名字刻在了埃菲尔铁塔以及月亮正面南部高地的一个被严重侵蚀的火山口上。这个火山位于以阿里辛西斯（Aliacensis）命名的火山口的东面，以杰马·弗里西斯（Gemma Frisius）命名的火山口的西北部。泊松一生发表了 350 多篇论文，以现在的标准来看也算是硕果累累了，更何况当时还没有文字处理器。

他最知名的成果，是发表于 1873 年（也就是他去世前 3 年）的《关于刑事案件和民事案件审判概率的研究》(*Researches on the Probability of Criminal and Civil Verdicts*)。现在的数学家们对这篇论文的研究主题——创建一个完善的司法体系，没有丝毫兴趣。然而，这篇论文的重要性再怎么强调都不为过，因为它建立了基本的统计学理论。这一理论已经广泛应用于现今大部分研究领域中。

在这篇颇具创意的论文中，泊松指出陪审员犯错的概率是可以计算的。我们只需要知道某个特定年份的案件总量以及被定罪的案件数量就够了。法国司法部会定期统计这些信息。

统计结果表明，1852 年有 6 652 人被指控犯罪，其中只有 60% 的被告被定罪。利用这些数据和他推导出的公式，泊松计算出每个陪审团做出正确裁定的概率只有 75%。令人称奇的不是他计算出的这一结果，而是他那种潜入每个审判员的脑中，发掘他们做出正确决断的概率的能力。

利用芝加哥陪审团研究中心(Chicago Jury Study)的统计数据，艾伦•伊恩•吉尔方德(Alan E. Gelfand)和赫伯特•所罗门(Herbert Solomon)发现美国的陪审团的表现稍微好一点：他们做出正确裁定的概率为 90%。与 19 世纪的法国前辈们相比，他们对待这项工作显然更严肃，也更用心。

但是，我们对于现在司法体系的那些疑问真的能够消除吗？虽然蒂姆•德拉姆不这么认为，但是对我们其他人来说，事情确实有所好转。**事实上，如果陪审团做出正确裁决的概率是 90%，那么被告被冤枉的概率只有 0.005%。这比陪审团出错概率为 20% 的情况要好上几百倍。**1990 年被定罪的案件有 1 993 880 起，其中包括谋杀、过失杀人、强奸、侵犯人身罪、抢劫、偷盗以及纵火罪。那么，根据上面的方法推算，只有 40 个罪犯是被冤枉的。如果你不是这倒霉的 40 人中的一个的话，这个数据听起来也不算多。

泊松的悖论

泊松的计算在哲学层面上存在一个深层假说：他荷载取值，假设人类行为是随机的，将事情简化了。不管你是最聪明的智者，还是最愚笨的傻瓜；不管你是法官，还是犯人；不管你是怀疑论者，还是迷信的信徒，一旦坐上陪审席，我们知道的只是你做出正确裁决的概率只有 90%。这也就是说，**泊松将不可预测性和偶然性等同而语了。他接着指出，一旦我们承认人类行为是最随机的，它突然之间就可以被预测了。**

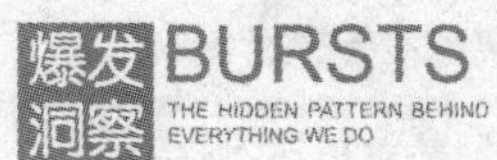

这似乎是个悖论：如果不可预测性是指偶然性，那么偶然性又怎么能预测呢？答案很简单：泊松所谓的预测跟我们日常生活中追求的有所不同。跟伊斯特凡•泰勒格迪对教皇十字军的未来所做的预言不同，他的手法更像爱因斯坦推导原子运动规律。爱因斯坦知道推测出单个原子的运动轨迹是不可能的，所以转而假设原子的运动是随机的，然后推导出原子离释放点的距离遵循扩散理论。

同样，泊松根本没去想陪审员是否做出了正确裁定，而是假设每个陪审员都像掷骰子那样投票：他们大部分时间是对的，但偶尔会出错，而且我们永远无法知道他们什么时候是对的，什么时候是错的。在这一假设的前提下，泊松利用定罪率的统计数据推导出了整个陪审系统的可靠性。

为了更好地理解泊松的推导过程，我们先说说我的电话记录。

我平均每天打 12 通电话，也就是说差不多每两个小时就会打一次。不过，根据这些你并不能推导出我将在何时打电话。但是，如果假设我打电话的模型是随机的，你就会对我的通讯问题有所了解。利用泊松的公式，你可以推算出我下个小时不打电话的可能性（这个概率是 60%——也就是可能性很大），或者我连续打 5 通电话的可能性（概率是 0.02%——不太可能）。利用他的公式，你也能推导出我一天之内不打电话的概率（0.001%——可能性极小）。

尽管这种推测跟神谕完全不同，但也极具价值。

爆发实践

假设一家电话集团的某个工程师负责测定在你所居住的小区安装的移动电话信号塔的容量。如果他设定的容量过低，很多电话就会掉线，用户和老板都会很不高兴；如果设定的容量过大，就会浪费公司的资源，不用说肯定也会惹恼老板。但如果这位工程师精确地知道你所在社区中每个人计划使用电话的时间，他就能预测出何时是高峰期，也就能计算出信号塔的容量最大值。

但工程师不可能知道你将来的通话情况。不过，他知道每个用户平均每天要打 3 通电话。同时，他假设所有人的通话模型都是随意的，那么利用泊松的公式，他就能推测出任何时间点计划使用电话的人数。然后，他就可以设定足够大的容量，使得 100 部电话同时使用时掉线的电话不超过 3 部，以确保公司达到“无瑕疵”的移动服务的基准。

如今，只要遇到无法理解的事情，我们就会说那是偶然。我们会看到，**这种表面上的偶然行为推动了历史的演进，而事情发展之迂回曲折似乎如掷骰子一般。**但这种偶然究竟意味着什么呢？

为了找出答案，我们不妨掷骰子试试。每当点数是 6 时，你就在纸上画条竖线，而掷到其他点数——不管是 1、2、3、4，还是 5，你就画个点。我自己试着掷了 400 次，结果如下：

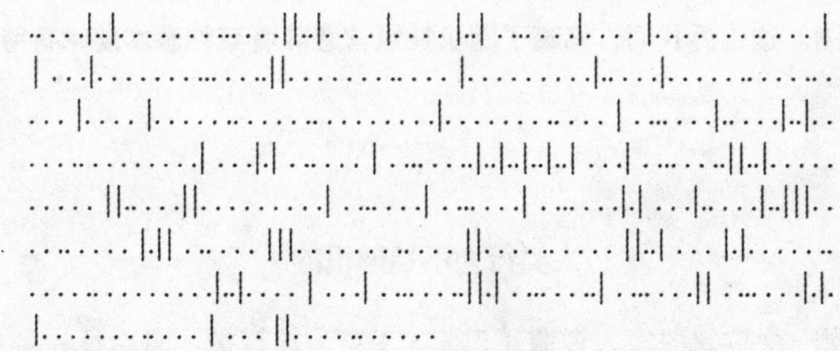

虽然每次掷的点数无法预测，但整体是有规律可循的。也就是，大约每掷 5 到 7 次就会出现一次 6，而掷 100 次都不出现 6 的可能性几乎为零——那样两条竖线之间的距离将非常长。事实上，正如泊松公式指出的，你掷上 1 亿次才有可能出现一次这种情况。同样，我们需要掷上 1 亿次，才会出现每行有 10 条竖线的情况，也就是说幸运地掷到 10 次 6。

虽然下次掷的点数是个谜，但在这种偶然性中还是存在某种神奇的规律。尽管存在明显的规律，但泊松过程实际上是一个再随意不过的过程了，因为它就是一系列偶然事件的累计。因而，偏离泊松预测常常代表某种隐藏的秩序，它们揭示了一种有待发现的更深层次的规律或模型。

诚然，我们观察到的很多现象都绝非偶然，比如行星运动、亘古不变的日夜交替等。但另外一些现象，比如天气，看起来似乎纯粹是偶然。不过，正如理查森极力指出的，大气受制于一系列规律和方程式。现在，各地的气象学家都能通过计算成功预测天气情况。此前，人们认为很多现象，如日食、洪灾、旱灾都是受神秘的造物主支配。但现在这些现象都能够被人类预测。这告诉我们，**偏离了随机性通常意味着某种基本规律有待人类发现。**

人类行为不是随机的

蒂姆•德拉姆的家人说服了巴里•谢克为他辩护。谢克是一名DNA专家，他所在的律师团曾在1995年帮助O•J•辛普森免罪。他专门利用DNA相关技术，为含冤者洗脱罪名。一项在蒂姆的案件第一次接受审理时尚未得到认可的DNA新技术，明确排除了蒂姆的嫌疑。

> 蒂姆被释放的时候已经在监狱里待了5年。监狱中存在一种所谓的等级制，少年强奸犯处于最下层。蒂姆因强奸莫莉被定罪入狱后，遭到了狱友的暴打，甚至一度断了肋骨。出狱后，他了解到在莫莉被袭一个月前，她所在街区的另外一位女孩也遭到了相似的侵犯。两个女孩对嫌疑人的描述惊人的相似。蒂姆还听说在自己1992年被捕前，一个名叫杰斯•加里森的男子失踪了。这名男子身高大约1.5米，头发为红褐色。加里森在1991年12月18日——即蒂姆被定罪的两年前，上吊自杀了。他的DNA从未被检测过。

我希望能跟大家说，泊松的努力使得创造一种完善的陪审制度成为了可能，但可惜事实并非如此。陪审制度仍然多受法律和政治论据左右，而鲜有科学支持。不过，泊松的努力回答了一个非常重要的问题：完美的陪审制存在吗？很遗憾，答案是否定的。

但我们能否提高裁定的准确率？泊松的研究的确为我们提供了一些建设性意见：**陪审员的人数越多，集体犯错的可能性就越小。**这就是美国最高法院在20世纪70年代提出陪审团最多由6人组成时，大家感到吃惊的原因。

支持者提出，缩小陪审团规模能够节省资源，因为去法院的人会相应减少。而且陪审团的规模越小，意见分歧就越少，审议时间也越短，因为6个人比12个人更容易达成共识。关塔那摩监狱第一个被控战争罪的本•拉丹的司机兼保镖萨利姆•哈姆丹（Salim Hamdan）就是在只有6个军官做陪审员的法庭上被定了罪。坦白讲，他绝不是无辜的，**但6个陪审员决断的出错率要比12个人的高25倍。**

尽管泊松的研究没能改善陪审制度，但它仍具影响力。诚然，对于那些不认识我们的人来说，我们的行为显得无序无规。他们不知道我什么时候起床，什么时候发下封电子邮件，什么时候打下一个电话，什么时候得流感。但这些行为最终会影响到保险公司、电话集团、医院、连锁酒店、客服中心以及证券经纪公司等。一旦无法弄清我们的行为方式，科学家和工程师们就会求助于泊松理论。

1915年，人们发现，意外的发生遵循泊松规律，泊松理论自此便成了保险业的基本理论。如今，在假设受随意浏览和通信模型影响的网络通信量遵循泊松过程的条件下，人们设计了路由器。泊松公式还被用来计算因传染病死亡的人数，以及预测每个家庭得伤寒的人数。

与此同时，科学家们仍默然接受人类行为科学的基本范式：我们的行为实际上是随意的、不可预测的、偶然的、无法确定的、不可预知的，以及无规无序的。

这一假定的唯一问题在于，它完全错了。

Bursts
P(τ) ~ τ^-α

一场始料不及的大屠杀

地点：奥帕特村

时间：1515 年 5 月 23 日早晨，发起十字军东征的弥撒仪式举行一个月后

十字军东征期间，那些仍敢外出旅行的人肯定已经算到，穆列什河沿岸任意一个两千人的集军都是前往君士坦丁堡的军队。但他们没有想到的是，1514 年 5 月 23 日这天，在奥帕特村的浅滩上，迎接他们的竟然是那么一幅令人震憾的场景。

忘了白帐篷，高旗杆，五色旗帜随风飘扬，地平线上凸显中世纪军营剪影的迪士尼式画面吧！真正的营地充斥着肮脏破烂的草席和帆布垫子，泥泞的地上插着一根绑着破布的旗杆。

忘了那些身穿闪耀华丽、色彩斑斓战衣的骑士们吧！想象一下，一支由衣衫褴褛，在篝火前散发着恶臭的农民、土匪、羊倌、铁匠和商人组成的队伍。

如果你暂时忽略那些打着补丁的军服、豁口的钝斧，看着这两千个闲聊、打盹、在篝火旁狼吞虎咽的人，你很容易有置身集市的感觉。

只有个别人背上绣的十字符号才表露了他们的使命：他们是十字军。没

错，这帮糟糕的家伙就是响应主教号召的志愿军。他们刚刚穿过穆列什河，但并不想在这儿久留，因为穿过前方的森林很快就能到达贝尔格莱德——信仰基督教的欧洲的最后一道关卡。关卡之外，奥斯曼土耳其人在去往君士坦丁堡的路上已经设下了重重堡垒。

● ● ●

在被主教委以重任后，乔治·塞克勒就越过多瑙河，到了佩斯城附近一个名叫雷克斯的安静村庄。过去几天，志愿军都已聚集到了这里。不过，他的到达丝毫没有统率千军攻打奥斯曼土耳其帝国的架势。在那里等他的那群不足300人的乌合之众连攻克一个小山寨都费力。

最令人失望的是，他们的武器装备根本不值一提。有的人得意扬扬地举着一头被削尖的长棍充当长矛，还有的人拿着长柄的砍柴斧充当锤矛和战斧。不过，大部分人拿的是镰刀。这些镰刀都是前几天刚磨好，准备拿去割麦子用的，但现在不得不充当打仗的武器。只有少数几个神色疲惫的雇佣军穿着古怪的盔甲。这种打扮让乔治·塞克勒觉得似曾相识，因为那正是他过去的模样。

乔治简直不敢相信这群乌合之众敢称自己为十字军。但既然主教已经许诺会有更多的志愿军、食物和装备，所以这位统帅并不气馁。他一心扑在了队伍训练中，教那些农民基本的作战方式，比如如何使用火铳、剑、斧和矛上阵杀敌。你随时随地都能看到他的身影，看他指挥那群由马匪组成的骑兵跟新组成的步兵进行演习，看他教大家怎样用长戟对抗长矛。

与此同时，主教也信守诺言，要求各地的圣方济会修士传播征用十字军的消息，因为5年前匈雅提征军的时候，他们发挥了很大的作用。全国各地都有修道院，而且修士们大都来自当地的村庄，所以他们实际上是十字军的最佳特使。他们证明了自己那令人吃惊的影响力：布达城不足300人的军队一下子激增到了1.5万人，而且听说还有4万人正从各地赶来。

由于征兵进行得异常顺利，在弥撒仪式结束仅两周后，乔治·塞克勒就命令队伍开始行动。5 月 10 日，他率大军开始东进，直驱特兰西瓦尼亚。当这条鱼龙混杂的巨蟒穿越匈牙利低地时，它的长度又增加了。周边地区的大批骑士和农民陆续加入队伍。至 5 月中旬，当塞克勒抵达奥帕特村东北部 80 公里开外的久洛（Gyula）时，他手下已经有 3 万兵力了。

中世纪的战役往往是在仲夏期间开始准备，因为那时庄稼已经收割完毕。但主教可没耐心等那么久，所以他在 4 月就发布了征兵启事，这比往常要早很多。他拿出金币让十字军购买食物和装备，还打开自家的大谷仓、捐出牛羊给军队作为食物。这些军资满足几千个雇佣兵没有丝毫问题，但对 4 万多饿狼般的志愿军来说，这些资源就少得可怜了。

由于存在潜在的粮食危机，乔治 • 塞克勒下令所有偷抢百姓东西的士兵都将受到严惩。但是纪律不能当饭吃，所以士兵不得不四处搜寻食物。本来这也不算什么稀奇事儿——当地居民为中世纪军队提供食物是常事，而且在必要情况下他们往往被迫给养军队。但这次情况不同：过去，在由骑士和贵族组成的军队中，农民会负责所有后勤工作；但这批乌合之众二话不说就去抢劫地主的农庄，一旦遇到反抗，他们不惜举刀杀人。

除了食物短缺外，还有一个大问题：全国各地的地主发现夏收迫在眉睫，但农民都不在了。由于人手紧缺，一些地主干脆把农民监禁起来，甚至处死那些半路被抓回来的人。对那些即将参军的人的家属实施监禁并严刑拷打的流言在整个军营散播开来，愤懑的农民不再将贵族视为同盟者，而将之视为敌人。

当地主和十字军之间发生冲突的消息传到宫廷后，主教被迫收拾残局。最后，他终于做出让步，在 5 月 14 日给了乔治 • 塞克勒一纸公文，命令他回绝所有还想加入志愿军的人，但成千上万的农民仍然继续涌入军营。

乔治·塞克勒推断信上的内容并非主教的本意，而是朝中反对十字军的压力迫使他做出了这样的决定。

“别把我当成三岁毛孩或是傻子来戏弄，”《塞雷米史记》(*Chronicle of Szerémi*)这样记载塞克勒对主教来信的反应，“我以上帝和圣十字架的名义警告你们！”接着，他命令牧师们继续征集志愿军。

不过，这封信确实起了一定作用：乔治·塞克勒突然改变了行军路线，放弃了去特兰西瓦尼亚的计划——因为这只会证明他仍在招兵，他转而掉转马头，抄近道前往贝尔格莱德。要到达那里，他必须依靠奥帕特村的渡船穿过宽阔的穆列什河。他组织了一个 2 000 人的前哨部队，让他们先过河，以迎接大部队的到来。

● ● ●

由于离最近的奥斯曼土耳其壁垒只剩两周行程，前哨部队中的每个人都希望结束长途跋涉，好好地睡上一觉，所以军营中充斥着一种倦怠感。

由于缺乏警惕，当一阵沉闷但逐步逼近的嘈杂声打破午休的宁静时，大多数士兵的反应是吃惊多于恐惧。毫无疑问，这是一组骑兵疾驰而来的声音。虽然只闻其声，但马蹄哒哒，已经震醒了整个军营。一些士兵本能地拿起了武器，但更多人只是好奇地走到营地边，以便能最先看清来的是什么人。

不一会儿，数百名身披亮甲的骑士就出现在了附近的森林中。人文作家陶里努斯（Taurinus）在四年后所写的史诗著作中形象地描绘了这队骑兵的统领：

> 他戴着亮闪闪的头盔，
> 护胫、护腕，还有镀金臂鞘，
> 腰间别着两把篮型护手、象牙柄的金剑。

熟悉这身红白相间战衣的人，很快就认出来人是腾斯法要塞的统领、匈牙利东南部的军事指挥官伊斯特凡·巴赛瑞。他身边的那位是附近乔纳德（Csanád）教区的主教，数月前曾在布达城训斥过乔治·塞克勒的米克洛什·萨基。他们身后跟着一众贵族骑士，因为依据法律和惯例，他们必须响应国家的应召上阵杀敌。这队骑兵以惊人的速度和致命的攻击力驰骋沙场，是以步兵为主的十字军望尘莫及的。

对于军营中缺少骑兵这件事，乔治·塞克勒并没有太过担心，因为农民军只是攻打奥斯曼土耳其人的三支前锋的中锋而已。事实上，虽然泰勒格迪极力反对，但国王的顾问班子不仅支持主教的计划，而且还积极动员常规军参战。塞尔维亚军阀彼得·拜里斯洛（Péter Beriszló）已经招募新的雇佣兵，以扩充自己的队伍。尽管特兰西瓦尼亚总督萨普雅极力反对组建新十字军，但跟奥斯曼土耳其人大战怎么少得了他。所以，他也表示要出动特兰西瓦尼亚的骑兵助战。因而，当塞克勒的这一小撮前哨部队看到疾驰而来的骑兵时，他们还以为是巴赛瑞的南部兵力已经集结完毕，准备加入直捣君士坦丁堡的大军呢。

金戈铁马千里奔袭，战马所到之处尘土滚滚，骑士们豪气冲天，场面骇人。那一刻，很多农民才第一次了解到什么是真正的战争。然而，当骑兵逐步逼近，十字军才惊恐地发现他们面甲紧锁，长矛高举，大剑直挥。他们没有呐喊，没有助威，只是快马加鞭，挥汗如雨地加速冲向十字军的军营。

困惑而恐惧的农民军本能地凑到一起，拼命回想几周前接受的训练。但装备精良的骑兵疾驰而来，两军交锋的结果没有丝毫悬念。还没等十字军集合完毕，骑兵就长驱直入，所到之处哀鸿遍野，死伤无数。

面对这令人意想不到的场面，这些大都没见过战场的农民竟然意外地击退了敌人的第一次进攻。然而，他们的胜利是短暂的，因为沉着冷静的骑兵调转马头，调整阵形，开始了第二轮进攻。夹在精兵铁骑和穆列什河之间的农民军惊慌失措地撤到了流速较慢的河流中。但那是一个糟糕的避难所。一些人被盔甲拖累，陷入泥泞的河床中窒息而死；剩下的残兵被骑士和雇佣兵残忍地砍了头。

● ● ●

这是怎么回事？你可能会问，那些逃命的农民肯定也会问。我们只知道，农民和骑士是同盟。他们都报名从军，共同克敌，而且都宣誓效忠皇室。那为何贵族又反戈杀死他们的同盟军呢？这些骑士卑鄙地绕开乔治·塞克勒的3万武装，转而偷袭这支毫无准备的前哨部队，是为了证明什么呢？

不管怎么想，这都没有道理。表面上看它就像一个对现代人来说动机不明的历史偶然。但这真的是偶然吗？在致命的战争问题上，我们该怎么区分是偶然，还是故意所为呢？

BURSTS

THE HIDDEN PATTERN BEHIND EVERYTHING WE DO

| 第二部分 |

爆发，大数据时代的新思维

爆发，无处不在

爆发的本质规律：幂律分布

长时间休息之后就会出现短时间的密集活动，就像贝多芬音乐中悦耳的小提琴声被雷鸣般的鼓声打断一样。事实上，从人们对维基百科的编辑，到货币经纪公司的交易；从人和动物的睡眠模式，到魔术师为了保证魔杖时刻停留在空中而做的小动作，所有的一切都证明：爆发，无处不在。

当希特勒开始在政治舞台崭露头角时，早已超过服兵役年龄的刘易斯·弗赖伊·理查森已经从救护小组中退了出来，在佩斯里工业学院（Paisley Technical College）舒舒服服当上了校长。面对德国的军事野心，饱受困扰的理查森在1940年做出了一个惊人的决定。他辞去了校长职务，选择靠微薄的养老金度过余生。他想专心研究一个问题，而且认为为这项研究放弃丰厚的收入是值得的：他想找出影响战争的规律。

理查森坚信，如果他掌握了产生冲突的原理，就能预防流血事件的进一步发生。他将调查结果记录在他的第二本书《致命争吵的统计数字》（*Statistics of Deadly Quarrels*）中。跟他第一本研究天气预报的大部头一样，这本书也是连篇累牍，通篇充斥着讨论、公式以及方程式。不过，用这种方法研究有关战争的课题实属罕见。"我认为这是一本数学专著，"跟他同时代的一个人说，"虽然他的研究对象很奇特——就是这项研究使他得到了科学怪人的绰号。"

毫无疑问，没有一家出版社愿意冒险出版理查森这本离奇的书。直到他去世7年后，这本书才终于出版，但只证明了他预测战争的计划跟预测天气一样，完全失败了。

理查森将1820—1949年发生的所有知名战争和冲突详细地编纂入目，并一丝不苟地记录了相关细节，比如伤亡人数和参战者的宗教信仰等。他

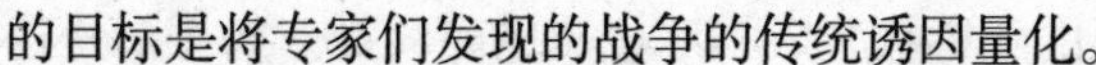
的目标是将专家们发现的战争的传统诱因量化。

- 经济实力相差悬殊的国家之间是不是更容易发生战争？
- 有共同语言的群体之间是否不易起争端？
- 军备竞赛是不是战争发生的前兆？
- 同样憎恶第三方的两方是否不那么容易打起来？

这些都是战争理论的基本假设，但理查森偏要用高深的数学知识证明它们。最后，他并没有解答出任何一个问题，而是证明了它们都不过是迷思和误解。然后，他以一种近乎残酷的坚定语气总结了自己的研究："通过这项不朽的研究，我发现几乎没有一项新技术能够找出战争的起因。"数据显示，战争和争端只不过是偶然事件。

我的电子邮件流

我倾向于认为，我发的每封电子邮件都是有目的的，所以发送时间绝对不是随意的。不过，我必须承认对不明就里的旁观者来说，我在 2006 年 8 月 18 日星期五那天发的一系列电子邮件都是随意为之。

> 第一封邮件是在上午 8 点 49 分发出，另外 31 封的发送时间分别为：9 点 46 分，9 点 49 分，10 点 38 分，11 点 49 分，11 点 49 分，11 点 53 分，11 点 57 分，13 点 46 分，13 点 47 分，13 点 48 分，13 点 59 分，14 点 41 分，14 点 56 分，14 点 58 分，14 点 59 分，15 点 18 分，15 点 20 分，15 点 30 分，15 点 53 分，15 点 58 分，16 点 05 分，16 点 05 分，16 点 07 分，16 点 37 分，16 点 42 分，16 点 52 分，17 点 05 分，17 点 06 分，18 点 16 分，18 点 16 分，以及 18 点 19 分。

它们只是一系列很容易由随机数生成程序生成的时间戳。如果真是这样，那我的邮件发送模型应该完全符合泊松过程，一种建立在我们所做的每件事都是由偶然驱使的假设基础上的随机事件增量过程。但这一组时间戳真的是随机的吗?

最初5封邮件中的第一封是在8点49分给一个博士后助理的回复，最后一封是11点49分发出的，主要内容是我一早上的工作成果。这完全符合泊松过程：3个小时内发5封邮件，每两封之间的时间间隔大约是45分钟。而8分钟后，在11点49分和11点57分之间，我又连着发出了4封邮件，内容都跟我早上的工作相关。根据泊松公式，在一连串随意发送的邮件中，一封接一封快速发送的可能性仅为0.000 035——也就是说，这种情况每5个月才会出现一次。也许，那个8月中旬的星期五不怎么普通。

11点57分之后，情况变得正常起来。由于要骑车去学校，再加上午餐，我离开了电脑一会儿。但从14点41分开始，我又破了纪录，在接下来的71分钟里发了11封邮件。照目前的情况看，这没什么了不起。但如果假设我的行为模型是随意的，根据泊松理论，我这种连珠炮般快速发送邮件的行为要10^{26}年才会发生一次。鉴于我们推测出宇宙寿命只有10^{10}年，我那天确实做了件了不起的事。

实际上，那个星期五真的没什么特别之处。如果电脑没有记录我的邮件信息，那天只是再平常不过的一天，事后我也不会记得那天发生了什么事。而且，我的邮件模型也没什么特殊，因为如果我检查一下其他日子的记录，就会发现情况都差不多。

问题是，如果人类行为是随意的话，我的电子邮件流就会均匀分布，但我的通信情况却并非如此。相反，不管是哪一天，在长时间没发邮件之后的一小段时间内，我就会发送大量邮件。**事实上，不管哪天检查，我发送邮件的次序都不是随意的，从来都不是。相反，它们往往充满了爆发点（bursts）。**

爆发点的出现

20世纪80年代后期，我还在布加勒斯特大学（University of Bucharest）读书，就开始阅读有关混沌理论的书籍，并成了瑞士数学物理学家让-皮埃尔·埃克曼（Jean-Pierre Eckmann）的粉丝。在他的开拓性研究生涯中，埃克曼成功地将混沌整理成章。他将蝴蝶效应严密化，用无数定律加以证明，而证明过程只有少数能够跟上他那高深复杂的数学语言的专家才能完全理解。2000年左右，在他写出那本名为《混沌现象和奇异吸引子的遍历理论》（*Ergodic Theory of Chaos and Strange Attractors*）的书后，埃克曼的研究出现了意想不到的转折。

“有人问我是否能找到‘重篡者’（即历史重篡者或大屠杀否认者）写的东西，”他说，“虽然我对阅读他们的胡言乱语丝毫没兴趣，但我发现浏览他们的网页是一项挑战。”

因此，他创立了一个能够自动搜索重篡者网页的搜索引擎。当埃克曼的伪谷歌搜索引擎中充斥着反犹太人的言论时，他发现了一个有趣的现象：**重篡者的网页频繁地相互链接，形成了一个极易辨认的网络社区。**其中只有一个扎眼的异类——一位澳大利亚空中观察员的主页。这个主页上有很多重篡者的链接，但它本身的内容却几乎与大屠杀毫不相关。

“我担心我的方法错了，”埃克曼回忆道，“但检查过手头那些网页后，我发现那个主页被引用的原因是它指出在奥斯威辛（Auschwitz）的航拍照片中没有发现烟雾。”重篡者是要以此为证据，证明那里没有烧死人。

埃克曼过去30年所精通的那些数学方法，每一个都有精密的论证和定理支持，但在面对这个新问题的时候，那些方法仿佛跟捕蝶网面对即将到来的飓风般不堪一击。但埃克曼并未放弃，两年后他又发表了一篇关于网络的论文，重点研究电子邮件通信。首先，他收集了一所大学（他拒绝透露这所大学的名字）中上千名学生、教员以及行政人员的电子邮件记录。在这个隐私大于天的时代，搜集这些信息可不那么容易，所以他不想透露资料来源也是可以理解的。但有次来我的研究小组的时候，他很慷慨的跟我们分享了这份记录的匿名版。

2004年春天，当我在灵感四溢的布达城分析这些数据的时候，我得出了一个明确的结论：所有人的电子邮件都不符合泊松过程描述的那种掷硬币般枯燥而刻板的节奏。相反，每个用户的电子邮件模型都跟我的差不多——它们充满了爆发点，就像暴雨频发的夏末天气，在狂轰滥炸般发送了大量邮件之后，总会有长时间的沉默。

正如我们在前几章看到的，千万不要忽略一个完全随意的模型的偏差，因为它很可能会揭示社会和自然的深层规律。这次的情况就恰恰如此。

幂律，主宰着我们真实生活的节奏

在《致命争吵的统计数字》这本研究战争与和平的书中，理查森发现了**随意性的一个显著偏差值：冲突的等级数**。一些战争的伤亡人数过百万，而另一些战争的死伤人数只有几十个。这种显著的差异促使他使用伤亡总数的以10为底的对数来标示战争的等级。根据他的分级方法，1514年2月28日这天，匈牙利人和奥斯曼土耳其人在贝尔格莱德发生的小冲突属于零级，因为当时只有艾利一人死亡。伤亡人数为10的战争是一级，伤亡人数为100的是二级。我们之前看到的数千名农民军丧生于骑兵和河流之间的战争为三级。

如果战争真是随机发生的，那么大多数战争的伤亡人数应该都差不多。但理查森发现，1820—1949年发生的282次战争中，有188次是三级以下（或死伤人数在千人以下）的小型战争。伤亡人数在1万人左右的战争相对较少——四级战争只有63次。但他还是发现6次六级战争以及两次死伤人数达千万的七级战争。

大家很容易猜到这两次七级战争是两次世界大战。但那6次死伤人数均达百万的战争可能就不那么出名了。按照时间排列，这些战争分别是：太平天国运动（1851—1864）、西班牙内战（1936—1939）、第一次国共内战（1927—1936）、拉普拉塔大战（the Great War in La Plata，1865—1870）、北美内战（1861—1865），以及十月革命之后的俄国内战（1918—1920）。

通过观察，理查森发现伤亡人数与战争数量之间的关系遵循着一个简单的数学规律——“越少就越大”。也就是说，大部分战争都是死伤几百人的小型战争，而伤亡人数巨大的大型战役则少之又少。

理查森并不是第一个发现这一模型的人。19世纪的经济学家维弗雷多•帕累托也发现，大多数人都很穷，而少数人则积累了大部分财富。富人的出现并不令人吃惊，因为即使财富的获取是随机的，还是会有人比较富有。令人吃惊的是，帕累托还发现那些富人的富有程度远远超过了财富随机分配能达到的水平。

理查森和帕累托的研究表明，战争和财富符合幂律分布。具体来讲，很多小事件都是与个别大事件共存的。[①] 这意味着，每次世界大战都伴随着无数小战争，而每出现一个比尔•盖茨或洛克菲勒就会有一大群穷人诞生。

1999 年，当我研究网页的出名问题时也跟幂律有过一次亲密接触。我和我的研究团队发现，虽然很多网站都默默无闻，但像谷歌、亚马逊以及雅虎这样的顶级网站总是拥有百万条点击率。我们将这种几支独秀的网络称为“无尺度网络”。在接下来的 10 年中，我一直在研究各个领域中（从细胞到因特网）的顶尖者在整个复杂体系中的作用。

我的经验告诉我，理查森那句“越少就越大”的箴言实际上是误导。它让人们以为幂律分布的主要特征是大事件或大人物占少数——如世界大战、超级富豪，以及万维网上的佼佼者等，而我们在某种程度上也期望他们越少越好。但事实恰恰相反，我们必须仰仗他们的出现，而泊松的理论将这些异常值禁锢了起来。

① 用数学术语来说也就是，理查森发现了规模为S的战争数量符合P（s）~$s^{-\gamma}$的幂律关系，其中的γ是标度指数。——作者注

在随机世界中，谷歌和雅虎不会吸引数以百万的点击率；比尔·盖茨也不会聚集亿万财富；战争更不会造成数百万人的伤亡。然而，真实的世界并非如此。

幂律分布的本质就是它能自然而然地预测出这些稀罕事儿，告诉大家总有严重偏离平均值的异常值。换句话说，一旦幂律出现，我们总能发现异常值。

幂律出现，爆发点就出现

我们从埃克曼的数据中得出的结论很简单：他数据库中的所有用户都不符合随机原理。相反，他们使用的模型都一样：短时间频繁发送邮件后就会有长时间（经常是好几天）的停顿。这当然很好理解。我们会参加会议、看电影、约会、吃饭、睡觉，会做许多各种各样的事情，所以我们无法一直待在电脑旁。等到终于有时间查看邮箱，我们肯定会在短时间内发送很多邮件，我们的邮件模型因此而产生了一个爆发点。然后，其他事情会让我们再次离开电脑，这标志着邮件流中下一个休息时间开始了。

基于这样的生活节奏，人类活动中出现爆发点就不那么稀奇了。有人会说，你的生活方式跟我的大不相同，我们的邮件模型肯定也没有什么相似之处。有些人一周只发几封邮件；有些人一天之内要发上百封；还有些人每天只是扫一眼邮箱；当然，也有些人时时刻刻跟电脑不分离。这就是当人们看到大家的邮件模型都差不多的时候，会觉得那么吃惊的原因。

事实上，**当我们检查同一个人每次连续发送邮件之间的时间间隔时，没有人遵循我们熟知的泊松分布。相反，不管是谁，他的模型都符合**

幂律分布。

> 一旦幂律出现，爆发点的出现就在所难免。实际上，幂律预测出大部分邮件都是在短时间内连续发送的，所以我们的邮件模型中出现了一个爆发点。同时，它也预见了人们会数小时或数天不发邮件。跟理查森资料中少有的大型战役，以及帕累托分析的少数富豪是一样的道理，最终，我们的邮件模型遵循着一种内在和谐，短时间的活跃和长时间的耽搁相互交替，形成的一个精确的规律，一个我们从未想到，也不用花费力气去遵守，甚至一开始人们认为其并不存在的规律。

人类行为遵循共同的幂律分布

那又怎样呢？且不说你的生活不只是围着邮件转，就算是，谁又会在乎它们遵循什么数学规律呢？若我们在认为这一切都是随意为之时并未感到困扰，那为什么在知道了它们不是随意发生的时候会耿耿于怀呢？

反过来想，**这种爆发吸引人的主要原因就是它不只适用于我们的邮件模型**。比方说，在浏览那些我们感兴趣的网站时，我们通常会先点击几个链接，看几篇文章，在上面停留几分钟后再离开。**我们很难相信这种随性而又随意的模型遵循什么内在规律，但事实是它确实遵守了。**当我的研究小组在测量一个用户在一个网站上连续点击链接的时间间隔时，幂律规律再次映入我们的眼帘。

受到邮件模型与网页浏览习惯具有相似性的激励，我开始搜集其他人类行为中的信息。

不久之后，我发现伦敦帝国理工学院（Imperial College）的物理学家玛雅•帕祖斯基（Maya Paczusky）和她的学生乌利•哈德尔（Uli Harder）正在研究人们打印资料的时间间隔。爆发点再次出现：我们会在短时间内打印很多资料，然后又转向其他日常事务。

圣母大学的赫斯伯格图书馆（The Hesburgh Library）慷慨地为我们提供了学校学生和教师们借书的详细记录。跟联邦调查局不同，我们不关心大家都读了什么书，只关心每位读者来图书馆的时间。爆发点又一次出现了：一个典型的读者会在几个小时内查阅多本书——可能是为某堂课或是某份论文做准备。然后有很长一段时间都不出现，就像他完全忘掉图书馆这回事儿一样。

我们打电话的模型也差不多。短时间内我们会打多通电话，然后在很长时间内一通都不打。我们之前提到了一位周游世界的朋友哈桑•伊拉希。我们从他记录自己行踪的数千张照片上发现了时间戳。幂律分布再次出现：哈桑在短时间内照了很多张照片，然后就像照相机丢了般，一连几个小时甚至几天都不拍一张。这当然会引起联邦调查局的怀疑——这段期间他去了哪儿呢？

不论我们观察哪种人类活动，都会发现相同的“爆发”理论：长时间休息之后就会出现短时间的密集活动，就像贝多芬音乐中悦耳的小提琴声被雷鸣般的鼓声打断一样。事实上，从人们对维基百科的编辑，到货币经纪公司的交易；从人和动物的睡眠模型，到魔术师为了保证魔杖时刻停留在空中而做的小动作，所有的一切都证明，爆发，无处不在。

我们的研究不再单纯地局限于电子邮件或是网络浏览器，而是要见证人类活动中某种更深层次的联系。这种联系清楚地表明，我们的活动不再是随意为之。就其本身而言，这并不怎么令人吃惊，因为没有人会认为自己受偶然性主导。

每个人的意志都是自由的，这使得所有事情——包括电子邮件、打印资料以及网络浏览等，都变得复杂了起来。不过，不管我们做了什么，我们都不知不觉地遵循着一个规律——幂律规律。理论上虽很简单，但实际上确实令人吃惊。

爆发改变了一切

只要是能清楚地解释以前不能解释的现象，这个规律或模型就显得很重要。诚然，如果牛顿的万有引力定律没有准确地预测出行星、火箭以及卫星的运行轨迹，它就不会有那么大的影响力。爆发理论同样有着类似的预测能力。

还记得我们之前曾预测每条新闻的生命周期为36分钟吗？在那之后，我们很快又发现大部分新闻的生命周期要比36分钟长很多——确切地说，应该是36小时。一开始之所以预测出36分钟，是因为我们假设点击行为是随意的——就像钍不可思议地变成镭时，钍原子的运动轨迹一样。然而，爆发改变了一切。事实上，一个典型网民大约20次的日点击量并不是均匀地分布在一天内，而是集中在某几个特殊的爆发点上。

一旦引入爆发理论，我们立刻就得出了正确的结果：是36小时，而不是36分钟。我们在浏览自己中意的网站时，绝不会每小时点击一次。一旦我们访问了那个网站，就会一个劲儿地猛点击，然后离开过了数小时或数天后，我们又会回来接着浏览这个网站。所以，我们肯定要用超过36分钟的时间，才能发现一些能够吸引我们不断点击的新内容。

钞票追踪者德克·布洛克曼一开始也假设钞票在乔治网被标记的次数遵循随机但均匀的泊松过程。基于乔治网网民的旅行轨迹具有不可预测性，他的这种假设也不是没道理。但通过进一步观察后，德克发现钞票连续现身之间的时间间隔遵循爆发模式。一张钞票在某个时期内频繁现身后会突然消失，而数月后又会再次出现在人们面前。

比如，我们在第 3 章中提到的那张保持最长纪录的钞票：它在 2002 年 7 月两次被注册，然后消失了半年，在接下来的 3 个月中它 7 次现身，随后又消失了好几个月。没人知道这张长时间销声匿迹的钞票藏在哪里——也许是在某辆车的仪表盘下面的小杂物柜里，也许是在某个年轻人的一条过时牛仔裤口袋里。不管它在哪里，有一件事可以肯定：它两次出现之间的时间间隔不是随机的，而是符合幂律规律的。**一旦德克将这种爆发模式和爱因斯坦的扩散理论结合起来，预测出的钞票运动速度就会变慢很多，完全揭开了行动迟缓的钞票的神秘面纱。**

用新的眼光审视历史

作为一个热爱和平的贵格教徒，理查森认为应该物尽其用以避免社会的毒瘤，也就是战争和暴力的发生。作为一个科学家，他总是一丝不苟地检验自己信仰的正确性。当发现大部分国家的多数人都死于自杀和意外，而非战争时，他感到非常吃惊。总的来说，战争造成的死亡人数占总死亡人数的 1.6%。对此他的总结是："战争引起了人们太多的关注，但它造成的死亡人数其实比人们想象的要少得多。"他思前想后，最后沮丧地得出结论："那些好战的人会以战争造成的伤亡比疾病要少为借口继续行恶。"这是一位倾其毕生精力，立志阻止战争冲突的贵格教徒，得出的一个发人深省的结论。

尽管没能成功找出暴力的根源，但理查森的努力促使我们用一种新的眼光审视历史上的争端。

> 首先，奥帕特村浅滩上的大屠杀事件动摇了传统的兵法经验。十字军的前哨部队和传闻中的同盟者——残忍追杀他们的骑兵团，按理说不该兵戈相向：双方有着共同的敌人——奥斯曼土耳其；大家的语言相通——匈牙利语；大家拥戴同一个人——国王。这些都是理论家口中可能减少争端的条件。

不过，理查森指出这些理论家错了，而且他们的推测只不过是个人臆断。奥帕特惨案颠覆了人们对战争和和平的所有认知，是理查森的理论典范。

但如果理查森是对的，战争和冲突的时间真的不可预测，那伊斯特凡•泰勒格迪，这位国王的亲信又怎敢妄加预言呢？这很可能是拜泰勒格迪无知的鲁莽所赐——他不知道自己的预测缺少根据。但是，理查森的结论是否说明我们的预知注定是幼稚而错误的呢？

研究过去的冲突有个好处，那就是它们的结果不再扑朔迷离，我们可以打开历史书，看看后来发生的事情。所以，跟与他们同时代的人不同，我们只要仔细查阅历史记录就能知道泰勒格迪的预知是否准确。那么就让我们来查阅一下乔治•塞克勒对前哨部队被袭这件事的反应吧。这次袭击事件看似偶然，但肯定有重要诱因。这是十字军东征过程中第一次真枪实弹的作战，是对乔治•塞克勒领导才能以及军队实力的首次检验。

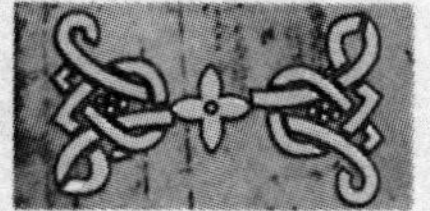

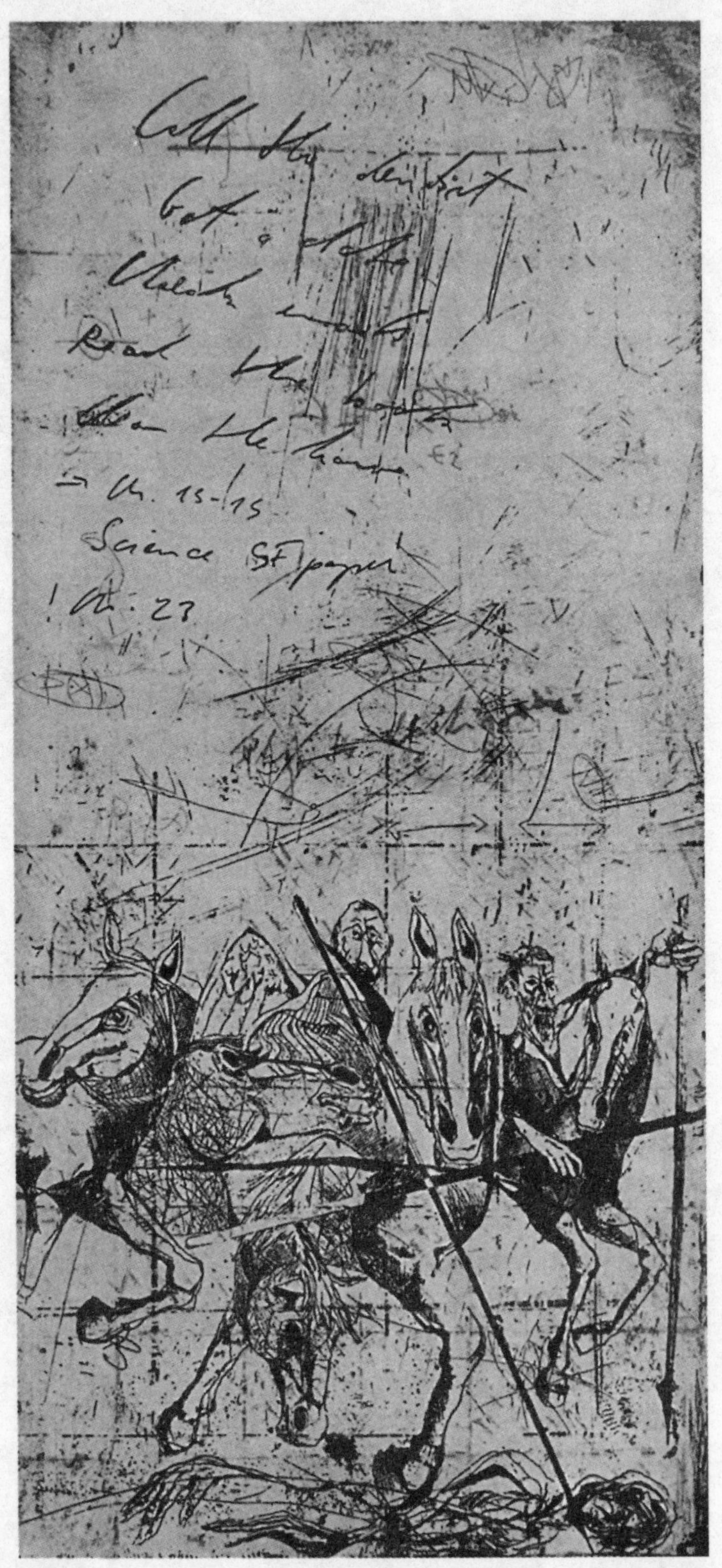
Science SF paper

内格雷克之战

地点：内格雷克
时间：1514 年 5 月 24 日，奥帕特惨案发生一天后

血色浸染的河岸上，一具具残缺不全的尸体横七竖八地躺着——这是巴赛瑞的骑兵横扫奥帕特渡口后留下的一幕。不过，打了胜仗的骑兵和雇佣兵并未走远，他们就在附近的内格雷克城堡过夜。据当时一位史官记载，他们“搭起帐篷，弹琴吹笛，唱着歌儿手舞足蹈”。他们知道自己刚刚袭击的是十字军的前哨部队吗？虽然令人难以置信，但历史学家一致认为他们可能不知道。

如果乔治•塞克勒继续按照前两周的行军路线往特兰西瓦尼亚挺进，5 月 24 日那天，他的队伍距离西南边的奥帕特村应该还有 3～5 周的行程。但别忘了，他在看了主教的信后改变了路线，带着队伍朝贝尔格莱德方向来了。我们也不清楚正在匈牙利东南部聚集兵力的巴赛瑞知不知道塞克勒改变了计划。所以，他究竟以为自己刚刚偷袭的队伍是谁的呢？他不可能把农民错当成奥斯曼土耳其人啊！

曾让塞克勒吃了闭门羹的脾气暴躁的萨基主教从一开始就反对组建十字

军。他并没有在他的教区宣读教皇诏书，从而有效地抑制了征兵事宜。然而，世界上没有不透风的墙，听到风声的农民还是义无反顾地要加入十字军。也许，这位主教认为在奥帕特扎营的小分队是违背他的意愿要去参军的农民。所以，他可能想跟巴赛瑞联手给这些农民一个教训，杀一儆百。

如果沙场经验丰富的巴赛瑞知道，乔治•塞克勒的大部队正在离浅滩不到1天行程的地方严密监视他的一举一动，他无论如何也不会偷袭那支前哨部队。另外，他更不可能在不设任何军事戒备的情况下允许部下整夜狂欢。事实证明，作为一个勇士和策士他很自信，因为“什么都没做”正是他做的所有事。

包括前哨部队队长在内的几个战士死里逃生，将被袭的消息告诉了乔治•塞克勒。乔治想也没想就整队朝巴赛瑞的军营挺进。当他到那儿的时候，当地的农民已经为复仇做好了准备。在夜幕的掩饰下，他们在木制城墙外的壕沟里堆满了干树枝以及从附近房子上拆下来的木梁。彻夜狂欢后的贵族军鼾声如雷，直到火烧木柴发出的震耳噼啪声将他们吵醒，这些人才意识到危险的降临。但这时再组织撤退已经来不及了。火舌迅速吞噬了整座城堡，所到之处浓烟滚滚，里面的人不得不逃离出来。他们推搡拥挤着从主门逃出，直接进入了愤怒人群的包围中。

困惑不已的巴赛瑞从一扇侧门逃了出来。他光着脚，只披着一件披风，急急忙忙地往内格雷克城外他的军队驻扎的营地跑去。但当他最终部署好军队准备战斗的时候已经是黎明时分，而迎接他们的是初涉战场准备一试身手的3万多名愤怒的农民十字军。

现在，对阵的双方不再是实力相差悬殊的毫无防备的前哨部队和英勇善战的骑兵团了。这个国家的两大军事力量即将正面对阵。经验不足人数来补，而且抱着必胜信念的可怕农民军，绝对能够和装备精良的贵族军相匹敌。而乔治•塞克勒，这位前雇佣兵，也将对阵被誉为主教心目中统领十字军的第二人选的悍将伊斯特凡·巴赛瑞。如果这其中真有天大的误会，那现在就是弄清真相，避免惨剧再次发生的最好时机。这两支军队本应该站在同一战线上，而不该发生冲突。

然而，他们确实要兵戈相向。

● ● ●

两军交战之时，贵族骑兵团的优势就显现了出来。他们跨上高大的战马，挥起长矛，眨眼间就将前排的十字军杀了个片甲不留。但一人倒下万人起，后面还有千千万万个农民军士兵等着他们。骑士们很快就被浩瀚的十字军淹没，最终不得不一对一地跟他们对阵，将战场变成了一片巴赛瑞极力想避免的沼泽。

虽然塞克勒的军队占了上风，但双方耗了数小时还是胜负难分。眼看十字军胜利在即，巴赛瑞又用上了火枪。震耳枪声吓退了十字大军。那火枪虽然声大，但破坏力却有限，不过没见过这种新鲜玩意儿的十字军还是乱了方寸。

当十字军军心动摇之时，经验和热情的反差就凸显了出来。英勇善战的骑兵充分利用了有利形势，而十字军却方寸大乱，仓皇逃窜到附近的森林。

“农民在前逃命，骑兵在后紧追不舍，砍杀一片。”史官陶利努斯记下了战场上形势逆转的那一瞬。

按照匈牙利的传统，萨基主教的军队不该上阵杀敌，只应在前锋部队招架不住时前去增援。但眼看胜利在即，一心恋战的骑兵没等巴赛瑞下令就纷纷朝敌人追去。

眼看大局已定，乔治·塞克勒却出其不意地从四散的十字军中冲了出来。陶利努斯记录如下：

> 勇敢的塞克勒突然出现在惊兵乱阵之中，
> 鼓励众人，激励士气，

> 只见他左夸右赞，前规后劝，
> 临危不乱中尽显大将风范。

在他“重新部署了队伍，带领他们再次回到战场”之后，农民军立即转身应战。被农民军再次燃起的斗志吓到的萨基骑兵无心恋战，如来时般匆忙飞奔到了附近的乔纳德庄园，也就是主教的家里。据史官陶利努斯记载，他们的懦弱注定了最后的失败命运：

> 贵族骑兵最终被农民军攻破，
> 飞矢吞噬了他们，
> 掩藏在芦苇荡中的伏兵刺死了他们。

巴赛瑞的太阳穴被击中，他失去知觉坠下马来。那天晚上，从昏迷中醒来时，他发现自己倒在血泊之中，鼻孔中鲜血直流。他趁着夜色仓皇逃跑，身后的战场上横尸一片。逃到穆列什河边的沼泽中避难的他在寻找幸存者无果后，跳上一匹脱缰的马逃跑了。

不过，萨基主教可就没这么幸运了。据陶利努斯记载，他：

> 纵深跳进一条深沟中，
> 可怜的人儿浑身发抖，躲在那里整整一夜，
> 最终，十字军士兵发现了他，并将他交给冷酷的塞克勒监禁起来。

内格雷克之战是对乔治•塞克勒以及他手下那群经验不足的十字军的残酷考验。出乎所有人意料的是，他们绝对能与贵族的无敌战车相匹敌。十字军的胜利显示了乔治•塞克勒临危不乱，力挽狂澜的能力。就连贵族的抒情诗人、史官陶利努斯都不得不佩服这位首领的领袖气质，称他为“勇敢的塞克勒”。

然而，这场战争颇有讽刺意味，因为它不是一场打败奥斯曼土耳其人的

战争，而是一场农民击败贵族主人的战争。

理查森在《致命争吵的统计数字》一书中提到："对崇拜和平之主耶稣的所有基督徒来说（包括我自己），看到教徒参加的战争，尤其是教徒之间的战争竟然占多数时，肯定会大吃一惊。"事实上，他发现有128场战争是发生在信仰相同的人之间，其中119场是基督徒对基督徒的战争。另外，在134场敌对双方信仰不同的战争中，有105场都有基督徒参与。所以，根据历史规律，那些一心想打倒伊斯兰教徒的十字军先与自己的基督徒同伴短兵相接也并不奇怪。

不过，十字军的这场胜利真是惊人：一支由农民组成的军队公开击败本国的贵族军在欧洲历史上是前所未有的。

4月就开始招募十字军（这对一项军事行动来说显得太早了）并不是主教走错的唯一一步棋。他的另外一个失误决策是在缺少监督的情况下，授权让圣方济会修士招募军队。出身贫苦的圣方济会修士们自然会同情农民。实际上，为了控制这种惺惺相惜的情绪，之前那些曾公开撰文或声明反对贵族不公待遇的修士们都被开除了教籍。但由于主教下令招募十字军，圣方济会的修士们终于在1514年找到机会公开说出那些之前只能在修道院中互相耳语的想法：地主剥削农民是违背上帝意志的行为。受到牧师的鼓励，军营中的日常弥撒变成了传播大逆不道思想的温床。农民总是在这期间控诉地主们的不公。

修士们也确保每个人都能理解教皇的诏书：那些阻碍十字军的人——父子中阻止另一方参加圣战的一方，都是上帝的敌人。所以，在十字军的眼中，萨基、巴赛瑞以及他们的部下都成了异教徒。他们的偷袭违背了红衣主教、教皇以及上帝的意志。

国王给地主分发土地是为了让他们响应号召全副武装替他打仗。但如果这些人获得财富并且免交赋税的基础是为国家提供军事服务的话，那为何现在农民要应召去攻打君士坦丁堡呢？为何贵族不履行他们的历史责任，单独去攻打奥斯曼土耳其人呢？至少在农民的心中，战线已经逐渐清晰了起来。

但乔治•塞克勒并不是农民。作为一个塞克勒人，他生来就是贵族，不用交税，有自己的盾形徽章，而且还在特兰西瓦尼亚拥有土地。作为一名战士，他已经为国王服役多年。他的贵族身份最近被国王再次肯定，而且现在还是令附近农庄为之骄傲的地主。他忠于皇室，是主教和国王的亲信。

他的所作所为都在他的职责范围之内，是完全合情合理的。他的任务就是训练那些农民。正如你看到的，他已经将他的队伍变成了一支威武之师。他受命带领队伍去征伐君士坦丁堡，而且现在已经在出关途中。他并没有攻击贵族——是巴赛瑞的部下先残忍地杀害了他的士兵。乔治•塞克勒组织反击是尽职尽责，是在扫清前往贝尔格莱德路上的障碍。巴赛瑞和萨基才是公然藐视主教和国王的人，而乔治•塞克勒只不过是发现了他们的不忠，因为他们的行为是反对十字军和上级指示的政治行动。

虽然乔治•塞克勒的行为无可指摘，但他却陷入两难境地。一方面，他部下擒获的主教和贵族确实犯了叛国罪。如果他将这些人交给那些农民，结果显而易见——愤怒的农民肯定会立即将他们处死。但是，在战场上出于自卫杀死他们是一回事，而在战后让农民去审判贵族的罪行就是另外一回事了。即使国王和主教宽恕了他的自卫式进攻行动，萨基、拉瓦斯基、多齐、托贝，以及托纳雷这些大家族的后人也不会忘记这场战争。这些地位显赫的贵族也怕会落得被囚禁的下场。另一方面，他们要为上千名十字军人的死负责，所以放了他们也不行。如果真将他们放走，就意味着他背叛了自己的部下。

到目前为止，塞克勒的任务很明确也很简单：招兵买马，训练军队，然后带领他们去打仗。在边疆磨炼多年、身经百战的塞克勒自信自己一定能完成任务。然而，他一点都没想到自己会陷入这样的两难境地。

虽然做决定是他一个人的事，但他并非是一个人。聚集到他营帐里的那些人一定要砍了俘虏的脑袋才会善罢甘休，而他那位一贯谨慎的弟弟格瑞格里，现在正伴他左右请求他静观其变。乔治•塞克勒则站在中间，意识到自己所做的决定将影响重大。然而，要想做出正确的决定，他必须先分清优先顺序。我们将看到的是，一旦涉及优先权，随机性就会被爆发所取代。

请学会偶尔说“不”

爆发的起点1：优先级模型

时间是我们最宝贵的不可再生资源，如果我们尊重它，就必须设定优先级。一旦优先级设定了，幂律规律和爆发的出现就不可避免。优先清单会帮你剔除无关紧要的事，帮我们把烦心的日常琐事转化成永远排队的异常值，让我们的注意力集中到真正重要的事情上去。

历史上第一个资产过亿的联合企业老板查理斯·迈克尔·施瓦布的第一份工作，是在安德鲁·卡内基的钢厂做打桩工，期间他每天只能挣一美元。但 1902 年时，这位“骗术大师”（托马斯·爱迪生曾这样称呼他）在蒙特卡洛的赌场赢了庄家的钱，一夜之间成了世界名人。他送了 20 万美元的“礼物”给亚历克西斯·亚历山德罗维奇大公（Grand Duke Alexis Aleksandrovich）的情妇，然后就成了西伯利亚大铁路（Trans-Siberian Railroad）的钢铁供应商。期间，他往俄国运送了 6.5 万吨铁轨，积累了巨大的财富。当刘易斯·理查森在法国战场上忙着运送伤员的时候，施瓦布正绞尽脑汁规避美国中立法，向英国走私所有他们愿意付钱的东西，其中包括 20 艘潜水艇。

不再做冒险生意后，施瓦布潜心研究另外一个问题：效率。1903 年，他到伯利恒钢铁公司（Bethlehem Steel）担任总裁。一名高炉负责人骂他是疯子，理由是他定了不合理的生产目标。换做其他老板肯定会解雇这个口出狂言的员工，但施瓦布没有。相反，施瓦布公开跟这名高炉工打赌，说如果他能让高炉达到自己要求的运作效率，自己就替他付房贷。几个月后，这名高炉工免费得到了一所房子，而高炉则按照施瓦布要求的速度运作着。

沉溺于效率问题的施瓦布在一次聚会上勉强同意了他的公关员艾维•李的建议。

“我能提高你手下人的效率，还有你的销售量，只要你允许我跟每个部门主管谈上15分钟的话。”

“我该付你多少钱？”这位精明的生意人问道。

“一分钱都不用，除非我的方法管用，”李回答道，“3个月后，你可以把支票寄给我，给多少由你说了算。”

施瓦布接受了这个建议，并在3个月后寄了一张3.5万美元的支票（现在值70万美元）给艾维•李。

艾维•李在那15分钟里到底做了什么帮他挣了这么一大笔钱？他只是向施瓦布公司里的每个部门主管提出了一个相同的要求：

“我要你们向我保证，在未来的90天中，在每天离开办公室前，都列出第二天必须要做的最重要的6件事，并按照优先顺序排列。”

“这样就行了？”一些人满腹狐疑地问道。

“对，”李回答道，“每做完一件就划掉一件，然后接着完成清单上的下一件事。如果哪件没完成，就把它写到第二天的清单上去。”

优先清单

多年来，我一直对优先清单很是着迷。最近，我在记事板上写的是干洗店弄皱了我的衬衫——这条信息原封不动地在上面待了一个星期。如果没有记事板，我会抓起手边任何东西记下要做的重要事，比如信封的背面、便利贴上，以及研究报告或杂志的边上等。我每天的小乐趣就是划掉那些已经完成的条目，这对我来说是个近乎神圣的举动。

而且，我发现自己并不是唯一一个对优先清单感兴趣的人。事实上，艾维•李的方法在大部分时间管理类书籍和课程上都有涉及。

> 比方说，尤金•葛里斯曼（Eugene Griessman）在《时间舵手》（*Time Tactics of Very Successful People*）一书中就提到“列出待办事项清单，然后照做”的方法。而马歇尔•库克（Marshall J. Cook）在《时间管理》（*Time Management*）一书的封面上就打出了“安排好优先事项”的标语。

不过，我怎么也没想到，对优先清单的痴迷会帮我在2004年潜心研究的一个问题上找到突破口：找出分散在人类活动中的那些神秘爆发点的起源。

神秘的爆发点

性质极不相同的两件事之间存在明显的相似点，这个问题通常很容易解释。当我在1999年发现很多真实网络普遍存在链接点时，就意识到了这一点。比如，好莱坞大明星凯文•贝肯（Kevin Bacons）就曾跟无数演员联袂演出，而谷歌、亚马逊这样的网站，它们的网页上总是有上百条链接。很快我就发现，**这些密切相关的链接点不是偶然发生联系的。根据这一点，我们就能发现支配很多真实网络发展的普遍规律。**

历史总会重演：2004年中期，我的实验室观察到性质迥异的事情之间存在一系列耐人寻味的相似点，而且，每次检测人类活动，我们都能发现它存在爆发点和幂律规律。现在，我们在邮件、网络浏览以及资料打印上存在的难以名状的相似之处就差一个合理解释了。那年夏天剩下的时间，我在特兰西瓦尼亚走亲访友。期间，我一直告诉自己一定能给这些事情做个简单合理的解释，但我的辛苦努力最终化为了泡影。

在书中以及好莱坞电影里所刻画的科学家们，似乎总是埋头列出一系列复杂的公式，试图找出下一个举世瞩目的重大问题的答案。但事实上，不知道如何下手的我们总是碌碌无为。这是对我要弄清无处不在的爆发点的努力的完美总结。虽然我知道这不是一系列的偶然事件，但它背后究竟蕴涵着什么呢？是数学、物理学、医学、心理学或是社会科学的范畴吗？爆发点无处不在，正是这一点才使它变得如此费解，如此缺乏线索，以至于我根本不知道从何下手来破解它。

找到破解的模型

2004 年 7 月 2 日那天晚上，我睡得很早，因为第二天我必须天不亮就起床。我要先打车去布加勒斯特机场，那里离我在特兰西瓦尼亚省塞克勒地区的兹希克什哲烈达 (Csíkszereda) 的家有 5 个小时的行程。然后我要赶往班加罗尔参加一个会议。但是，一想到即将踏上初次去印度的旅程，我就激动得睡不着了。半梦半醒中，我在脑中做起了准备工作：去班加罗尔要做的演讲，我的护照，爆发点问题，我在飞机上要读的东西，现金，爆发点的问题——它们是怎么出现的呢？还要带疟疾药。

我辗转反侧，一遍遍地回想优先清单上的条目，一遍遍地想着我的研究问题，突然，我的脑子中灵光一现，我找到了对无处不在的爆发点问题的简单解释。想到这儿，我的脑子终于停止了暴走。我意识到并不是旅行的细节使我无法入睡，而是人类活动的幂律分布问题一直对我纠缠不休。这个问题已经让我苦恼了好几个月了，而现在就像有一根钉子扎破了充满气的轮胎，我脑中的压力消失了，我很快便进入了梦乡。

第二天，当我的儿子在飞机上全神贯注地看《丛林故事》(*The Jungle Book*) 时，我才开始整理晚上梦到的想法。这个模型必须在计算机上进行检验。不过，现在有一个问题：我的电脑没装 Fortran 语言程序。这是一种老式的编程语言，我一直用它做研究。电脑里只有 Mathematica 软件，一种我以前只用做可视化处理以及快速运算的软件包，不过它也可用于科学程序设计。我必须做个选择：一个月后回到美国我的办公室再进行计算，或者，直接在飞机上学着用 Mathematica 编程。

要选哪种方法对我来说不是问题。在从法兰克福飞往班加罗尔的 9 个小时里，我可不想被昨晚睡梦中的灵光一现折磨得焦躁不安，所以我选择用 Mathematica 程序去求解。但当计算机最终显示出结果时，我大失所望：一个简单的、旧式的、类似于泊松过程的随机活动模型出现在了笔记本的小屏幕上，根本没有什么爆发点。

我们都遇到过类似的情况——在即将入睡之前，困扰我们几天甚至是几周的问题突然有了答案。这可能是大脑巧妙的自卫，帮助我们在压力最大的情况下入睡。灵光闪现后的第二天早上，我总是会想："是什么神奇的解决方法又让我安心入睡了呢？"很多时候我什么都不记得，而且还会怀疑那不过是一种幻觉。还有一些时候，面对早上明亮的光线，这些答案似乎就显得不那么高明了。

我在 7 月 2 日晚上梦到的那个模型就属于见光死的那种。于是，我干脆放下问题，将注意力集中在开会，以及随后去纳加尔霍雷国家公园（Nagarhole National Park）的观光游玩上。我们去丛林寻找躲起来的老虎；去吃侍者口中"一点儿也不辣"但让我们的味蕾崩溃的食物。我们还有个快乐的司机巴布。在为期一周的旅行中，巴布总是灵活地开着我们那辆塔塔汽车穿梭于众多自行车、人力车、圣牛以及头顶各种东西的行人中。对于他每隔 10 秒就会按响汽车喇叭的问题，他的解释是："在印度，如果你的刹车坏了，没关系——你可以继续开。但如果喇叭坏了，你就不能再开了，太危险了！"

爆发，根植于设定优先次序的过程中

我在半梦半醒时的发现有一个简单的前提：**我们总是有一堆事情要做。**

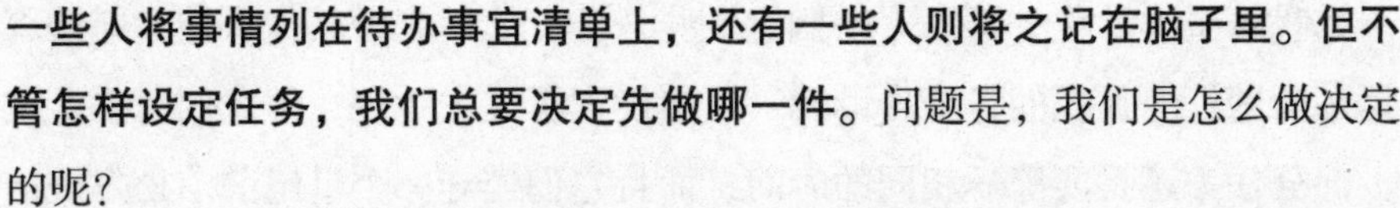

一些人将事情列在待办事宜清单上，还有一些人则将之记在脑子里。但不管怎样设定任务，我们总要决定先做哪一件。问题是，我们是怎么做决定的呢?

一种可能是，总是先做清单上列的第一件事。服务员、送比萨的小弟以及客服中心的接线员——所有服务行业的人都遵循先到先得的策略。如果银行、医院或者百货超市先为后来者提供服务，大部分人都会觉得不公平。但是艾维•李并没有让主管们列出所有值得做的事，而是让他们“按照优先顺序”列出第二天必须要做的“6 件重要事情”。

换句话说，他要求他们确定优先考虑做的事。

2004 年 7 月 2 日晚上让我解脱的那个答案简单得不能再简单了：**爆发可能根植于设定优先顺序的过程中。**

爆发实践

比方说，伊莎贝拉列出了 6 件优先要做的事。她选了一件最重要的事情先做。这时，她可能想到了另外一件事，就又将它列在了清单上。在一天内，她可能会一遍遍地重复这个过程，并且总是先做最重要的那件事，做完后再找到另一件最重要的事。我想解答的问题是：如果伊莎贝拉的清单上有一件事是回复你的电话，那么你要等多久才能接到她的来电?

如果伊莎贝拉遵循先到先得的原则，那么你需要等到她做完所有列在你前面的事情。至少，你会觉得这样很公平——清单上的其他事情同样也得等着。然而，要是伊莎贝拉决定根据事情的轻重缓急来处理的话，那公平就不在了。如果她将你的事放在首位，那么你肯定很快就能接到她的电话。不过，如果伊莎贝拉认为回你电话不是最重要的事，你可能就要等到她处理完所有比这重要的事后才能接到电话。由于更重要的事随时可能被加到她的清单上，你也许要等到第二天或是下一周才能接到她的回复，甚至她可能永远不给你回电。

我希望这种优先顺序——搁置一些任务，然后先做其他事情，能解释爆发问题。但是我的电脑告诉我：虽然设定了优先顺序，但我们清单上的大部分任务还是要等候相同的时间，而且它们遵守一个世纪前泊松发现的随机分布规律。

优先顺序会将问题复杂化吗

泊松分布、泊松过程、泊松方程、泊松核、泊松回归、泊松求和公式、泊松亮斑、泊松比、泊松括号、欧拉 - 泊松 - 达布方程。这只是部分清单，但它足以表明西莫恩•德尼•泊松对所有科学分支领域的贡献。然而，令人印象深刻的不是他成就的数量而是深度，这不得不引人深思：泊松怎么能同时研究这么多不同的问题，而且还做出了那么深刻而持久的贡献？

嗯，他的秘方是：一个笔记本加一个小习惯。

每当泊松遇到一个感兴趣的问题，他都会先耐住性子不去想它。他会拿出笔记本将它记下来，然后继续投入到之前未解决的问题上去。一旦他把手头的问题解决了，他就开始翻看本子上的问题清单，然后找出最感兴趣的问题作为下一次的挑战。

泊松的小秘密就是终其一生，精挑细选地确定优先要做的事情。

这让问题变得更复杂了：帮助泊松取得巨大成就，还帮艾维•李获得丰厚咨询费的是优先顺序，但我在前往印度的飞机上用 Mathematica 算出的结果告诉我，优先顺序对我们执行任务的时间没有影响。从本质上看，如果施瓦布的部下或泊松掷骰子决定下一项工作的话，总体来说，每项工作都会等差不多相同的时间才能轮到。说得委婉些，我的努力没什么意义。

幂律，在优先次序的排定中产生

在印度待了两周后，我仍然在想爆发的问题。我坚信自己的思路是对的，所以待在兹希克什哲烈达我母亲那安静的家里时，我决定进行一系列仔细的观测和检查。在一遍遍地检查运算过程时，我似乎发现爆发出现了。但矛盾的是，我的电脑运算结果还是表明执行每项任务需要等待的时间并不遵循幂律规律，而是遵循泊松分布。我的努力再次无效。

在冥思苦想了数小时后，我终于意识到虽然我的模型没问题，但求值的部分运算法则出了点儿差错，而原因主要是我对这种程序语言不太熟悉。在修正了错误之后，我兴奋地发现那渴望已久的幂律分布，也就是确定爆发规律的数学符号，出现在我的电脑屏幕上。总而言之，是一个程序上的小错误让这个兴奋的时刻晚来了好几个星期。

最后的结果是，模型中包括一个任务清单，其中每一项任务都指定了优先级。然后，我一遍一遍地重复下面的步骤：

- 我仿照自己现实中的做事习惯，将选出的首要工作从清单上移除。
- 仿照现实中我不知道清单上下一项任务的重要性的情况，随意选择一项新任务作为首要工作。

我想问的问题是：在某项任务被执行前，它将在我的清单上待多久？

由于首要工作从清单上移除了，那么剩下的都是次要的工作了。这意味着新任务总是会取代清单底部的次要任务而很快被执行。所以，次要任务需要等很久才会被执行。在测量出清单上每项任务在被执行前需要等多久后，我发现了之前我们在邮件、图书馆以及网络浏览器数据上发现的幂律规律。

这个模型得出的结论很简单：如果设定优先级，我们的响应时间就会变得相当不均匀。也就是说，很多任务都在第一时间被执行了，但还有一些就被永远地搁置起来。

优先级模型，专心做真正重要的事

虽然设置优先级能够提高生产力，但它也不是没有副作用。其中最主要的副作用就是排队现象（一种一旦某种东西稀缺就会出现的现象）的出现。

> 比如，餐厅桌子不够；客服中心接线生不够；电影院的座位不够等。聚少成多——据估计，每个美国人一生要等2到3年时间才能等到某种稀缺资源。

由于时间稀缺，我们的工作和任务就得按顺序排列。如果我们总是马上完成手头的工作，那所有人都不需要优先清单了。但时间是我们最宝贵的不可再生资源，如果我们尊重它，就必须设定优先级。**一旦优先级设定了，幂律规律和爆发的出现就不可避免。**①

优先级的效率在我们将首选任务移到清单的最上面时，才会部分地发挥出来。那些稀有事件和长期被耽搁的事件同样重要。吊诡的是，真正的异常值不是那些马上被解决的事，而是长期留在清单上的事。《纽约客》

① 如果你仔细读了这本书，你会发现在前几章中我们集中讨论的是间隔时间，比方说一个人发两封电子邮件之间的时间，或在网页上两次点击之间的时间。但刚好相反的是，优先级模型涉及的是清单上每个任务等待的时间，恰恰是这一等待时间遵循幂律规律。——作者注

上的一则漫画抓住了真谛：一个商人平静地对着电话说：“不，周三不行。永远不见怎么样——你觉得永远不见可以吗？”

如果你想完成一件事，就必须学会偶尔说不。诚然，优先清单只有在你难以抉择的时候才管用。这时候，优先清单会帮你剔除无关紧要的事，让你专心应付真正重要的事。如果正确使用，这些清单会帮我们把烦心的日常琐事转化成永远排队的异常值，让我们的注意力集中到真正重要的事情上去。

意料之外的优先事宜

再来看主教巴科兹。他想夺回君士坦丁堡的愿望，对一位72岁高龄的主教来说有那么点儿奇怪。除了没能当上教皇，他已经得到了所有想要的东西——不管是在布达还是在罗马，财富、权力以及影响力他都拥有了。那他为什么还要接受一项彻底打破现有安乐状况的任务呢？经过进一步观察我们发现，主教碰到的是一件意料之外的优先事宜——扮演一个他从未追求过的角色。

在教皇选举会议开始的3年前，一些红衣主教背叛了教皇朱利斯二世，召开了比萨会议（Council of Pisa），选出了一个新教皇。当他们试图拉拢巴科兹主教的时候，这位主教并没有明确地回复他们。直到教皇朱利斯二世用教皇之位引诱他跟自己结盟，巴科兹才冷落了背叛者，不过之后他又被这位病倒的教皇出卖了。实际上，就是朱利斯二世的一句遗言：“选谁也不能选匈牙利人”做下一任教皇，断送了巴科兹的教皇梦。

鉴于最近的流言蜚语，新任教皇利奥十世很怕宝座不稳——特别是现在，他最强大的竞争对手，德高望重的巴科兹主教定居在了罗马。所以他想出了一个绝妙的主意：将他的劲敌赶到遥远的君士坦丁堡去。

不过，巴科兹也不是傻瓜。他识破了教皇的诡计，并坚决表明不会离开罗马。所以教皇不得不拿出更多好处，他又给了巴科兹三个教区，而且每个教区都相当富有。然而，这位主教仍不为所动。

1513 年 10 月 24 日，在梵蒂冈举行的一次仪式上，教皇将金色的使节十字架交给了巴科兹，正式启动了十字军。接着，其他主教就随巴科兹一同走到了罗马城门口，场面十分豪华。这是一种传统仪式，代表对即将离去的背负重任的特使的支持。但直到 11 月，主教还在罗马。

最后，教皇答应巴科兹一旦他找到一位精干的领袖，就可以将统领十字军的大权转交给他，确定了战役启动后他就能回到梵蒂冈，巴科兹才带着十字架去了布达。

但关键是，不管是对主教还是对教皇来说，十字军都不是当下的优先选择项。虽然有着虔诚的口号，但这既不是一场伊斯兰国家对基督教国家的战争，也不是“文明冲突”的序曲。实际上是，教皇想赶走他的劲敌，而巴科兹则希望在下次竞选到来之前聚敛更多的财富、权力和名望。最后，两个位高权重的人之间的优先级冲突导致带领十字军的重担落在了毫不知情的乔治•塞克勒身上。

现在，乔治•塞克勒必须做出重大抉择：打败一支贵族军后，下一步该怎么办？他能经受住主教、教皇以及贵族争斗带来的挑战吗？他对此一无所知，但有一点可以肯定——是主教自己将塞克勒推到了泰勒格迪所预言的道路上。实际上，当乔治•塞克勒在内格雷克为惨死的部下报仇的时候，试图缓和众人情绪的主教正在书写一封极具说服力的信。但他不知道，小小的蝴蝶扇动翅膀就能造成一场龙卷风，所以他根本没有意识到自己正在掀起一场革命。

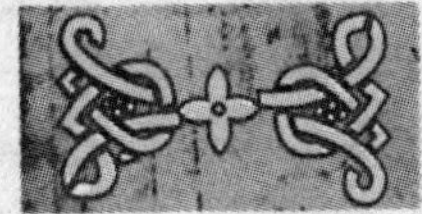

圣十字架从不发生意外

地点：内格雷克

时间：1514 年 5 月 27 日左右，大屠杀发生几天后

“这里有两个十字架。”乔治•塞克勒大声喊着，以确保海潮般聚集在他面前的人们都能听到。

“想反悔离开军营的站到左边的十字架下面。”他拿剑指着左边那个高高挂在木柱上的十字架说道。然后，他又指着右边草地尽头说道：“想誓死捍卫十字架的人跟我站到右边去。”

那些农民绞尽脑汁想弄明白这位统领的意思。他们知道这跟他刚刚收到的两封信有关。这两封信中的一封来自主教，另外一封来自国王，都是用拉丁文写成的，军营中除了修士和牧师外没人能看懂。不过，根据修士的翻译，主教的来信中有一句话特别清楚：“再过一段时间，等形势不那么严峻了，这场战争将被终止。”但人们不敢相信他真会这么说。这些农民为了加入这场圣战违抗了贵族的命令，离开了自己的家人。难道说现在他们的这些牺牲都白费了？还是说在奥帕特被杀的上千伙伴以及他们在内格雷克的胜利都成了泡影？

只有一点可以肯定：国王和主教取消了十字军东征的计划。所以现在乔治•塞克勒给了他们两个选择，但两个都非常棘手。如果愿意，站到左边十字架下面的人可以回家。但做这个决定并非想象中那么容易。虽然国王在信中表明会保护离开军营的人免受审判，但回家后国王的圣谕没有丝毫分量，因为担任刽子手和法官的是贵族。

另外一个选择，站到右边的十字架下面跟他们的主帅一起战斗，这听起来更糟。继续战斗？如果他们不去打奥斯曼土耳其人，那又该打谁呢？乔治•塞克勒正要对此做出解释。

“没有比人们滥用权力将自己的国家变成奴隶之都更大的罪恶了。”他说道。他不需要解释谁是罪人。如果刚加入军队的时候还有人感到困惑的话，他们的伙伴和牧师在行军途中就已经启迪了他们。

但他们彼此之间分享所受到的冤屈是一回事，听他们的主帅说出这样的话就是另一回事了，毕竟他是直接听命于国王和主教的。

“阳光普照世间万物，但只有贵族允许你们接受阳光的恩赐，你们才能享受这份幸运。”乔治•塞克勒继续在人们的伤口上撒盐。

很多农民加入十字军时都怀有一个模糊的愿望，他们觉得如果打了胜仗，回到家时就能结束艰难的生活。毕竟，贵族的土地使用权是建立在军事力量的基础上的。如果他们——这些农民和亡命之徒去对阵奥斯曼土耳其人，回来后难道不应得到相同的待遇和权力吗？但现在，由于十字军突然被撤销了，他们对未来美好生活的希望也在这炎炎烈日下化为了泡影。

乔治•塞克勒十分清楚他们的感受，所以有意激起他们的愤怒和痛苦：“去吧！既然敌人已经害怕了，那就趁现在去打倒他们，杀死他们，驱逐他们吧！”他大声地吼道：“去教训一下那群愚蠢的野蛮人，让他们尝尝农民兄弟和市民同胞的艰辛，去推倒这种傲慢无耻的统治！兄弟们，不要错过这个大好时机，为自由而战吧！”

很多农民都是出于对上帝的狂热信仰才加入了十字军。他们相信教皇和

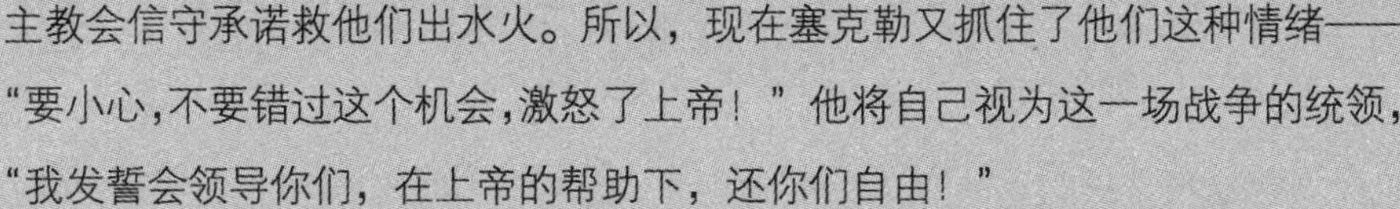

主教会信守承诺救他们出水火。所以，现在塞克勒又抓住了他们这种情绪——“要小心，不要错过这个机会，激怒了上帝！”他将自己视为这一场战争的统领，“我发誓会领导你们，在上帝的帮助下，还你们自由！”

● ● ●

当乔治•塞克勒结束了他的演讲后，就轮到他们做抉择了。他们是该走到左边，选择回家安于现在的一切，还是转向右边，跟随他们的主帅一起打倒那些压迫者呢？他们看到主帅已经掉转马头，慢慢走向右边的十字架，率先表明了自己的态度。

在教皇和主教的祝福下自愿去攻打奥斯曼土耳其人是一回事，而拿起武器攻打贵族并冒着被逐出教会的风险就是另外一回事了——主教指明，如若不听从指挥回家，就会落得如此下场。而他们的主帅现在正鼓励他们忘掉君士坦丁堡和主教，下定决心为自己的权利而战。

一些人累了，还有一些人带着迷信的恐惧心理。塞克勒的理想不是他们从军的原因，所以他们开始朝着左边的十字架走去。

一些人已经断了自己所有的后路，只好跟着他们的主帅向右边走去。当他们慢慢接近那个十字架的时候，他们忐忑地发现朝左边去的人越来越多。

塞克勒也看到了这一幕，他有些不安。他不能只靠少数效忠于他的人就名正言顺地发起一场战争。

人们刚开始欣赏他、拥戴他，就又抛弃了他——先是主教，接着是国王，现在又是他自己的部下。他不会在君士坦丁堡的城墙外得到荣耀，也不会在布达城的教堂里受到赞颂。在这场巨大的冒险之后，他如果还能保住自己的脑袋已经算是万幸了。

突然，左边的十字架从木柱上掉了下来。

也许只是意外，也可能是由于匆忙间没有绑好的缘故。

旁边的修士立即上前扶起了它，将它绑在了柱子的底部。这只是一瞬间的事，对大部分人来说并没什么意义，所以去往左边的人们并没有停住脚步。

然后，十字架又掉了下来。

一次是意外，那两次呢？“天理难容！”有人说道。

那位异常警觉的修士再次毕恭毕敬地扶起了十字架。在将它重新绑到柱子上之前，他像举起圣者遗物一样举起了它。

一些向左走的人们开始感到不知所措，转向牧师寻求指引。“天理难容！”又有人说道。这句话很快传遍了整个军营。有些人停下了脚步，还有一些人则疯了似地从左边的队伍中逃开了。队伍被打乱，众人一下子乱作一团。

在一片嘈杂声中，十字架第三次掉了下来。刚开始的低声细语变成了疯狂的呼喊：

天理难容！
天理难容！
天理难容！

一次是意外，两次是征兆，那三次就只能是奇迹了！

修士们都跪了下来，农民们也纷纷跟着跪下。

趁着这个机会，塞克勒大声喊道：“上帝出现在雷电之间，他对你们抱有怀疑之心的惩罚就是给世界一个警示！”

逃离那个被诅咒的十字架，那个不吉利的兆头。

“天理难容！”人们众口一词，加入了一场根本不知道如何开打的战争。

来一次爱因斯坦式的时空穿越

爆发的起点2：信件模型

我们发现了前电子时代人类通信的基本模式，而实际上，不管我们的信息是在电脑上以光速传播，还是用蒸汽机船慢慢地漂洋过海，我们的通信模式都是一样的，就连伟大的爱因斯坦也不例外……

在1919年春天，阿尔伯特·爱因斯坦已经是个知名物理学家，但还不是那种媒体名人，他收到了一封来自名不见经传的同僚西奥多·卡鲁扎（Theodor Kaluza）的信。1908年，师从大卫·希尔伯特（David Hilbert）和赫尔曼·闵可夫斯基（Hermann Minkovski）的卡鲁扎完成了他的第一篇也是仅有的一篇论文。此后，他一直在重复研究那篇论文中的问题。十年过去了，已经34岁的卡鲁扎仍然碌碌无为，待在学术界最底层的他只能靠微薄的收入养家糊口。在最终完成了第二篇论文之后，他壮着胆子将论文寄给了爱因斯坦。随后，在1919年4月21日那天，他收到了一封颇具鼓励性的回信：

> 我也时常琢磨着电场被拦截这个问题。但从来没想到将它放在五维立体世界中研究。这个想法对我乃至全世界来讲都是全新的。

现在，我们在物理课堂上所学的五大基本力中的三种——引力、磁力以及电力，在1919年时已经被卡鲁扎和爱因斯坦所熟知了。长期以来，这三大作用力之间似乎难有联系。然而，詹姆斯·克拉克·麦克斯韦（James Clark Maxwell）在1864年发现电力和磁力可以联合起来形成一种力——电磁力。

他的成功激励着一代又一代怀有梦想的物理学家，一直到现在人们仍在试着研究出一种方法来使自然界的各种力保持一致，以成就一部万物论。[①]

1919 年，统一引力和电磁力仍然是一个难以攻克的难题。基于此，卡鲁扎提出了一个出人意料的解决方法。

> 他指出，假设世界不是三维而是五维的话，这两种力就能结合。这一假设自然会让人们不知所措，因为没有人能想象出那个神秘的五维世界是什么样。但卡鲁扎是那种看书学会游泳的人，所以他一直对理论知识怀有坚定的信念。这次也不例外，虽然这种想法有点违背直觉。

卡鲁扎写信给那位科学巨人并不只是出于礼貌——他想请爱因斯坦帮他发表他的论文。当时，像爱因斯坦这样的著名科学家都被誉为优秀科学杂志的守门人。如果爱因斯坦对某篇论文感兴趣，他就会在柏林科学院（Berlin Acadamy）的会议上加以推荐，之后论文就会发表在院报上。令卡鲁扎高兴的是，爱因斯坦愿意帮他。

> 一周后，也就是 4 月 28 日，爱因斯坦又给卡鲁扎写了一封信。信的开头相当鼓舞人心："我读了你的信，发现它很有趣。我觉得实现这个理论没有什么不可能的。"
>
> 不过，下面的内容就相对含蓄了："但我必须承认里面的观点现在提出来还不具备什么说服力。"
>
> 对论文提出一些技术性问题和建议后，爱因斯坦接着说道："如果你能精确地运用经验知识做出验证，我才能相信你的理论是正确的。"

① 1963年，谢尔登·格拉肖（Sheldon Glashow）、阿卜杜斯·萨拉姆（Abdus Salam）和斯蒂芬·温伯格（Steven Weinberg）发现了电弱统一理论，也就是电磁相互作用和弱相互作用的统一理论，而爱因斯坦对此还一无所知。这项发现使他们在1979年获得了诺贝尔物理学奖。然而，爱因斯坦想象中的大联合到现在还是没有实现。——作者注

> 爱因斯坦答应卡鲁扎帮他推开学院大门，但有个条件："如果上述有关测地线的问题能够解决的话，我会在学院会议上呈交论文的简缩版。在提交论文时，我会署上我自己的名字，请你不要介意。"

想象一下几个星期来一连收到两封来自当时最具影响力的物理学家的信时，卡鲁扎会是什么样的心情吧。每封信都那么鼓舞人心，而且爱因斯坦一连写两封信更证明他是真的被这位没什么名气的物理学家的想法迷住了。但这些信也引出了很多问题，以至于这篇论文多年都未能成功发表。

爆发，仅适用于电子时代吗

2005年，在纪念爱因斯坦奇迹之年一百周年之际，我应以色列科学院之邀去耶路撒冷做演讲。会议日益临近，但我的心思却没放在那上面。最近，优先级模型又出现了一些耐人寻味的新问题。你应该还记得，我们发现电子邮件通信具有间歇爆发特征，也就是说在沉寂一段时间后人们总会疯狂地发送邮件。

> 基于此，我开始考虑爆发到底是电子时代的副产品，还是显示出了人类活动更深层次的真理？我们之前所做的所有研究——从电子邮件到网络浏览器，或多或少都跟电脑有联系。所以我们不禁要问一个逻辑性问题：爆发和电子邮件，到底是谁先出现的？

我很快意识到，一些著名学者的信件都被后人完好地保存着，所以我也许能从中找到答案。在网上搜索一番后，我将目标锁定在阿尔伯特•爱因斯坦网上档案馆（Albert Einstein Archives）。这是耶路撒冷希伯来大学（Hebrew University of Jerusalem）的一个项目，他们的任务就是搜集爱因斯坦的所有信件并编纂入目。由于他们迟迟未给我回信，所以我干脆将他们的地址塞进背包，进行第二项计划：先参加爱因斯坦的奇迹之年一百周年纪念，然后去爱因斯坦档案馆的“老家”——犹太国家图书馆（Jewish National Library）。

得来全不费工夫。几天后我受邀去参加一个耶路撒冷的招待会。我在那里结识了一些与会的著名历史学家。当我提到想研究爱因斯坦的信件时，他们指了指那个正好站在我背后的人。很快，我就被引荐给了戴安娜•科莫斯布赫瓦尔德（Diana Kormos-Buchwald）——加州理工学院的历史系教授，爱因斯坦文献项目的负责人。她告诉我，虽然我找的那些资料不完整，但确实存在而且已经被编纂入目。回国后，她把我介绍给了一同负责爱因斯坦文献项目的加州理工学院高级研究助理提尔曼•绍尔（Tilman Sauer）。几周后，我就收到了阿尔伯特•爱因斯坦的全部信件，其中包括他跟西奥多•卡鲁扎的通信。

爱因斯坦的信件模型

卡鲁扎在 1919 年 5 月 1 日给爱因斯坦的回信中打消了对方的顾虑，促使爱因斯坦在 5 月 5 日又给他回了信：

> 亲爱的同仁：
>
> 我很乐意将你论文的部分摘录提交给学院的会刊。同时，我建议你将寄给我的手稿发表在杂志上，比如《数学杂志》或者《物理年鉴》。只要你愿意，我随时乐意以你的名义将论文提交上去，而且会配以我的简单介绍。

是什么让爱因斯坦这么快就改变了主意呢？我们可以从信中发现一些迹象："我现在相信，根据实验证明，你的理论已经无懈可击了。"

可以说，这个结果对于卡鲁扎来说是再好不过的了。爱因斯坦，这位永无止境地追求用实践攻克所有数学问题的伟人，接受了他的观点，承认了我们的世界是五维的。你和我可能都不怎么明白什么是五维世界，但意识受限绝对不会阻止一位对数学理论极具洞察力的物理学家的脚步，他会坚持不懈地揭开宇宙的奥秘。如果数学证明世界是更多维的，谁又能够阻挡呢？

爱因斯坦的通信异常频繁——他一生共寄出了大约 14 500 封信，收到了 16 000 多封。这意味着，他成年后平均每天（算上周末）都要写不止一封信。虽然很惊人，但我感兴趣的不是他的通信数量。我关心的是优先级模型，我想弄清爱因斯坦多久才会回信。

我的研究小组里有一位聪明的葡萄牙籍物理系学生若昂·伽马·奥利维拉（João Gama Oliveira），他最先对加州理工学院提供的数据做了研究。他的分析表明，爱因斯坦的回信模型跟我们的电子邮件模型差不多：他会在一两天内立即回复大量信件。然而，有些信要在他的桌子上待几个月甚至是几年才会得到答复。令我们没想到的是，**若昂的观察表明，爱因斯坦的回信时间跟我们之前检测到的电子邮件回复时间一样，都遵循幂律分布。**

若昂和我担心爱因斯坦回信模型中的长期间隔是由于资料库中信件不全造成的。然而，加州理工学院的提尔曼·绍尔向我们保证，那些长期间隔绝对是因为时间耽搁了。

> 比方说，爱因斯坦在 1921 年 10 月 14 日给克朗尼格（Ralph de Laer Kronig）的回信中这样写道："我在堆积成山的信件中

> 发现了您去年9月那封有趣的来信。”实际上，记录表明克朗尼格的信确实被埋在爱因斯坦的桌子上一年多都没得到回复。

而且，不止爱因斯坦的通信遵循这样的模型。通过英国剑桥大学达尔文通信项目（Darwin Correspondence Project），我们获得了查尔斯·达尔文的所有信件记录。由于认真的达尔文将所有寄出以及收到的信件都备了份，所以他的通信记录就相当准确了。我们通过分析发现，他也是马上回复大量信件，只有极少数会耽搁不回。总的来说，达尔文的回信时间跟爱因斯坦的一样，都严格遵循幂律分布。

两位不同时代（爱因斯坦在达尔文去世前3年出生）、不同国籍的学者的通信记录都遵循同一规律，这一事实不是表明我们在窥视某人的特殊癖好，而是表明我们发现了前电子时代人们通信的基本模型。这也意味着，不管我们的信息是在电脑上以光速传播，还是借助蒸汽机船慢慢地漂洋过海，我们的通信模型都是一样的。

事实上，不管是过去还是现在，时间对我们来说都异常珍贵。我们必须设定优先级，就算是伟大的爱因斯坦和达尔文也不例外。如此一来，拖延、爆发和幂律分布就一定会出现。

但电子邮件和纸质信件之间还是存在一个特别的差异：两者数据集中的幂，即定性幂律的关键参数不同。①这种差异意味着，在电子通信模型中长时间被耽搁的信件要比纸信通信模型中的少。基于电子通信的即时性，

① 用数学术语来讲，幂律$P(\tau)\sim\tau^{\delta}$表示一条信息等了τ天后被回复的概率是$P(\tau)$，电子邮件模式的幂是$\delta=1$，而爱因斯坦和达尔文通信模式的幂是$\delta=3/2$。——作者注

这种差异也并不令人吃惊。事实上，这种差异不是由发信时间造成的。

数十年来的研究结果表明，定性幂律的幂不是一个任意值，而是与通信模型背后的潜在原理紧密联系的。也就是说，如果一个能够描述两种现象的幂律的幂不同的话，那么支配这两种现象的原理就有本质的不同。所以这种差异表明，如果想说明爱因斯坦和达尔文的通信模型，我们就必须建立一个新模型。

得到爱因斯坦的鼓励，西奥多•卡鲁扎很快按照要求做了改动，寄去了一份适合在学院会刊上发表的简缩版论文。事情已经很明朗了——不到四个星期他就收到了四封回信，这表示那位著名的物理学家已经破格将他的事放在了优先位置上。但爱因斯坦在1919年5月14日那天的回信中却又变得颇为冷淡。"我最最亲爱的同仁，"他写道，"我已经收到了你为院会刊准备的论文。不过，在仔细考虑你提出的结论后，我发现了另外一个难题，而且直到现在我都无法解答。"

利用四点推导，爱因斯坦详细说出了自己的困惑，并在最后总结道："或许你能找到一个解决方法。无论如何，我会等到这些问题解决后再递交你的论文。"

就这样，爱因斯坦将卡鲁扎打回了原点。

信件模型与优先级模型的不同

在优先级模型中，我们假设一旦首要任务完成，任意一项新的优先任务就会取而代之。要想得出爱因斯坦通信的精确模型，我们需要对这个模型进行一番修改，加上一些纸信通信的特点。实际上，在纸信通信模型下，邮递员每天都会送来一定数量的信件，然后这些信就加入到了等待回复信件的大军中。只要时间允许，爱因斯坦会从一大堆信件中选择他认为最重要的加以回复，然后将剩下的留待下一天处理。所以爱因斯坦的通信模型包含着两个变量：

- 我们将其中一种概率称为到达率，也就是到达爱因斯坦桌子上，开始排长队的信件。他会从中选出一些优先信件。
- 我们称另外一种概率为回复率。爱因斯坦会选择优先级最高的信件加以回复。

如果爱因斯坦的回复率大于信件的到达率，那么他的桌子看上去会干净很多，因为他在收到信后会立即回复一大部分。在这种亚临界状态下，通信模型显示爱因斯坦的回信时间符合指数分布，其中没有长时间耽搁的情况。很明显，这与我们观察到的幂律分布不同。

不过，如果爱因斯坦的回复率小于信件的到达率，那么他桌上的信件就会越堆越高。有意思的是，只有在这种超临界状态下，回信时间才符合我们之前观测到的爱因斯坦和达尔文的通信模型所显示出的幂律分布。所以，**爆发的出现表明爱因斯坦已经无暇分身，以至于被忽略的信件越积越多。**

为什么之前提到的优先级模型跟这里的信件模型的幂不同呢？
那是因为这两个模型存在一个非常重要的差别：优先级清单的长度。

在优先级模型中，摆在我们面前的待办事宜的数量一直没变，因为只有当清单上的某一项任务完成后，新的任务才会被加上。然而，在信件模型中，排队的信件数量一直在改变，每一封新信件的到来都会增加数量，而每回复一封都会减少数量。这一差异看起来可能很不起眼，但在数学上这点小差异足以改变它的幂。当新任务到来时，为什么不让清单上任务的数量也改变呢？

事实上，摆在我们面前的任务数量肯定会随时间变化。但我们意识到这一点了吗？1967 年，乔治·米勒（George Miller）发表了一篇具有里程碑意义的论文，名为《神奇的数字 7》（*The Magic Number Seven*）。在这篇论文中，他指出人类的暂时记忆是有限的：

- 我们很容易记住 7 个数字，但大部分人都记不住 12 个数字；
- 我们可以记住 7 个单词，但无法回想起 15 个不相关的单词。

米勒为我们的优先级清单问题引入了一个新的视角：我们可能有 15 项任务需要做，但大多数人只能记住 7 个左右。所以，我们的有效优先级清单上的任务数量不会有太大的波动——只有当旧任务完成时，我们的短暂记忆才能为新任务留下空间。但在纸信通信的问题上，爱因斯坦不需要利用他的短暂记忆——那堆信件就放在桌子上，他永远不会忘记，所以排队的信件数量才会一直变化。

但他真的那么忙吗？虽然在奇迹之年只有 7 封信件留存，但我们完全可以说，在 1905 年，这位尚不知名的专利承办员肯定有时间将通信放在首位。事实上，那个时候关注他的只有他的家人和朋友。而十年后，也就是 1915 年，他已经成为知名物理学家了。这时他有责在身，不得不隔几天就写封信。虽然那个时期只有 12 封信留存，但这既不能表明他特别重视通信，也不能看出其中有特别的延误。

但如果爱因斯坦能够及时回信——正如他在 1919 年及时回信给卡鲁扎那样，那么他的回信时间就会符合指数分布，而不是我们观测到的幂律分布。也就是说，如此一来他的信件模型中就不会有延误和爆发出现。

从频繁到沉寂

卡鲁扎试图再次说服爱因斯坦承认他的理论的正确性，他甚至不惜指出爱因斯坦在论证中出现的一个错误。1919 年 5 月 29 日，爱因斯坦做出了明确答复：

> 亲爱的同仁：
>
> 在上次的论证中，我的确犯了个错误，混淆了 *dS* 和 *ds*。我发现你也对这个问题进行了透彻的思考。你的观点很有趣、很大胆，我非常欣赏。但你应该了解，基于现有的疑虑，我无法按照原先设想的方式证实这一论题。
>
> 我不确定你是否应该就这样发表论文，我甚至看不出其中有任何超出我们之前讨论的东西。虽然如此，但如果你现在就想发表这篇论文也是无可非议的，特别是在你能指出其中存在的遗留问题之后。如果你选择将它发表，而且要是你跟《数学杂志》、《物理年鉴》的编辑之间发生了什么问题（这是我所不期望的），我很乐意为你说些好话。
>
> 随信附上我最近的一篇论文。虽然在对二元论的解释上止了步，但还是有些意思的，特别是在涉及宇宙学的问题上。
>
> 谨致问候
>
> A.E.

虽然语气颇为委婉，但拒绝的意思很明显，而且我们发现那一年爱因斯坦和卡鲁扎之间再无通信，在接下来的那一年也没有。但这不是因为卡鲁扎的论文发表了。相反，爱因斯坦的疑虑给这位年轻的科学家传达了一个不容置疑的信息：第五维度尚欠考虑，或许是由于它还不成熟，也或许它就是一个不值得深究的死胡同。在两人整整一个月的频繁通信之后，紧接着是为期一年的沉寂。

爆发模式的出现

1915 年，也就是跟卡鲁扎进行频繁通信的四年前，爱因斯坦发表了另外一篇著名的论文。在那篇论文中，他将相对论和引力联系了起来，并将之命名为广义相对论。虽然论文有点儿重假设轻论证，但仍不失为一个伟大的理论。1919 年 9 月 22 日，也就是给西奥多•卡鲁扎寄出最后一封信的 4 个月后，爱因斯坦收到了一封来自荷兰物理学家亨德里克•安通•洛伦兹（Hendrik Antoon Lorentz）的神秘电报：

> 爱丁顿在 9/10 秒和 4/5 秒之间发现太阳边缘的恒星位移。恭喜恭喜。洛伦兹。

爱因斯坦马上就明白了这条令人费解的信息：他在 1915 年提出的理论最终因亚瑟•斯坦利•爱丁顿（Arthur Stanley Eddington）观测到光线在经过太阳边缘时会弯曲而得以证实。没过几天，爱因斯坦的名字就上了世界各大报刊的首页，爱因斯坦神话就此诞生。他一夜之间变成了媒体的宠儿和不朽的偶像。

突然成名对他的通信产生了巨大的影响。1919 年，他收到了 252 封信，寄出了 239 封。他的生活仍然处在亚临界状态，这使他能够回复其中大部分信件而很少有延误。第二年，他寄出的信比前一年更多。他先后共收到了 519 封来信，而我们手上的记录显示，他只回复了其中 331 封。虽然速度不慢，但还是赶不上信件蜂拥而来的速度。到 1920 年，爱因斯坦开始进入超临界状态，并一直处于这种状态。直到 1953 年，也就是他去世前两年，才出现另一个高峰——他收到了 832 封信，回复了 476 封。

随着信件日益增多，爱因斯坦的科学成果减少了。他开始疲于应付，积累了大量未回复的信件。于是，他的回复时间显示出了爆发模式，并开始符合幂律规律——就跟我们现在的电子邮件模型一样。

逆转引发了什么

尽管与爱因斯坦有过短暂的通信，但接下来的几年中卡鲁扎的生活仍旧没有改变。他继续在大学做无薪讲师。由于论文发表得不够，他无法找到一份好工作。1921 年 10 月 14 日，在他与爱因斯坦上一次通信两年后，他突然收到了爱因斯坦寄给他的明信片：

> 我最最亲爱的卡鲁扎博士：
>
> 我又重新考虑了两年前没能让你发表的那篇关于将引力与电力联合起来的论文。你的方法显然比韦尔（Weyl）的理论要高明得多。如果你愿意，我会把你的论文推荐给学院。

他确实这么做了。1921 年 12 月 21 日，距离他第一次接触卡鲁扎的观点两年半后，他终于将这篇论文递交了上去。

为什么会突然出现这样的逆转呢？是因为爱因斯坦被成功所累，在那段时间忘记了卡鲁扎的额外维度问题吗？

他当然没有忘记。事实上，在 1919—1921 年，爱因斯坦一直在埋头研究他的超弦理论，一种结合引力和电磁力的统一场论。1921 年 9 月，他沿着刚开始设定好的路线走进了死胡同，而指给他这条路的正是赫尔曼·韦尔（Hermann Weyl）。重新回到起点的爱因斯坦突然记起了卡鲁扎的观点。所以在 1921 年 10 月，当爱因斯坦在雅各布·格罗默（Jacob Grommer）的协助下，按照卡鲁扎那篇未发表的论文上的方法进行研究时，他才发现自己陷入了一个尴尬境地：他不能一边阻碍卡鲁扎发表论文，一边利用他的观点做自己的研究。所以最终，他将卡鲁扎这只“妖怪”从瓶子里放了出来。

虽然卡鲁扎的论文最终得以发表，但对他来说已经太迟了。遭到爱因斯坦的拒绝后，心灰意冷的卡鲁扎放弃了物理学，转向了数学。这次专业转型最终在 8 年后获得了回报。1929 年，他在基尔大学（Kiel University）谋到了数学教授的职位，并在 1953 年成了当时最负盛名的大学之一——格丁根大学（Göttingen）的教授。

卡鲁扎和爱因斯坦的短暂相逢生动地说明了设定优先级并不是毫无效果的。优先级让泊松在证明一系列定律上取得了终生成就，让艾维·李在成功给施瓦布的主管提供建议后获得了丰厚的佣金。另外，当一名物理学家的理论被一个有权决定他的论文是否能发表的人忽略的时候，优先级同样能够断送这名物理学家的前程。事实上，卡鲁扎的多维宇宙论最终在 20 世纪 80 年代受到拥戴，并成为弦理论的基础。而那些弦理论的拥护者丝毫不害怕面对五维、十一维，甚至更多维度的空间。

不过，1954 年就去世的卡鲁扎没能活着看到他的理论复苏。如果爱因斯坦允许他早点发表那篇划时代的论文，他是否能变成最伟大的物理学家之一？对于这一点，我们永远无从知晓。

那些遗失的证据

收信和回信，这个过程也贯穿于 16 世纪人们的生活。两封信决定了那群十字军的命运—— 一封来自红衣主教巴科兹，另一封来自国王，两封信中都提到要立即终止这场战役。看看他们写信之前发生的一系列事件，信中的命令就不那么令人吃惊了。毕竟，为解放君士坦丁堡而组建的十字军刚刚给了巴赛瑞一个重击，大大削弱了匈牙利南部的军事力量。如此一来，这支由农民组成的十字军就形成了一股比国内任何一个官方军队都更可怕的新的军事力量。那么国王和主教除了赶紧终止这场失控的战争还能做什么呢？

在收到这两封信之前，乔治·塞克勒所做的一切——包括消灭巴赛瑞的部队，为惨死的前哨部队报仇，都可以被认为是他遵守命令为夺回君士坦丁堡而做的努力。但5月28日这天，当十字架跌落，士兵们立志跟随他之后，乔治·塞克勒就拒绝解散部队，并处决了萨基主教以及军营中所有的贵族俘虏。自此，他踏上了一条不归路。

5月27日，他还是十字军的统领，率领大部队去攻打他们的劲敌奥斯曼土耳其帝国。但到了5月29日这天，他就成了匈牙利历史上最大的一支起义部队的主帅。

从很多方面看，这种转变都不是他的选择，而实属被逼无奈。如果说乔治·塞克勒真的发飙了，那也是有理由的：起码在他自己心里，他是严格按照教皇最初的诏书行事的。即便主教不宽恕塞克勒，至少也该理解他的所作所为都是为了能攻克君士坦丁堡。但刚一遇到麻烦，塞克勒就被罢免了，而且还得对所有的事情负责任。

谁也说不清乔治·塞克勒是在什么时候，出于什么原因，完成从十字军统领到自由的捍卫者这种角色的转变的。但有一件事可以肯定：5月28日那天，在残忍杀害了营中的贵族俘虏后，他就彻底完成了转变。他摆脱了主教和国王的禁锢，把命运攥在了自己手中。

但那个胆敢倒戈，将矛头指向给予他权利的人的乔治·塞克勒到底是谁？为什么同时代的人从未提及他的姓氏，只用他所在部落的名字代替？

到底是什么样的过去才让他离乡背井，在他去布达的路上投下阴霾？什么样的过去让所有人都选择忽略，只有萨基主教耿耿于怀？杀害萨基是乔治·塞克勒为了转换角色而进行的一次战略行动，还是只是为了公报私仇？

鉴于他从一个接受国王祝福的军队首领，变成了遭到皇室谴责的社会革命领袖这一事实，或许泰勒格迪几个月前在宫廷之上的警世之言——“那些配发给他们做上阵杀敌之用的刀剑会不会反过来对准我们”，就别有一番意味了。难道乔治·塞克勒唯一的历史作用就是实现泰勒格迪的预言吗？现在还不能下定论，因为我们必须先绕道而行，去更多地了解塞克勒这个人。也就是说，我们必须来一次爱因斯坦式的时空穿越，去今天的特兰西瓦尼亚，找寻乔治·塞克勒最初离开家园的那些遗失的证据。

调查

地点：锡比乌

时间：2007 年 7 月 20 日

我已经不记得锡比乌国家档案馆里，无精打采地垂在七月炎日下的欧盟旗帜上有多少颗黄色的星星了。然而，我敢肯定的是，里面没有一颗星星代表我脚下的这片土地——匈牙利当地人称之为 Erdély，母语为德语的本地撒克逊人称之为 Siebenbürgen，罗马尼亚人称之为 Ardeal，而世界其他国家的人只知道她的拉丁名字 Transsilvania（特兰西瓦尼亚）。

我去锡比乌是为了完成一趟旅程，一趟由几年前我无意间在 1514 年的事件中发现的，一个令人懊恼的小细节引发的旅程。事实上，乔治•塞克勒是特兰西瓦尼亚，乃至整个匈牙利家喻户晓的英雄，是反对当局压迫者的农民斗争的代表人物。但我们看待他时总是会稍带批判。在深入研究 1514 年事件的过程中，我从世代相传没有那么多意识形态偏见的历史中，了解到一幅与教科书上描写的完全不同的画卷。

到了 2007 年，乔治•塞克勒的形象已经跃然古书之上。而这本手稿中记录的某些传闻，正是激励我开始这趟旅程的动力。那是一封写于 1507 年，即乔治•塞克勒登上国家舞台的7年前的信，信中有一些有关他的性格和过去的记载，而我们差点儿与这些信息失之交臂。

乔治•塞克勒的前十字军生涯鲜为人知。巴塞林那斯•瑞卡多（Bartholinus Riccardus）在写于1515年的，第一本记载十字军的文献中称乔治•塞克勒为Georgius Zechelius；陶利努斯在史书中称他为Zeglius，意为神通广大的怪物；同时代的图贝罗（Tubero）称他为Georgius Scytha；而塞雷米在那场战役结束40年后所写的史书中称他为Georgius Siculus或Zekel。这些名字的姓氏都是塞克勒，也就是特兰西瓦尼亚喀尔巴阡山脉东部的一个说匈牙利语的部落。

伊斯特凡在其1605年所写的编年史中第一次提到了乔治•塞克勒的真正姓氏，称他为多热（Dosa，拉丁文为Dózsa）。多热家族住在塞克勒一个名为达尔诺克（Dálnok）的村庄。这个名字就这么被众人叫开了。如今，这个位于特兰西瓦尼亚东南部达尔诺克湾的小村庄仍为那里是乔治•多热（也就是塞克勒）的出生地而感到骄傲。人们在他出生地的遗址上建造了一座纪念碑，村子中心处赫然屹立着一尊他的巨型雕像。除了他是达尔诺克人，几个世纪以来我们所知道的有关乔治•多热•塞克勒前十字军生涯的唯一一件事，就是他在贝尔格莱德的决斗。然而，在1876年，一个不寻常的发现改写了历史。

1869年11月3日，匈牙利历史学会（Hungarian Historical Society）特兰西瓦尼亚分会决定搜集并出版有关塞克勒人的所有历史文件。这项任务稍微有点困难，因为塞克勒人很少用文字，也就是罗瓦斯文（rovás）表达他们的感情，他们更乐于用武器说话。而且，这种没有元音的罗瓦斯文很像由一根根奇怪的木棍组成的，有点像中东的音节文字，又有点像西欧未采用拉丁文前使用的古文字。现在，这种古老的罗瓦斯文字还会出现在一些教堂，以及一些富有的塞克勒人那雕刻繁复的大门上。

但匈牙利历史学会计划搜集的并不是塞克勒本地人用罗瓦斯文写的手稿，而是中世纪特兰西瓦尼亚贵族和神职人员所写的官方文件。在将这些五花八门的文件按某种顺序排列后，这项计划的主编卡洛伊•绍博（Károly Szabó）发现了一封有关乔治•多热•塞克勒前十字军生涯的信。就是这封信改变了人们对他的认识。

当我拿到根据绍博在1876年的发现所做的报告的副本时，我发现那份1507年的原稿已经下落不明。1876年后，特兰西瓦尼亚曾几次易主，时局一直动荡不安。期间，很多文件不是被烧就是被抢，有些遗失了，有些被毁坏了。经过几个月的多方问询，我终于在2007年4月17日收到了布达高级研究所的馆员海蒂•鄂尔多斯(Hédi Erdős)的热心来信。她告诉我原稿仍然在130年前卡洛伊•绍博最初发现它的地方，也就是锡比乌的撒克逊国家档案馆（Saxon National Archives），目录号为*Materia V,No.67*。

到达锡比乌之后，我并没抱希望能亲眼看到原稿。年轻时，我曾在另外一个档案馆，也就是位于我的家乡茨希克什哲烈达的米克城堡（Mikó Castle），度过了很长一段时光。这个城堡最初建于1063年左右，1661年被土耳其人夷为平地，然后又在1714年重建。现在人们看到的这座高墙深院外加四个堡垒的城堡是重建后的面貌。在过去50年里，塞克勒博物馆一直设在城堡中。20世纪80年代，我的父亲作为馆长在城堡内拥有一处寓所，虽然这有些不同寻常，但多亏了这种安排，我才能自由徜徉在博物馆的图书室和各类收藏品中。要知道，通常只有极少数历史学家才有权查阅里面的文件。

我知道想要接近那些历史文件几乎不可能，而且我的顾虑得到了马克•拉兹洛－赫伯特（Mark László-Herbert）的证实。这位多伦多大学的历史教授在自己的网页上分享了很多与罗马尼亚档案室打交道的经历。他写道："按照规定（嗯，其实并不总是有这样的规定），外国人要想查阅国家档案室收藏的地方文件，必须先得到布达佩斯'总部'的研究许可。"这条规定对我并不适用，因为我出生在特兰西瓦尼亚，所以我持有罗马尼亚护照。但又看了几行之后，我的心凉了。"定居在国外的罗马尼亚公民可能跟外国学者一样，必须遵守这样规定。"他这样写道。由于过去 20 年我一直生活在美国，这意味着我也得遵守那样的规定。但我没时间去布达佩斯申请许可，所以我怀疑直接去锡比乌会吃闭门羹。

果然，我一进入撒克逊国家档案馆就来了一个警卫要我出示证件，也就是罗马尼亚身份证。开始了，我心想。我轻描淡写地问他护照可不可以。答案是肯定的。然后在我登记了一连串的信息后，那个警卫冲我挥了挥手示意我上二楼，而且还顺带告诉我那天不开馆。

真倒霉，我想。但我可是在 7 月末的炎炎烈日下，开着没有空调的车走了好几个小时才到了这里的，所以我不想这么快就放弃。半分钟后，负责人告诉我为了迎接来自布达佩斯的一个检查小组，档案馆确实不对外开放了。

"那我下周来可以吗？"我问。

"不行。"她这样说着，然后跟我解释说检查会持续整整一周。

"那下下周呢？"我还是抱有希望。

"得等到 8 月了，"她说，"但那时候又放假了。"

最后，为了赶紧把我推给一个有权打发我走的人，她带我去了"已关闭"的阅览室。阅览室不大，但天花板很高，光线充足，里面摆了 6 张书桌，两边墙角处还放了两张办公桌——为了监视那些能够进到这个"戒备森严"的圣地查阅资料的少数研究者。阅览室里只有一个穿着简单的白色夏日裙装的中年妇女，她正趴在桌子上在一张大海报上写东西。

我操起已经近 20 年没怎么用的、快要生锈的罗马尼亚语，试图跟她解释我从美国远道而来，就是为了查阅一份文件。她点了点头表示理解，但肯定地告诉我他们已经闭馆了。不过，她没赶我走，而是向我要一张照片。

根据我了解到的情况，这是一个好兆头。“到那儿后，他们会发给你一个研究卡（你要自带一张身份证或护照照片大小的照片）。”虽说事前看到过这条建议，但我还是没带照片，所以她让我去最近一家照相馆拍一张。接着我就去了锡比乌那美丽的市中心。当地的撒克逊人称锡比乌为赫尔曼施塔特市(Hermannstadt)，但地图上标示的却是罗马尼亚语西比奥（Sibiu）。

锡比乌建于1150年左右，当时的匈牙利国王盖扎二世（Géza Ⅱ）召集了莱茵河西畔的500户居民来特兰西瓦尼亚定居，让他们在这里耕种土地，保护国家南部疆界不受蒙古人和鞑靼人的侵扰。一个世纪后，蒙古人垂涎于这里的繁华，洗劫了这里。幸存下来的撒克逊人接受了这次惨痛的教训，在城市四周筑起了高墙。城墙异常坚固，以至于至今都没有人能攻破。

两次世界大战都没有侵扰到这座迷人的小城，所以虽然它几个世纪以来一直身处动荡的特兰西瓦尼亚，但却几乎没受到过什么伤害。就算是以发展为借口毁坏了很多遗迹的罗马尼亚前领导者，除了对此不管不问使其严重失修外，也并没有对这座历史古城造成多大伤害。

2007年，锡比乌已经成为欧洲文化中心之一。在欧洲基金会的帮助下，这里得以恢复到了它中世纪时的美丽模样。我可以一连几天漫步在建成于1320年的，雄伟的哥特福音堂（Gothic Evangelical Church）周围那些狭窄的小路上；如饥似渴地研究布鲁肯撒尔男爵（Baron von Brukenthal），即玛丽亚•特蕾西亚女皇(Empress Maria Theresa)统治时期的特兰西瓦尼亚总督的艺术收藏；或者坐在锡比乌的中心广场格罗索环形广场（Grösser Ring）旁的某家户外咖啡厅里，沐浴7月温暖的阳光。但现在可没时间看风景了。根据档案馆里那位女士所指的路，我转到了左边的赫尔托格罗斯街（Heltauergasse）——一条画廊、特色小店以及饭店林立的繁华小街，去找那家照相馆。

半个小时后，我拿着仍带着余热的相片回到了档案馆。那位女士示意我坐下，然后递给我一份文件申请表。我草草写下了在布达佩斯拿到的那串神奇代码*Materia V,No.67*，然后问她是否知道这代表了什么意思。“不太清楚。”她耸了耸肩，但还是把申请表拿了过去。我又想起了那位加拿大学者的话：“一旦你找到了想找的东西（如果你特别特别幸运的话），你就可以填表申请。然后你会被要求先离开，第二天再来。”

现在已经是周五下午两点了，而且由于即将有检查，也没什么明天、周一或周二一说了。

所以，我现在坐在了离欧盟旗帜一臂之遥的地方，等着一位罗马尼亚官员，查找一位匈牙利贵族在1507年写的，一封有关塞克勒的拉丁文信件。感谢世世代代认真负责的撒克逊国家档案馆馆员，这封信件才得以保存。我非常想知道这封最后见于1876年的文件还存不存在，想看看*Materia V,No.67*是否有价值。

20分钟后，她回来了，手里只拿了几张松散的平板纸，看起来很像我之前填过的申请表。按照我掌握的信息，这看上去可不像有好消息的样子。“馆员会把文件拿给你，而且文件都是整齐地夹在活页夹里的。”（他们说是为了防止文件被盗，但很明显，这种方法会损害文件。）

到目前为止，我的多伦多向导说对了所有的事——照片、许可证、申请表。所以没看到活页夹让我觉得很不安。这只能说明我的申请被拒绝了，或者我提供的编号不足以找到文件。

她径直走到我的座位旁，轻轻地将一小份之前藏在申请表后面的褐色文件放在了我面前的桌子上。然后，她什么也没说，回去继续写她的海报。

● ● ●

有那么几秒钟，我就呆呆地坐在那儿，盯着那份厚厚地折成四叠的文件。这位罗马尼亚馆员意外的好心举动让我备受感动，我又重新燃起了希望。

我能碰它吗？需不需要带上特制的手套？这份古老的文件会不会在我手里坏掉呢？

看到没人在意这些，也没人监视我，我就放开胆子小心翼翼地打开了离我最近的那份文件，试图破解蜡封消失后留下的黑色印记旁边的文字。

那上面写着："Prudentibus et Circumspectis Magistro ciuium Judicibus Juratis ceterisque ciuibius at consulibus Ciuitatis Cibiniensis dominis at amicis honorandis."那一刻我多么希望自己在八年级时好好学习学习拉丁语啊。不过，有一件事是明确的：信的背面清楚地用黑墨水标明了代码V和编号67，表示这应该就是我要找的文件。

确信文件不会一碰即化后，我小心翼翼地打开了这封信，找到一张似行云流水、如羚羊挂角的手写正文，努力地将这整段整段的单调中世纪拉丁文章逗句分段。这一个个单词龙飞凤舞、如沙划痕，在离左边线大约3厘米的地方起，然后干净利索地到距右边线1厘米的地方止笔，洋洋洒洒整整一页。从中能够看出，写信人对书法和内容都很在意。

我曾试图在信中搜索日期但未果。直到我看着手里那张手稿，才发现上面确实有日期，只不过跟现在的书信格式有所不同。它不是按月/日/年这样标注，而是在签名的前一段这样写道："……第七年圣母玛利亚庆典结束后的第一个星期一"，即1507年7月19日。

我事后才意识到，这是一个惊人的巧合：那一天，也就是我坐在档案馆里仔细研究那份古老的手稿的那天，正好是2007年7月20日——也就是说，正好是在作者写完信500年零一天后。我神奇地在锡比乌的市长，即那封信的收信人打开蜡封读信的500年后的这一天也看到了那封信。

此时此刻，由于我不太认识这种神秘的拉丁文，能证明我手中的信正是我要找的文件的就是那熟悉而明白无误的签名了：

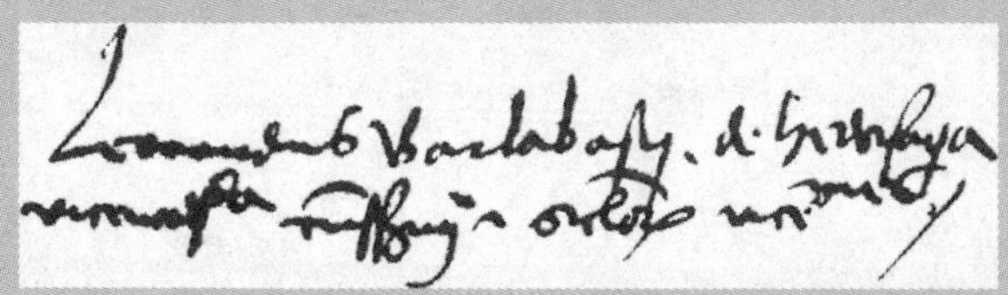

在陌生的地方重新开始

爆发的轨迹1：信天翁模型

从人类记忆的搜寻到网络信息的查找，一切已经证明，查找某个特定目标的最佳策略不是用最明显、最系统、最规律的搜寻模式，而是用具有爆发性、间歇性，甚至是偶然性的搜寻模式。

2004年，当德克·布洛克曼从德国飞到蒙特利尔参加美国物理学会三月会议时，他完全没意识到自己的职业生涯将发生根本转变。就算他隐约觉得这趟旅行很重要，但也肯定猜不到为他那个改变职业生涯的发现提供灵感的，不是会议上的某篇报告，而是在距蒙特利尔南部几百公里外的佛蒙特森林中那次喝着冰冷的啤酒的卧谈。无论如何，德克最后都觉得应该感谢他的朋友丹尼斯·戴瑞巴里，那个把乔治网介绍给他的人。所以，他在即将发表在《自然》杂志上的那篇论文的“鸣谢”中，特别提到了他的朋友在这项发现中所起的重要作用。可想而知，当得知丹尼斯的称谓“细木工匠”被这个著名杂志的文字编辑删去后，德克有多么吃惊。

> “我觉得很生气，因为那是我的想法。”德克回忆道。他指出那样注明丹尼斯的职业是中肯的，因为他不是个科学家。他接着说道：“所以我跟《自然》杂志说明了情况，但他们说那不符合排版规范。”

德克论文中的“鸣谢”并没有什么特别之处。相反，他遵循了中世纪的传统。当时的插画修士总是将他们恩人的肖像描摹在宗教手抄本中。陶

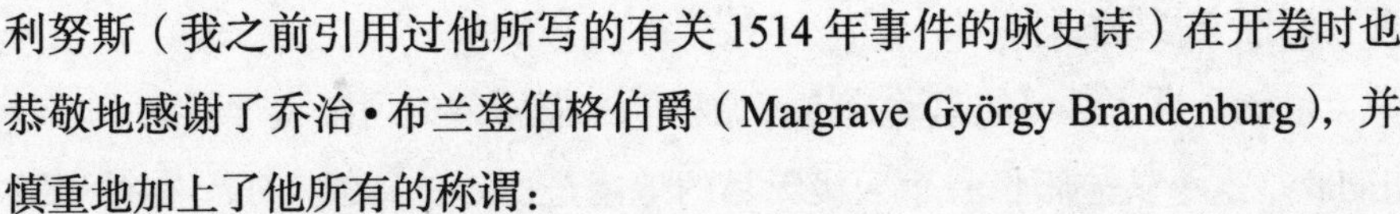

利努斯（我之前引用过他所写的有关1514年事件的咏史诗）在开卷时也恭敬地感谢了乔治·布兰登伯格伯爵（Margrave György Brandenburg），并慎重地加上了他所有的称谓：

> 尊敬的
> 乔治·布兰登伯格伯爵
> 匈牙利和波西米亚尊贵的君王
> 拉约什殿下
> 最值得尊敬的监护人

《自然》杂志的文字编辑并不是坚持让德克在鸣谢中将伊丽莎白二世写成伊丽莎白·A·M·温莎，或是将约旦国王写成阿卜杜拉二世·本·侯赛因·哈西姆阁下，他们只是认为“细木工匠”确实没必要写上。

不过德克并不打算就此放弃，所以他联系了主编，向他说明了丹尼斯在这项发现中所起的重要作用。最终，他们同意了他的要求。所以，你会看到论文结尾处写着：“感谢‘细木工匠’D. 戴瑞巴里，是他帮助我们注意到了乔治网。”

在正文中，德克详细地说明了钞票的运动轨迹和爱因斯坦发现的原子的随机运动轨迹的显著不同。

> 任意两个原子相撞后所分开的距离都差不多，这意味着我们永远看不到一个失控的原子——在与另外一个原子相撞之前，与别的原子之间的距离是与其他原子之间距离的一千倍的原子。但是，当大多数钞票都在离始发地不远的地方再次出现时，总有那么一两张钞票会失控地跑到千里之外的地方。

当德克汇总钞票的运动轨迹时，他发现钞票旅行的距离不符合爱因斯坦的钟形曲线图，也就是说每张钞票旅行的距离各不相同。相反，德克发现它们遵守幂律规律。

也就是说，钞票的运动轨迹遵循科学家们所谓的列维飞行理论（Lévy flight）。这个轨迹很像一个人漫无目的地闲逛所走的路线。每个遵循列维分布的微粒的运动方向都是随机的，而它们的运动距离可以用幂律来描绘，也就是说大部分时候列维微粒都在某个特定的小范围内运动，小心翼翼地待在同一片区域内，但偶尔会有微粒漫无目的地跳到很远的地方。

你可能会问：列维飞行和幂律有什么差别呢？实际上，幂律与列维飞行的关系就像是苹果的味道和苹果本身的关系一样。事实上，随机运动又可分为好几种。如果随机运动的物体每次运动的距离都相等（或者如果运动距离遵循高斯分布），我们就把它称为规则的随机运动。爱因斯坦研究的原子运动轨迹就属于这一种。然而，有些随机运动会比较飘忽不定，这种运动就遵循幂律分布，如布洛克曼所观察到的钞票的运动轨迹。由于这种运动模式有自己的特征，所以它们有个特定的名字——列维飞行。飞形理论之父伯努瓦·曼德勃罗（Benoît Mandelbrot）用自己的一位导师——法国数学家保罗·列维（Paul Lévy）的名字为它命名。所以，列维飞行是一种特殊的随机运动，而幂律分布是区别列维飞行与其他随机运动的特征。

列维飞行对德克·布洛克曼和他的导师西奥多·盖泽尔来说再熟悉不过了。实际上，20世纪80年代和90年代的物理学家发现，自然界中很多看似随机的运动（从漂浮在湍流液体中的小物体到宇宙中的漂浮物的运动）都不符合爱因斯坦的扩散理论——每个微粒的运动距离相似，导致一种相对平均扩散的现象。相反，它们遵循列维轨迹——由幽闭抖动造成的长距离跳跃。早在几年前，德克和西奥多就发现人类的眼睛在捕捉新画面时也遵循列维飞行规律：我们的注意力先是在某一小范围内漫游，然后就突然跳跃到另一个远点。在审视这个新区域的时候，眼睛会进行一系列微小的运动。

但并不是钞票与眼部运动之间的联系引起了德克的注意。更确切地说，是十年之前一个将列维飞行与鸟类和猴子联系起来的研究吸引了他。**你仔细想一想就会发现这种联系非常引人注目，因为它暗示了我们之前所观测到的爆发可能不仅比网络先出现，还可能是人类意志和意识的根源。**

信天翁的列维飞行

1995 年，在横跨大西洋的飞机上，谢尔盖·布尔德列夫（Sergey Buldyrev）决定在伦敦转机，去拜访他的表侄弗谢沃洛德·阿法纳西耶夫（Vsevolod Afanasyev）。谢尔盖将阿法纳西耶夫视为 19 世纪俄国民间英雄莱夫提（Lefty），一位令全俄国人为之骄傲的、技艺高超的铁匠在现代的化身。

> 当时，英国送给沙皇亚历山大一世一只上发条的跳舞跳蚤。虽说是礼物，但也蕴涵着他们对西方发达技术的吹嘘。但莱夫提巧妙地在跳蚤的两只脚上钉上了小马掌，而且还在每个马掌上都签上了自己的名字。这代表了俄国手工艺的巨大胜利。

跟莱夫提一样，弗谢沃洛德对微型器件也有着惊人的天赋。又跟莱夫提一样（莱夫提被沙皇送去了英国），弗谢沃洛德也去了英国。他到了剑桥大学，成了英国南极勘查局（British Antarctic Survey）的一名工作人员。

他没有忙着为跳舞的跳蚤钉马掌，而是为小鸟装上了探测器，追踪它们的行动和飞行状况。他的其中一项设计是追踪漂泊信天翁。这种美丽的鸟儿长着 3 米长的翼展，是地球上最大的鸟类生物。他的探测器首次证明漂泊信天翁在环绕地球飞行一周的过程中从不触地，而是一连几个月飞翔在波涛汹涌的海洋之上。

在去伦敦拜访期间，“我们喝了一瓶伏特加，还畅聊了一番。”谢尔盖回忆道。在喝酒期间，这两位表亲免不了会聊到各自的研究。谢尔盖过去花了大量时间研究随机运动问题，但他总是跳不出爱因斯坦的思维模式——总是将这个问题作为抽象的数学问题来研究。所以，他的表侄追踪信天翁所得出的看似随机运动的数据引起了他的兴趣，使他有机会将这个百年不变的随机运动理论跟鸟类的飞行模型做个比较。

拥有圣彼得堡国立大学物理学博士学位的谢尔盖 6 年前（也就是 1989 年）带着夫人和两个幼子移民到了美国。对美国科研机构还不熟悉的谢尔盖刚来两天就动身去波士顿大学拜访了一位他在苏联时就很钦佩的专家。令他吃惊的是，他发现他的偶像既不是一位教授，也不是一位博士。坐在办公室里的是一个穿着 T 恤和短裤的 24 岁研究生。当他定下神来，弄清彼得•波尔（Peter Pool）的真正身份后，他就穿过霓虹灯照亮的走廊去找波尔的导师基恩•斯坦利（Gene Stanley）。谢尔盖对斯坦利的一系列具有影响力的发现，比如他参与创立的过冷水以及相变研究领域已经耳熟能详。其实，他从来没想过叨扰这位著名的教授。不过，他没想到斯坦利对他的情况也很了解。

斯坦利曾在 1973 年作为莫斯科一次会议的组织者初次去了苏联。到那儿后，他吃惊地发现他非常敬重的三位物理学家被禁止参加这次会议。是因为他们申请移民以色列吗？斯坦利不顾同事的反对，跟三位科学家一起吃了顿早饭。随后，他向大家宣布三位科学家同意做演讲，但地点必须设在一个私人公寓中。他邀请所有人参加。

他还没将这条振奋人心的消息传达完毕，麦克风就断线了，接着他就被两个克格勃的便衣拖出了会场。被带到一个只有一扇大窗的塔楼顶层后，斯坦利突然想到了那些可疑的叛乱者“自杀”事件。不过，他还是活了下来。被释放后，他甚至被允许跟30多名科学家和一群克格勃在一个小公寓中参加他组织的秘密会议。

这次经历让斯坦利印象深刻。不久后，他就成了科学界少数派和持异议者的捍卫者。[①]当斯坦利的莫斯科冒险游过去15年后，谢尔盖来到了他的办公室。这位颇富盛名的人道主义教授马上意识到，站在他面前的这个俄国人跟他在1973年遇到的三名同仁犯了一样的罪：他带着自己的犹太妻子离开了苏联。10分钟后，谢尔盖就被雇用了。到美国的第3天，他就得到了第一份工作。

6年后，谢尔盖认为信天翁问题是斯坦利跨学科研究小组面临的一项重要挑战。所以，在斯坦利的支持下，他的一位名叫甘地·维斯沃纳森（Gandhi Viswanathan）的研究生开始根据谢尔盖在剑桥大学的表侄弗谢沃洛德提供的数据，分析信天翁的“干湿”时间序列。这些数据是利用系在南大西洋信天翁腿上的小型探测器搜集到的。湿信号表示信天翁的腿落入了水中，而干信号则表示它们捕食休息之外的飞行时间。

甘地很快发现这些信号根本没有规律可言。相反，信号显示信天翁在飞行途中会时不时地停下来下水捕食。长时间发出干信号后，会出现湿的爆发点，这证明它们飞行很长一段距离后才会停下来找一个合适的落脚点进行捕食。听起来是不是觉得很熟悉？当然熟悉，因为甘地的分析显示，

---

① 2003年，作为被剥夺政治和社会权利的学者代表，斯坦利获得了美国物理学会颁发的迈克尔逊人道主义奖章（Michelson Medal for Humanitarian Outreach）。——作者注

连续的湿信号之间的时间遵循幂律分布，进一步说明了信天翁的捕食模型具有爆发性，准确地讲是遵循列维飞行模型。

生物学家很久以前就发现动物会在一个区域内长时间搜寻食物，然后再转战另外一个遥远的区域捕食。不过，没有人想到这种偶然模型遵循着某种特定的规律。1996 年，波士顿研究小组在《自然》杂志上发表了他们的论文之后，一系列动物学研究著述争相出现。**新颖的数学形式体系激活了长久被人遗忘的数据集，证明了动物王国中处处存在列维模型**——如尤卡坦半岛（Yucatán Peninsula）的蜘蛛猴①、驯鹿、熊蜂、果蝇以及灰海豹等。那篇论文指出列维飞行反映了大部分动物在捕食上的普遍运动模型。这引出了一个简单而耐人寻味的问题：为什么动物会有这样的行为？

遵循爆发搜寻模式

那篇有关信天翁的论文发表的时候，谢尔盖已经在波士顿大学工作 7 个年头了。已过不惑之年的他在一群年轻的研究生中是个十足的异类。精于数学物理学知识，勇于赶超实验室中最有抱负的成员的谢尔盖已经是斯坦利精英团队中不可或缺的一员了。当周围的同事都安于终身制教授的生活时，谢尔盖没有懈怠，而是继续研究动物运动中的列维模型，以期找到一种合理的解释。随后，他发现了一个关键问题：怎样在丛林中找到一棵香蕉树呢？

---

① 其中一位尝试测试列维模型的物理学家是若泽•路易斯•马特奥斯（José Luís Mateos）。他的研究对象是尤卡坦半岛(Yucatán Peninsula)的蜘蛛猴。一天，他问自己的同事们知不知道猴子的运动轨迹。他们确实知道，但这并不是因为他们在猴子身上安装了探测器，而是因为每个学生都被分派到一只猴子。猴子走到哪儿，他们就跟到哪儿，并且从猴子们的吃食习惯到与其他猴子的交流都记录了下来。同时，每个学生都拿着一个GPS设备，因此就算猴子们躲进森林也没关系。他们最终探测出猴子们的运动轨迹遵循列维模型。——作者注

> 如果你不知道树在哪儿，那就只能漫无目的地去寻找：先任意选择一个方向寻找，如果没发现目标就再换个方向，你总是觉得下一次一定会找到。这种随机策略的问题在于，你会在同一个区域里打转，因为随机运动会让你偶尔回到原来的区域。要避免做无用功，你可以尝试进行有条不紊的搜查，就像FBI查案那样先用警戒线圈定区域，然后再开始系统地搜查线索。但从动物身上得到的那些数据表明：鸟兽的行为既不遵循爱因斯坦的扩散理论，也不像FBI办案那样有条不紊，它们的行为遵循神秘的列维捕食模型。

然后，谢尔盖突然回想起了很久之前在湿地上采摘野生小红莓的经历。“我意识到我自己的行为也遵循列维飞行模型，”他回忆道，“我从一片长满小红莓的草丛走到另外一片草丛，然后走到更远的地方找寻一块更好的根据地。”

甘地·维斯沃纳森又一次参与了研究，并在世界随机运动理论的权威之一什洛莫·哈夫林（Shlomo Havlin）的帮助下将谢尔盖的童年经历转化成了一个理论。

> 搜寻稀缺食物的最好办法就是小范围内随机走动，偶尔来个大范围的区域调整。当搜寻散落在大片区域里的少量食物时，规律的或随机的搜寻都不是最佳策略。最好的方法是遵循一种爆发搜寻模式，因为在长距离运动帮你拉长战线的同时，短距离操作会让你搜寻到邻近区域的食物。

这项理论不仅影响了动物研究领域。实际上，科学家已经将它用于一项细胞生物学的研究——找出转录因子（掌管人类基因运动的蛋白质）精确地到达某个DNA链上的方法。DNA的双螺旋链是由30亿个碱基对组成的，所以，要到达某个特定的碱基上就好比将一枚硬币准确地掷到从洛杉矶到纽约的3 962公里的高速公路的某个点上一样。然而，我们身体中的亿万个细胞都能奇迹般地轻易找对位置。大家一致认为它们的成功是源于爆发策略——转录因子先与DNA随机结合，然后以此为出发点在结合点附近一步一步地搜索。如果搜寻无果，它们就会先分离出来，然后在远处寻找一片新的区域。

如今，爆发搜寻模式解释了各种各样的行为现象，如人类的记忆搜寻，以及万维网的信息查找等。在论文一篇接着一篇发表后，科学家已经充分证明了查找某个特定目标的最佳策略不是最明显、最系统、最规律的搜寻模式，而是具有爆发性、间歇性，甚至是偶然性的搜寻模型。

人类会不会渐行渐远

鉴于这些发现，德克·布洛克曼那篇关于美元运动的论文绝非只是对乔治网民的有趣爱好的详细说明。它与行为研究领域密切相关，将列维飞行模型从信天翁和猴子的行为扩展到了人的行为领域。钞票随人而动，我们去哪儿它们就跟到哪儿，就像弗谢沃洛德追踪信天翁的探测器。**它们显示人类在日常生活中的运动遵循从老祖先那里传下来的爆发列维模型。**所以，德克的发现有重要的意义，他再一次证明了自然的朴素本色，说明了各个领域都趋向于用同一种方法解决问题。

然而，多数媒体虽然很关注德克的论文，但都没有意识到他的结论是多么出人意料。

人类的行为轨迹与猴子和信天翁有相似之处，这一点并不令人惊奇。但除了在专门的科学领域，很少有人看出德克的发现质疑了一个定律，那是一个藏在连篇累牍并甚少有人读到的大部头中的关于随机运动的数学分析。这个定律指出，如果微粒遵循列维轨迹，那么时间越久，微粒离释放点的位置就越远。这意味着，随着时间的推移，遵循列维模型的运动者回到原点的机会在变小。

这对水中和气体里的原子来说不是问题，因为我们都知道这些原子会随机扩散。不过，上升到人类的问题上，这个定律就形成了一个悖论：如果我们的运动真的遵循列维飞行模型，那么我们就很难找到回家的路了。

听起来虽令人费解，但这恰好解释了乔治•塞克勒的经历。据我们所知，他的起点是他的家乡达尔诺克，也就是那个至今还在为他骄傲的特兰西瓦尼亚小村庄。我们还知道，他在某个时候去到了483公里外的贝尔格莱德。就算是现在，人们都会觉得这两个地方离得很远。他为什么放弃土地和贵族头衔，放弃那种相对奢侈和稳定的生活，而开始危险艰苦的雇佣兵生涯呢？他走了320公里从贝尔格莱德辗转到布达的举动也令人颇为困惑：在击败了艾利之后，他有钱又有荣誉，为什么不衣锦还乡呢？

到目前为止，他的行动轨迹一直遵循列维模型：小范围内活动后紧接着长途跋涉，然后在一个陌生的地方重新开始。当然，根据德克•布洛克曼的发现，他的旅行就有了新意义。不过，虽然通过数据我们很容易看出他过着漂泊无根的生活，但从人为因素上考虑，我们还是不禁要问：为什么乔治•塞克勒一直找不到回家的路呢？2007年我在锡比乌档案馆找到的那封信或许能为我们提供些线索。

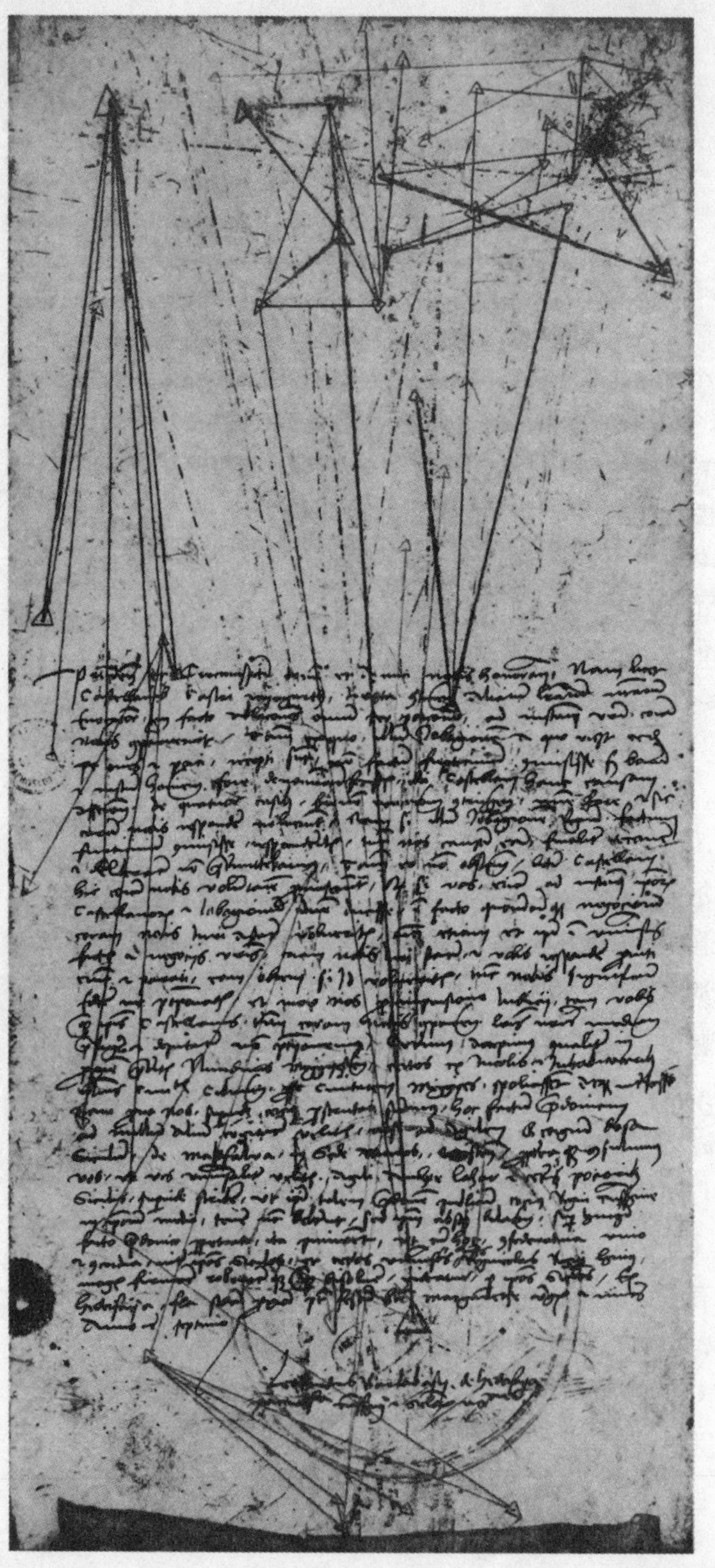

“恶棍！”

时间：1507 年 7 月 19 日

貌似每个家族都至少有一位出色的祖先——散发着人格魅力的睿智婶祖母，或是名留历史的高祖父等。我们家族的名人生活在 16 世纪。莱纳德•巴拉巴西（Lénárd Barlabási）在事业达到顶峰时当上了特兰西瓦尼亚的副总督。他的上司是约翰•匈雅提总督。

不过，莱纳德的后人也不是不值得一提。相反，当米克洛什•萨基在内格雷克被乔治•塞克勒处死后，莱纳德的表亲约翰就正式补上了他的空缺，被封为了乔纳德主教。有一些人惨死了，如彼得•巴拉巴西（Péter Barlabási）就在他的靠山乔治•拉科齐二世（György Rákóczi Ⅱ）被废黜后被吊死了。还有彼得的儿子伊斯特凡，他跟随自不量力的拉科齐争夺波兰王位，在战斗中被杀死。在密密麻麻的家谱中，其他的男男女女可能也很优秀，但我们这些后人只知道他们发生过的争端。留存的皇室文件详细记载了他们为了争夺莱纳德留下的家产和名誉而长期不和。

我们很容易追踪莱纳德•巴拉巴西的生活，因为很多档案馆都保留着他的信件。作为 16 世纪特兰西瓦尼亚社会和政治面貌的目击者，他的资料经常被大家引用。遗憾的是，他的信不是用匈牙利文而是用当时的官方文字拉丁文写的。不光是我看不懂，就连很多中世纪历史专家都被难住了。事实上，圣母大学的中世纪研究专家丹尼尔•格里高利•派瑞特（Daniel Gregory Perett）在翻译我在锡比乌档案馆找到的那封 1507 年的信时，觉得有必要在译文后附上三页的评论和免责声明。

莱纳德 1507 年的那封信的前三段说的是一个农奴偷盗的事。这个奴隶来自锡比乌附近一个叫做文贾德（Vingard）的小村庄。按照丹尼尔•派瑞特的译文，文贾德的城主称这个奴隶是“善良正义的人”，坚决反对对他施刑。由于众说纷纭，莱纳德要求他们在某一天都聚集到他那里以做最后判决。

信的第二部分非常有趣，上面写道：

> 我们还得到消息，在最近一次集市日上，麦格斯（Meggyes）附近的小镇塞本（Szeben）的部分居民遭到了抢劫和杀害。
>
> 经过仔细查证，我们发现这个强盗不是别人，正是来自马洛斯县（Maros County）马克法瓦村（Makfalva）的塞克勒人乔治•多热骑士。
>
> 因此，我们建议你赶快写信给安德拉什•拉沙尔骑士（András Lázár）和其他塞克勒贵族，告诉他们不该藏匿整个特兰西瓦尼亚中部地区的公敌，而应该马上对他的偷盗行为施以重罚，以泄众怒。让其他塞克勒人和国家良民都清楚地看到，塞克勒人是要捍卫国家的团结和谐，而不是削弱和破坏国家安定。
>
> 第七年圣母玛利亚庆典结束后的第一个星期一于赫德法雅（Héderfája）搁笔。
>
> 赫德法雅的莱纳德•巴拉巴西
> 特兰西瓦尼亚副总督
> 塞克勒子爵

巴拉巴西在信中讲述了一个发生在距锡比乌约50公里的撒克逊小镇麦克斯的犯罪事件。鉴于“我们发现这个强盗不是别人，正是来自马洛斯县马克法瓦村的塞克勒人乔治•多热骑士”这句话，我们可以说他在有文字记载的历史上首次提到了乔治•多热•塞克勒这个人。

令人困惑的是，这位副总督为什么不直接在1507年夏天将塞克勒捉拿归案，而只是建议锡比乌的领主写信给安德拉什•拉沙尔以及其他塞克勒贵族，让他们“马上对他的偷盗行为施以重罚”？也许是由于塞克勒的独立传统，迫使他采取自由放任的态度。不管他的谨慎源于什么，这封信在揭示乔治•塞克勒的前十字军生涯上起了重要作用。

并不是说1876年之前的历史学家都对乔治•多热•塞克勒特别仁慈。贵族和神职人员（那个年代的史官）就对这个胆敢藐视他们，藐视社会秩序的人表示出既厌恶又愤怒的情绪。比如说，约瑟夫•厄沃特什（József Eötvös）在1847年写的历史小说中就将乔治•塞克勒描绘成了一个冲动的醉鬼。书中的塞克勒脾气暴躁、任人唯亲，卷入了一场他根本驾驭不了的历史洪流中。

根据巴拉巴西的信，乔治•塞克勒犯下了两项罪名：抢劫和谋杀。这封信揭示了塞克勒离开特兰西瓦尼亚的原因：根据副总督的命令，塞克勒人“不该藏匿整个特兰西瓦尼亚中部地区的公敌”。所以他就去贝尔格莱德这片不毛之地当了一名雇佣兵。在那里，只要愿意镇守边疆，所有罪犯都能找到庇护所。基于此，仅在7年后，也就是在他打败了艾利之后，他觉得在布达城现身已经很安全了。然而，他并未期望能领到什么奖赏。所以当王室因为缺少征讨奥斯曼土耳其的英雄将领而慷慨地赠与这位声名狼藉的亡命之徒荣誉和金钱时，他自己以及后来的史学家们都小吃了一惊。

不过，并不是所有人都盲目地看待他的荣誉。据大部分史书记载，乔治•塞克勒被我们的预言家、国王的亲信以及十字军的反对者伊斯特凡•泰勒格迪拒之门外。你应该还记得萨基主教拒绝将国王许诺的300块金币给他的情景——很明显，他知道塞克勒的过去。塞雷米在 1514 年那部富于影响力的史书中写道："主教训斥了他一顿。"

第一次发现这封信的匈牙利历史学会成员卡洛伊•绍博为这种流行的史家观点开了先河。在 1876 年所写的总结报告中，他失去了应有的公正，在文中表达出了反感："皇室不仅没有惩罚这个强盗和杀人犯，反而奖励他，夸赞他的英勇行为。匈牙利的红衣主教竟然赐他权利，放纵他和那群暴民的不法行为，陷国家于危难之中，使国家几个世纪都无法恢复元气。"

乔治•多热•塞克勒的传记作家桑多•马尔基（Sándor Márki）1913 年的作品反映了相似的情绪："对于这个昨日的恶棍、农民和下级官员，今日的著名贵族以及千军统领，国王和主教能如此恩泽真是闻所未闻。"

巴拉巴西的信件浮出水面后，史学家推断萨基主教和乔治•多热•塞克勒之间的矛盾可能是源于后者以前的行径。要是这样解读的话，萨基在内格雷克被杀就绝不是一次偶然，而是一次残酷的复仇行动。

● ● ●

在 1507 年的这封信中，莱纳德•巴拉巴西和乔治•多热•塞克勒并不是唯一让我感到熟悉的名字。莱纳德的孙子巴林特（Bálint）是伊赫德（Ehed）的地主，而伊赫德是塞克勒中部的一个小村庄，我的祖父艾伯特于 1909 年出生在那里。自此，家族姓氏中那个拗口的"l"就被去掉，直接改为"Barabási"。我的曾祖父在一次去毛罗什瓦萨尔海伊（Marosvásárhely）的路上在马背上遭到了枪袭，所以艾伯特很早就成了孤儿，不得已才搬去了伊赫德。他最后在塞克勒七大行政中心之一——吉奥斯蒂莫克罗斯（Gyergyòszentmiklós）定居。

从祖父的房子骑自行车就能到萨赫基（Szárhegy）。在说这个村子的名字时，你一定要注意他的匈牙利语发音。若将它写做或念做 Szarhegy，那村子的名字就变成了"粪山"的意思。但其实，村庄里伫立着美丽的文艺复兴城堡，城堡周围高墙林立，五座塔楼配以精美的手绘装饰，分外美丽。由于已经荒废了近一个世纪，塔楼遭受风吹日晒已经破败不堪，曾经厚实坚固的城墙大都被附近的居民拆去做了地基。只有坐落在城堡上部萨尔迈尼（Szármány）山坡上的圣方济会修道院基本没受到什么破坏。即便如此，在 1951 年圣方济会被视为非法教会，教士遭到驱逐后，这座修道院还是或多或少受到了损害。然而，多亏了一位当地的学者在 1974 年将修道院改成了一个艺术中心，它才得以免遭彻底的破坏。每年夏天，这里都会吸引来自全国各地的 30 多位艺术家。

由于我之前的理想是做一个雕塑家，所以高一结束后我就被父母送到了萨赫基，参加了为期一个月的艺术夏令营。当时我只有 15 岁，少年不知愁滋味，不知疲倦地做了所有我认为该做的事：带着一张著名前辈画家的油画上山；为其他人当模特；用大理石雕了一扇窗户；参与保护城堡墙壁上的手绘装饰。一个月后，我对城堡里的一草一木都非常熟悉了，包括声名狼藉的卡萨姆劳克（kaszatömlöc）。那是一个很深的洞，以前的死刑犯都被扔下去，洞里锋利的刀片能将人撕成碎片。

虽然这座城堡在 1632 年才竣工，但它最古老的塔楼早在 1490 年就已经建好了。塔楼是为萨赫基的安德拉什•拉沙尔家族建造的。70 年后，莱纳德把乔治•多热•塞克勒的命运交到了安德拉什手上。

乔治•多热•塞克勒、安德拉什•拉沙尔，以及莱纳德•巴拉巴西共同出现在 1507 年的信中也许只是巧合。即便如此，当特兰西瓦尼亚的命运被交到这些人的手上时，这些人的联系再次浮出了水面。

我们不会永远漂泊

爆发的轨迹2：手机模型

手机数据帮我们解决了这个自相矛盾的问题：如果人类活动遵循列维模式，我们就永远找不到回家的路，但实际并非如此。事实证明，我们不会永远漂泊。我们逃脱了定律的诅咒，每次都能找到回家的路。

“我打电话来是想跟您谈谈合作的事情。”电话那头的那个人说。他自我介绍说是一家我没听过的公司的经理。他说话很快——事实上应该说非常快，看上去连一秒钟的时间都不愿浪费。在第一本关于网络的书出版一年后，我已经习惯了读者发邮件或打电话来咨询有关互联系统的问题。但这是仅有的几通打过来不是要索取而是要给予的电话，所以我对此特别关注。

打电话的人是一家移动电话集团的高层主管，他的公司意识到掌握谁在跟谁打电话的记录很有价值。读了《链接》（*Linked*）之后，他开始确信社交网络在改善公司客户服务方面必不可少。所以，他想用公司客户的匿名信息作为交换，让我们的研究小组为公司提供一些建议。

他的直觉没错：我的研究小组很快发现，**潜在的社交网络深切地影响了移动电话用户的行为模型。**基于此，公司在经营方式上做了很多调整——从市场营销到客户维护。

自此，他便开创了在移动通信领域引入大量研究的先河，而且在过去几年来各大移动商都开始纷纷效仿。虽然他在推进电话工业的网络思维方面功不可没，但由于他的谦虚和谨慎，他从来不愿意将自己的名字和这些成就联系起来。

在我和我的研究小组埋头研究错综复杂的移动通信期间，我们逐渐了解到手机不仅能透露我们的朋友是谁，而且还能捕捉到我们的行踪。事实上，我们每次打电话时信号塔上的记录载体都会精确地找出我们所在的位置。这一信息不是非常准确，因为我们可能处在信号塔接收区的任意一个地方，而这个区域可能有几十平方公里。另外，只有在使用电话时我们的位置才会被记录下来，而不用电话的时候我们在哪儿它就无从知晓了。尽管存在这些限制，但这些数据还是为我们研究人类的运动模型提供了大好机会。

玛尔塔•冈萨雷斯（Marta González）是一位来自委内瑞拉的天才物理学家。2006年，她在德国斯图加特拿到博士学位后就加入了我的研究小组，主要研究人类行为课题。由于需要整理很多资料，加上隐私上的技术问题，她的任务相当重。但是她为破译浩瀚的信息付出了巨大努力，并最终获得了回报。她花了很短时间就完成了对100 000个人（匿名）在6个月时间里的行踪信息的提取。

令我们惊喜的是，玛尔塔的研究结果与德克•布洛克曼的结论完全一致：虽然大部分用户在两次打电话期间运动的距离不过一到三公里，但偶尔还是会有人旅行了上百公里。总的来说，他们运动的距离跟德克研究的钞票运动的距离都遵守着同样的幂律分布。这再次证明了人类的运动跟猴子和信天翁一样都遵循列维轨迹。但我们高兴得太早了。当玛尔塔的计算结果最终出现在电脑屏幕上时，我们倒不是很确定那是列维飞行轨迹了。

列维飞行是否消失了

在那篇颇具创新性的论文发表6年后，谢尔盖·布尔德列夫又从弗谢沃洛德·阿法纳西耶夫那里收到了关于信天翁飞行模型的新数据。谢尔盖以为这些更加精确的数据能够再次证明他在1996年的发现，所以他开始对此进行分析。令他沮丧的是，他发现长途飞行（列维飞行的特征）消失了——新数据中，鸟儿长途飞行的距离变短了，而且变得相对平均了一些。这看上去就像信天翁开始有意地进行随机运动，极力避免列维模型。

困惑的谢尔盖决定重新分析支撑《自然》杂志上的那篇论文的数据。这次他发现了一些古怪：**虽然长途飞行一直存在，但主要发生在鸟儿刚起飞以及快要结束飞行的时候。**这就好像一只信天翁刚开始就进行一次长途飞行，但在找到了一个鱿鱼较多的海域后就停了下来，然后一次接着一次地涉水捕鱼。吃饱后，它才会进行另外一次长途飞行，飞回自己的窝中。

这当然也是有道理的：一只吃饱了肚子并且还有个舒适小窝的疲惫信天翁会飞回哪里呢？严格来讲，**问题是如果信天翁遵循列维轨迹，那么长途飞行模型会随机分散在它们的飞行历史中，而不是只出现在飞行刚开始和快结束的时候。**

出于好奇心，谢尔盖将初次和末次飞行从原先的数据中去掉了。这应该不会影响统计。但之后他发现列维飞行的特征消失了——剩下的飞行状态只是简单的随机运动。

虽然每只鸟的长途飞行初始记录中的开端和结尾部分仍然是个谜，但整体上看，这些数据很像经人工雕琢过，而不像是鸟儿的实际飞行状态。万分苦恼的谢尔盖开始怀疑鸟类的运动并不遵循列维模型。鉴于他在1996年发表在《自然》杂志上的那篇论文的影响力，如果这次的发现是正确的，那就像给科学界丢了一颗炸弹。

但这颗炸弹并没有爆炸，至少现在还没有。不过，这并不是因为谢尔盖放弃了追查，他还是确信某些地方不对劲。这是因为一项重要的工作改变了他的优先级顺序，所以这项新发现被搁置在办公室中多年都没公开。

在斯坦利的实验室工作了14年的谢尔盖共跟人合著了190篇论文，其中8篇刊登在《自然》杂志上，这样的成果足以令许多终身制教授汗颜。虽然他很喜欢在波士顿大学工作，但他的职位仍然是临时的。他的薪水主要来自于斯坦利的好意帮助以及自己积极筹措的研究基金。

2004年，将近天命之年的谢尔盖觉得到了该“赢得一些尊重”的时候了，所以就向几所学校递送了三份教授职位申请。他知道万事开头难，因为他动手太晚，所以可能要再发个几百份简历才会找到合适的工作。但几个月后，意想不到的事情发生了，纽约的叶史瓦大学（Yeshiva University）向他抛出了橄榄枝。他立即打包离开了波士顿，那时恰好是他快完成那篇关于列维飞行的论文的时候。由于搬家和繁重的教学任务，他将论文放在了待办事宜清单的最底部，并且一放就是四年——跟西奥多·卡鲁扎的论文在爱因斯坦的办公桌上待的时间一样长。如果不是一个新的变动重组了谢尔盖的优先级清单，它可能就被永远搁置了。

信天翁模型是假象吗？

2005年10月底，英国大西洋调查协会（British Atlantic Survey）聘请了天性乐观、拥有应用数学学位的红发青年安德鲁·爱德华（Andrew Edwards）担任他们的生物圈复杂行为分析师。爱德华很快就对信天翁的飞行模型发生了兴趣，并在不久之后注意到长途飞行主要发生在鸟儿刚起飞以及快要结束飞行的时候。但他不知道的是，谢尔盖在几年前就已经发现了这个现象。

爱德华后来写信给我说英国大西洋调查协会的理查德·菲利普斯（Richard Phillips）告诉他，“这可能是因为鸟儿刚开始以及快要结束飞行时的记录将它们在巢中所待的时间也算进去了”。这一修正已经在最近的发现中得到了证实，如弗谢沃洛德在2002年发给他表亲的新数据。

随着进一步研究，爱德华发现原来的数据库中的很多鸟儿都装有一个能够同时记录它们所在地的初级卫星发射器。他将这些数据下载下来后，菲利普斯的猜测就得到了证实：鸟儿在最初以及最后那段长时间发出干信号的时间里并没有飞行。相反，它们舒舒服服地坐在自己干燥的窝中。一旦将这些休息时间从数据中去除，爱德华发现新的飞行模型恰好遵循爱因斯坦的原子扩散理论——这一发现跟谢尔盖的不谋而合。爱德华的电脑计算出的所有数据都表明那只是个简单的随机运动。

2007年，也就是谢尔盖的论文发表7年后，动物捕食的列维特征已经不再是假说，而成了已被大家接受的科学事实。很多生态学家、动物研究学家、数学家以及物理学家以此为论据发表了上百篇论文。所以，当大家读了10月25日的那期《自然》杂志后，整个科学界都震惊了。杂志上面刊登了一篇由爱德华、谢尔盖以及其他学者合著的论文，**他们得出的结论是漂泊信天翁那看似遵循列维飞行的运动模型其实是一种假象。**

我们得到消息的时候正好是玛尔塔完成手机数据分析的时候，而且她的研究指出人类的运动跟信天翁和猴子一样都遵循列维模型。但是，列维模型突然间又被推翻了，而《科学》杂志也刊文发问说：“漂泊信天翁在乎数学吗？”大家的争论引起了我们的注意，我们不得不重新审视人类行为的列维模型的正确性。果然，我们大吃一惊。

每个人并没有走远

要认识到手机数据的重要性，我们应注意到乔治网网民追踪的是钞票，不是人。也就是说，盖瑞在俄亥俄州的枪展上标记的那张钞票又在佛罗里达现身，绝不意味着从盖瑞那儿买枪的那个人现在正在佛罗里达国家公园的沼泽地上捕杀鳄鱼。

> 事实上，那人很可能又去旁边的摊位用那张钞票买了一张保险杠贴纸。然后，这张钞票可能又到了一个业余猎手的手里，而他又在宾夕法尼亚的一个加油站用掉了它，之后它可能又落到了一个要去佛罗里达的卡车司机的口袋里。当一个在迈阿密海滩度假的人得闲将这张钞票的序列号输入乔治网的时候，它可能已经被世界各地的很多人用过了。

所以，**钞票的运动并不代表人的运动。相反，钞票就像个正在被传递的接力棒——它们从一个赛跑者手里传到另一个赛跑者手里，沿着相同的路线被传递了很多次。**

基于这一不足，德克又被一个很重要的问题卡住了：每个人每天的旅行路程到底是多少？德克可以观察到钞票的运动轨迹，但无法弄清每个携带者的运动模型。这就像你在黑暗中看一场接力赛，只有发光的接力棒在神奇地沿着跑道运动。

而玛尔塔的手机数据则像个能看到每个人的实际运动情况的更加精密的显微镜。在研究生西泽•伊达尔戈（Cesar Hidalgo）的协助下，玛尔塔再现了一个用户的运动轨迹并将其圈定，然后对这位用户经常活动的区域做了估计。之后，她又用同样的方法分析了10万个用户。

玛尔塔能圈定这些区域让我们很担忧，因为理论上讲人类或猴子的运动都不会严格遵守列维模型已经是板上钉钉的事了。实际上，只要你去调查一只猴子过去的运动轨迹就会发现，它们肯定会去一个之前没去过的地方找寻香蕉树。总的来说，猴子遵循列维模型运动得越久就会离出发点越远，因此就必须圈定一个更大的区域以追踪它的行踪。还记得那个定律吗？如果人类遵循列维模型运动，那么就可能永远无法找到回家的路。他们会越走越远，直到死去。

正如定律所估计的那样，人类显然没注意到这一点。玛尔塔发现，**大多数人并没有走远，而是在一个固定区域内活动。也就是说，每个人的活**

动都局限在某个特定的区域内。

我们对此并没有感到特别吃惊：我们有家有工作，所以总是在这两点一线间往返，很少会偏离轨道。玛尔塔的发现令我们感兴趣的一个最主要的原因是，**我们的运动根本就没遵守列维模型。**

但当玛尔塔比较每个人的活动区域的半径时，我们真的吃了一惊。“我的日常生活距离跟你们，还有成千上万的其他人的差别到底有多大呢？”她在探究人类本质差异的时候这样问道。很明显，除非你和我在一起住并在一起工作，不然我们的生活鲜有交集。但基于上下班的交通以及吸引我们的事物或多或少存在的相似性，我们的生活圈真的没有可比性吗？

事实上不是：幂律分布再次从玛尔塔的分析中浮现。研究发现，我们大部分人的生活圈子都很小，最多不过几公里，我们在这一区域内做规则的往返运动。高度本地化的大多数人和每天旅行几十公里的一部分人，以及每次会旅行上百公里的少部分人共同生活在这片天空下。这些活动范围大的人并不是跟我们一样偶尔在节假日或谈生意的时候出趟远门。他们都是哈桑·伊拉希那样的人。这些“脚痒”的人经常会在世界各地游走。[①]

哈桑也有家，也有工作场所，但奇怪的是你几乎不可能在那附近找到他。因此，将他的日常活动范围跟大部分人一比，我们就会发现他显得有

① 这并不是说我们研究的用户有两种，一种是生活圈子小的大多数，一种是每天旅行上百公里的少数。幂律指出了这两种人存在交集：很大一部分人真的是只在附近一到三公里的范围内活动；还有一些人（相对较少，但还是占大多数）的活动半径是6公里；另外一些人的日常活动半径是80公里。这些人与那些活动半径达到上百公里的个别人共存。从这个角度看，理查森的结论是正确的：越大就越少。你的活动范围越大，周围跟你一样的人就越少。——作者注

些不平常。没错，他就是个异类。

虽然他的异类使他变得有些特别，但他绝不是独一无二的。事实表明，我们的数据库中像他一样的人很多。

如果我们所有人的日常活动范围都差不多，那么异类就会非常稀有，而且会让人们觉得吃惊。但事实上，这在充满泊松或高斯分布的世界中是不可能出现的。在那个世界里，你我的活动范围基本上没什么差异。不过，一旦我们的日常活动符合幂律分布，异常值不但是被允许的，甚至还是我们所期盼的数据。它们相当于理查森搜集的战争数据库中的世界大战，或是帕累托财富分布中的洛克菲勒或比尔•盖茨。

毫无疑问，德克是对的：钞票的运动就是遵循列维飞行模型。我们看似得不出的结论事实上出现了。如果钞票落入那些活动区域小的人手中，它就不会走太远；但如果钞票落入了哈桑或卡车司机这类异类手中，那么它可能会在千里之外的地方才会被花掉。这就像一场小孩儿和奥运选手共同参加的奇怪接力赛。如果接力棒在小孩儿手中，它就会在一定区域来回运动；但如果被奥运选手拿到了，想赶上他就困难了。

最后，玛尔塔发现，**钞票的运动之所以符合列维模型并不是因为我们每个人都在做列维运动，而是因为我们中间存在异类**。还记得吗？乔治网追踪的是现金，不是消费者。社会的异质性——大部分喜欢居家的人跟少数环球旅行者之间存在很大不同，使钞票得以长时间待在同一个地方，只是偶尔出趟远门。这是一个虽奇怪但很自然的模型——正好符合德克最初的发现。

手机数据，让我们回家

在爱德华、谢尔盖以及他们的团队推翻了信天翁的觅食遵循列维飞行运动模型的观点四个月后,《自然》杂志又刊登了一篇关于这个问题的论文。普利茅斯大学海洋生物学协会（Marine Biological Association Laboratory）的动物研究学者大卫•西姆斯（David Sims）对海洋动物和它们的运动习性进行了大量研究。他的研究小组搜集了上百万条关于多种水生物的活动的数据。他们得出结论：鲨鱼、硬骨鱼、海龟以及企鹅的活动都符合列维飞行运动模型。于是，对列维飞行的研究就好比坐上了令人恶心眩晕的过山车。让我们再重新审视一下这个曲折的过程吧。

● 1996年，谢尔盖和他的同伴发现信天翁的运动符合列维轨迹。这个发现促使人们将从猴子到熊蜂的动物界研究了个遍，而且发现它们都遵循列维模型。

● 2007年，谢尔盖和他的同伴重新审视了这一发现，并指出漂泊信天翁进行的是随机运动。然而，如果列维飞行是最好的觅食方法，为何自然选择不强制动物利用它呢?

● 2008年2月，大卫•西姆斯又指出动物们确实遵循列维模型。虽然有些数据记录超出了他们的控制能力，但事实证明谢尔盖最初的发现是正确的。这使我们又回到了起点：尽管我们不太清楚信天翁的习性，但大部分动物的运动还是符合爆发列维模型。

科学研究本身也经常遵循列维模型——一个飞跃性的发现总是伴随着很多不起眼的小发现，有些甚至是相悖的发现。然而，这些并非无用的努

力，而是检验一项新发现的必要工具。

在涉及人类问题时，这种曲折更是引人入胜。2006年，布洛克曼发现美元的流通遵循列维模型，指出人类的日常活动跟信天翁或猴子没什么差别。这项发现意义重大，它表明了虽然我们的食物不再紧缺，但进化过程中我们脑中根深蒂固的觅食习惯还是没有改变。但是当我们开始通过手机记录匿名追踪每个人的行踪时，我们又发现钞票的流通并不能说明每个人的旅行模型，而是揭示了每个人旅行习惯的不同。**钞票流通距离的不同揭示了我们之间存在能够影响全局——从病毒的传播到城市资源管理的异类。**

事实上，你我都不会像列维微粒或猴子觅食那样渐行渐远。相反，不管走到哪儿，我们还是会很快回到家里。你可能会觉得很无聊，但事实的确如此——我希望你能坚持到结论揭晓的那一刻。因为虽然你和我看起来都很一般，但哈桑和其他一些嗜游如命的异类使我们的世界变得奇妙异常。

最后，手机数据帮我们解决了这个自相矛盾的问题：如果人类活动遵循列维模型，我们就永远找不到回家的路，但实际上并不是这样。这一预测没有错，但前提是我们都遵循列维模型。与此同时，事实证明我们不会永远漂泊。我们逃脱了这项定律的诅咒，每次都能回到家中。

那么这是不是意味着乔治·塞克勒——在耻辱和荣誉之间徘徊的人，最终会像我们一样，在某一天回到家中呢？他不顾主教和教皇的命令，将十字军变成了对抗贵族的起义军。作为千军统领，他现在可以想做什么就做什么，剩下的就只是优先级的问题了。所以，如果他愿意，他完全可以回到塞克勒。现在，只有一个问题能够阻碍他做决定：不管他去哪儿，他身后都跟着寄希望于他的一纵部队。所以，他必须学会三思而后行。如果有三万个崇拜你的人坚持跟随你，你会选择去哪儿？

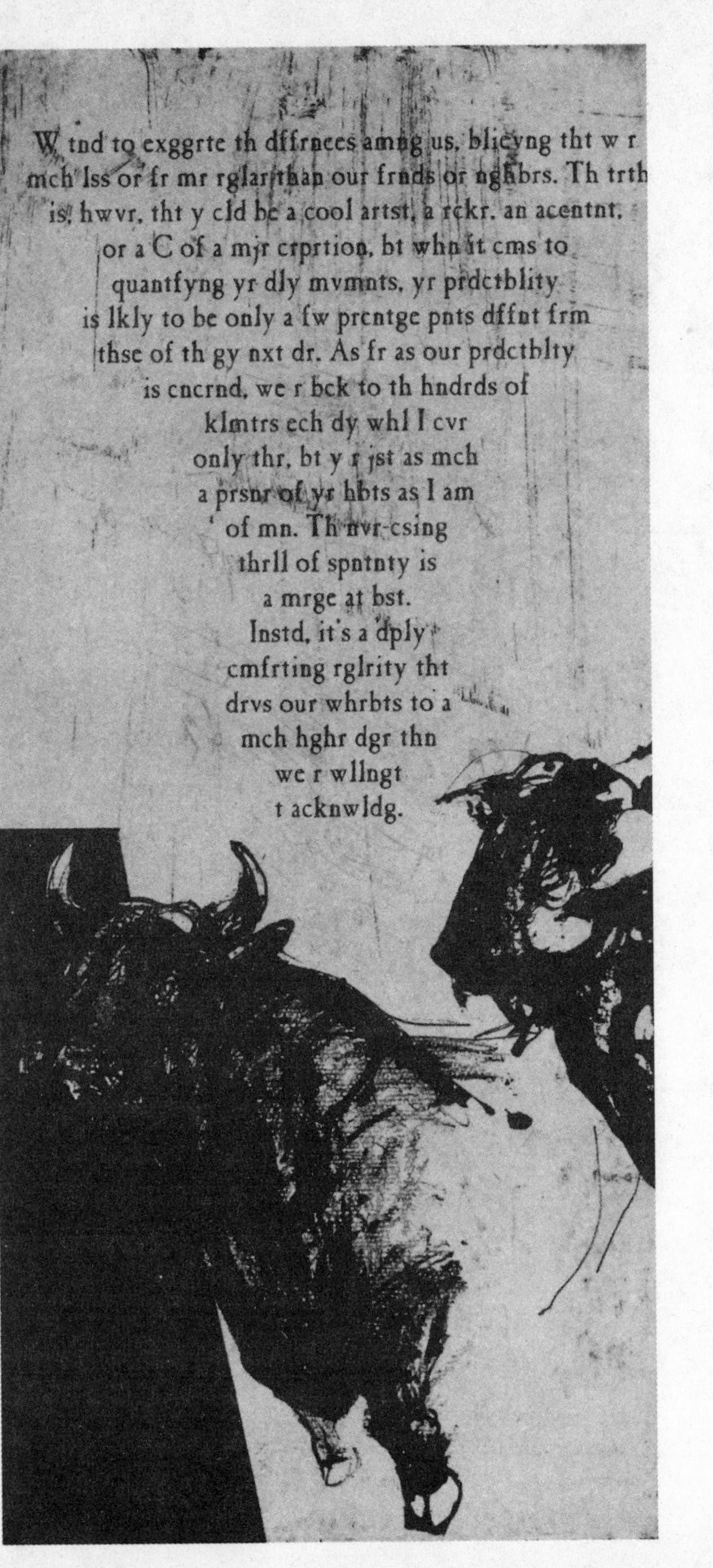
W tnd to exggrte th dffrnces amng us, blieyng tht w r
mch lss or fr mr rglar than our frnds or nghbrs. Th trth
is, hwvr, tht y cld be a cool artst, a rckr, an acentnt,
or a C of a mjr crprtion, bt whn it cms to
quantfyng yr dly mvmnts, yr prdctblity
is lkly to be only a fw prcntge pnts dffnt frm
thse of th gy nxt dr. As fr as our prdctblty
is cncrnd, we r bck to th hndrds of
klmtrs ech dy whl I cvr
only thr, bt y r jst as mch
a prsnr of yr hbts as I am
of mn. Th nvr-csing
thrll of spntnty is
a mrge at bst.
Instd, it's a dply
cmfrting rglrity tht
drvs our whrbts to a
mch hghr dgr thn
we r wllngt
t acknwldg.

革命吧！

地点：泰密斯瓦

时间：1514 年夏，距 5 月的大屠杀仅过去一个月

易守难攻的泰密斯瓦是继贝尔格莱德后又一个匈牙利防御重镇。它的优势主要得益于险要的地势和可怕的碉堡。城南和城东是一片芦苇沼泽，无论你是步行还是骑马都不可能穿越。城西的贝加河宛如一条天然的护城河，仅留有一条狭长的小道与外界连接。约翰•匈雅提在半个多世纪前建造的高大厚实的土方石塔楼，可供弓箭手、火枪手在各个方位保护城池不受侵害。当匈雅提在 1456 年动身去将贝尔格莱德从奥斯曼土耳其人手中抢回来的时候，他在泰密斯瓦修建了一个碉堡，这个碉堡能轻易抵挡乔治•多热•塞克勒的十字军现在正发射的加农炮。

虽然它固若金汤，或者说正因为它如此坚固，十字军才必须将它攻破。伊斯特凡•巴赛瑞就藏在这城中。他偷袭十字军的前哨部队在很大程度上导致圣十字军东征演变成了血腥的内部起义。然而，对乔治•塞克勒来说，攻打泰密斯瓦并不是为了报仇。任何一支军队都需要一座堡垒做撤退基地。他看好泰密斯瓦是因为那里是一个土地肥沃、城墙坚固、商贾云集的理想基地。就算要

打一场遥遥无期的战役，那里也足够了。

在内格雷克吃了败仗死里逃生的巴赛瑞再也不敢轻视乔治•塞克勒的农民军了。所以逃回泰密斯瓦后，他就马上开始增加城池的防御力量——修补城墙、往城内囤积粮食和军火，而且还不惜倾家荡产招募雇佣兵。这近乎疯狂的防御准备最终发挥了作用。6 月 13 日那天，守城将领轻易击退了蜂拥在主门的十字军。

不过，在乔治•多热•塞克勒这场失败的进攻中丧生的战士们并没有白白牺牲，起码这让乔治多少了解了这座城的防御力量。据他总结，要是从正面硬碰硬肯定会让他们损失惨重，所以他决定采取长期围困之策，使用加农炮逐个击破敌人的防御工事。

乔治估计，如果仲夏的炎热一直持续，几个星期后沼泽便会干涸，这样一来，十字军就能从防守较弱的南面和东面接近城堡。不过，塞克勒绝不会将赌注押在天气上，所以他派了几千名士兵去完成一项艰辛的任务——重塑自然地貌。他们挖了一个 8 公里长的大沟，改了河道，以期将湿地上的水排干。一旦沼泽变干，城堡便会在数日内被攻破。不光是塞克勒，就连巴赛瑞都觉得这是一个万无一失的计划。

● ● ●

在内格雷克之战打响之前，十字军对贵族的进攻都只是在打游击，其中一些战斗还违背了乔治•塞克勒的命令。然而在大屠杀事件发生后，十字军在这位领袖的祝福和领导下一路过关斩将，占领了沿途所有的堡垒要塞。在乔治•塞克勒率领大军到达泰密斯瓦之前，半个匈牙利都已臣服在他的脚下。很多城市和堡垒都自愿打开城门，小部分拒绝投降的城市都被他们用武力占领了。只有皇城布达、泰密斯瓦以及贝尔格莱德成功地抵御了他的进攻，所以他们打算以泰密斯瓦为突破口改变这个现状。

在漫长的围攻期间，乔治•塞克勒不仅要监督沟渠的挖掘进度，还要确保国王不会派兵支援。他的战术很简单：派兵骚扰其他贵族，让他们无暇组建成一支强大的军队。为此，他派了他的弟弟格瑞格里率领一支部队向西挺进布达城。一路上，格瑞格里攻克了已故主教萨基的主教区乔纳德以及其他一些城镇。而东北部则交给了军中最负盛名的将领洛林茨教友（Brother Lörincz）。他带军挺进了特兰西瓦尼亚的一个军事重镇奥拉迪亚（Nagyvárad）。最后，塞尔维亚•拉多斯拉维（Serbian Radoszlav）率军向南，负责制服匈牙利剩下的敌人，然后一路挺进贝尔格莱德。

十字军还得到了国王本人的无心帮助。他派了当时著名的骑士和贵族约翰•贝贝克（János Bebek）率领一支贵族部队抗击十字军。由于贵族们不愿留家眷独守城镇遭受十字军的掠夺，集军的过程相当漫长，所以求功心切的贝贝克还没等军队集结完毕就出发了。他愚蠢地以寡敌众，袭击了一支十字军，结果很快就全军覆没。

当贝贝克失败的消息传到布达城时，惊慌失措的国王立刻又派了另外一个贵族伊斯特凡•普雷恩伊（István Perényi）去接手他的部队。不过，他忘了先撤回吃了败仗的贝贝克，所以匈牙利出现了两股敌对的贵族势力。几个星期以来，他们一直在争夺领导权的问题，留下泰密斯瓦自生自灭。

从主教在4月24日任命乔治•塞克勒为十字军统领到现在还不足三个月。在这么短的时间内，这个曾经遭流放的雇佣兵已经变成了一个拥有杰出战术和严明纪律的精神领袖，并攻下了大半个匈牙利。先不管后代历史学家最终会将他视为抢劫犯和杀人犯这个事实，乔治•塞克勒策划围攻泰密斯瓦的战术至今仍令人推崇。就算是那些严厉指责乔治•塞克勒的历史学家都不得不承认，这场经常被称为无组织无纪律的农民起义，实际上是在一位精于战术战略的精明将领领导下的一场系统而全面的战争。

除了在前线运筹帷幄，乔治•塞克勒还重组了当时的社会秩序，将塞克勒人的作战文化带到了战场上。[①]按照惯例，军营中的圣方济会修士和行乞修道士都该受到赞颂，赞颂他们促成了 1514 年的社会意识变革。然而，十字军这套传统已经被乔治和他的弟弟格瑞格里用塞克勒人的独特视角重新演绎了。正如那个时代的一位威尼斯观察员指出的，十字军只不过是想改革并重组匈牙利王朝，让国王、主教以及两位贵族执掌国家大权。这是塞克勒人的规矩，即他们只承认国王、法官以及国王在地方的代表这三个当权者。

另外，乔治•塞克勒还承诺要按照士兵在战场上的表现论功行赏，将贵族的土地分发给他们。这也是塞克勒人的传统——按照军阶将公有的土地分配给个人。当乔治•塞克勒发布《采格莱德宣言》（*Proclamation of Cegléd*），鼓励佩斯城和索尔诺克城（Szolnok）的市民拿起武器战斗的时候，他不是在征集志愿军，而是在命令大家加入他的军队。那些拒不从命的人被告知，乔治•塞克勒“会烧掉他们房子，而且绝不放过他们的家人”。这是一种不符合匈牙利惯例的严厉惩罚方式。不过，这样的命令对塞克勒人来说再熟悉不过了。在塞克勒，对那些拒不履行军事职责的人，大家都会按照惯例拆除他们的房子。

这样一个在 7 年前曾经抢劫商队的普通雇佣兵，是怎么转变成为一个精神领袖的呢？如果他在 1507 年时真如众人所说是一个不折不扣的罪犯，那为何他没有被副总督莱纳德•巴拉巴西治罪呢？答案只有两个字：政治。

很多历史书上都没有指出莱纳德写那封信的前一年，塞克勒地区的局势异常动乱。生下来就是贵族的塞克勒人通过为国家提供军事服务而免纳赋税，但只有公牛税除外。在国王加冕日、大婚日以及长子生日的时候，塞克勒每家每户都要象征性地上缴一头公牛。

为了沿袭当地的传统，塞克勒人在乌拉兹洛王 1490 年的加冕仪式上一共

---

① 1514年革命中有关塞克勒传统的其他一些例子是他们的征兵方式，即在每个村子里都竖着一根血柱，这跟塞克勒人征兵时总会在他们部落前立一把血剑相似。——作者注

进贡了一万多头牛，然后又在他 1502 年的婚礼上进贡了这么多牛。当王储，也就是未来的路易斯二世（Luis Ⅱ）在 1506 年 7 月 1 日出生的时候，国王再次期待着塞克勒人的礼物。不过，这次塞克勒人什么也没准备，理由是只有当国王的第一个孩子是男孩时他们才会进贡公牛。

当这位缺钱的国王派他的税官来取贡品时，从来都不甘做顺民的塞克勒人立即将他杀死了。受到羞辱的国王马上派福高劳什城（Fogaras）的城主帕尔•托莫里（Pál Tomori）去整顿秩序。虽说塞克勒人"天不怕、地不怕"，但带着 500 个骑士雄赳赳地去征伐他们的托莫里深知，塞克勒人虽脾气暴躁但在内心深处还是很尊重国王的。事实上，塞克勒人之前从未将矛头指向国王。所以当骑士兵团在毛罗什瓦萨尔海伊附近遭到一支塞克勒武装的围堵并溃败而退时，托莫里着实吃了一惊，而且他还身受 20 处重伤，差点丢了性命。

当战败的消息传到宫廷后，国王又派了一支更强大的队伍去应战。这次是锡比乌的撒克逊人奉命前去制服抗旨的塞克勒人。然而，撒克逊人刚到，塞克勒人就回家了。因为他们决定，既然国王这么想要牛，他们就给他牛。

这场流血冲突刚过去了一年，塞克勒人并没有忘记撒克逊人是如何应国王征召来攻打他们的。他们一路上烧杀掳掠，杀死了很多塞克勒的将领。由此产生的深仇积怨破坏了特兰西瓦尼亚三大民族（匈牙利人、塞克勒人、撒克逊人）的团结。为了争权夺势，塞克勒人觉得他们有必要给邻居们一个教训。编于 20 世纪 80 年代的三卷本的《特兰西瓦尼亚历史》（*History of Tyansylvania*）对该地区的历史记录是目前最详细的。据书上记载："第二年对参与镇压塞克勒人武装的锡比乌的撒克逊人的战争，是由来自马克法瓦的乔治•多热领导的。他就是后来去边境当了一名雇佣兵的乔治•塞克勒。"

所以我在档案馆中查到的，巴拉巴西在 1507 年写的那封信上所说的其实不是字面上理解的一桩抢劫案。作为塞克勒的一位子爵，巴拉巴西肯定已经意识到乔治•多热攻打撒克逊人对塞克勒人的意义。但作为特兰西瓦尼亚的总督，他必须尽量避免三个民族之间发生冲突，以确保"国家的团结和谐……得到巩固和加强”。所以，他故意将乔治•多热•塞克勒说成一个罪犯，将复仇定义成抢劫，如此一来便巧妙地削弱了这场复仇战的严重性。

因此，实际上，乔治•多热•塞克勒并不是如 1507 年那封信上写的那样，是一个卑鄙的抢劫犯和杀人犯。在那个政治纷争狂热的年代，当塞克勒那令人嫉妒的自由受到威胁时，他变得日渐成熟了起来。他肯定参加了 1506 年的那场在毛罗什瓦萨尔海伊附近抵御皇家骑兵的战斗，因为一年后他便受到重用，可以率兵向曾在没有对手的情况下烧杀掳掠塞克勒人的撒克逊人复仇，以夺回塞克勒人的荣誉。

事实上，谁又会记得 7 年前距布达城千里之遥处的商人被杀事件呢？在那个年代，这是再平常不过的事情了。只有乔治•塞克勒在对国王以及他的同盟者的政治斗争中的作用，才能解释为何萨基主教和约翰•泰勒格迪会翻出塞克勒那笔 1514 年发生在特兰西瓦尼亚的旧账。

● ● ●

回到泰密斯瓦，遭到围困的巴赛瑞马上意识到十字军挖的那条不断扩大的沟渠的危险性。如果军需能够跟上，他能永远守住这座城池的大门。但要想抵御从沼泽地那边过来的敌人的全力进攻可就难了。为了阻挠乔治•多热•塞克勒的计划，巴赛瑞带着一支骑兵小分队在一天晚上出其不意地袭击了守卫沟渠的十字军。还没等十字军反应过来，那个新建的大坝就被毁了，水都流进了沼泽地。

对乔治•塞克勒而言，这是一次重创，但他没有气馁。他加强了沟渠的防守，以确保能够抵御下次偷袭。然后，他继续按照原计划行事，并坚信一定能很快攻破城池。重新抽取湿地的水使得决斗日期至少要推迟到 8 月。不过，这一个半月多的围困足以耗尽城内的粮草，也就意味着吃饱喝足的十字军将轻易战胜城内饥兵。

与此同时，乔治•塞克勒派出的那些分队已经让贵族们焦头烂额，所以他知道没什么好怕的。只有一个人能与他抗衡：特兰西瓦尼亚的总督约翰•萨普雅。不过，萨普雅跟十字军一样都很痛恨巴赛瑞，这一点是个公开的秘密，所以谁来支援他也不会来。另外，十字军最后一次听到萨普雅的消息时，他还在南部等着加入这支十字军去攻打君士坦丁堡呢。

不过乔治•塞克勒仍然觉得没有安全感，因为现在萨普雅肯定已经听说了这场席卷匈牙利的革命，所以他肯定也在往回赶。十字军准备给他一个惊喜：洛林茨教友已经离开了奥拉迪亚，率众直捣特兰西瓦尼亚的心脏。为了壮大队伍，他决定先抢占特兰西瓦尼亚最繁华的城市科罗日瓦（Kolozsvár）。

如果这位总督想守住他的国家，除了战胜洛林茨教友那支不断壮大的队伍外，别无选择。这样一来，乔治•多热•塞克勒就有足够的时间攻克泰密斯瓦了。一旦乔治占领了这里，战势就会发生质的变化。到那时，国王和萨普雅别无选择，只能承认并善待乔治•塞克勒了。

每个人都是习惯的奴隶

爆发的频率：熵

我们到底有多好预测？我们终于能够为这个一直困扰我们的问题给出一个定量的答案了。虽然人与人存在很多不同，但我们的可预测程度都差不多，无情的统计规律使得异类根本不存在。我们的行踪都深受规律影响，而它的影响力比我们想象中要大得多。

新时代的奥威尔式“高科技妄想症惊悚小说”《游侠》(*The Traveler*)于2005年面世后，网络上就掀起了一场奇怪的论战。书中描绘了一个没有危机和意外的世界，一个无趣的平常世界。这个大同世界由一个名为“巨型机器”(Vast Machine)、遍布世界各地的电脑系统维持。这个系统由数以百万的监视器、感应器和探测机组成。只有一个曾经很强大的古老部落的后人以及他们的持剑保护者“哈里昆人”(Harlequins)能够意识到“巨型机器”的出现，并准备将它摧毁。

博客和论坛上关于这本书的讨论，很容易都集中到了对后9•11时代与书中那个被严密监视世界的比较上。另外，讨论还集中在对这本书文学价值的批评上。正如一位批评家所说，这本书“看起来可能只有七年级的阅读水平”。而对于这一评价，很少人会去质疑。不过，还有一些讨论是关于这本书的作者十二只鹰(John Twelve Hawks)。

这本书的大卖以及电影版权的敲定应该会让十二只鹰跃身为世界名人，使他成为像史蒂芬•金(Stephen King)以及丹•布朗(Dan Brown)一样的知名作家。但事实并非如此。这不是因为媒体故意回避他。人们没听说过十二只鹰的真正原因是，没人认识他。他不做图书签售，也不参加任何图书推广会。实际上，他从未出现在公众视线中，甚至跟他的编辑都只通过无法追踪的卫星电话联系。就像书中终其一生追踪“巨型机器”的哈里昆人一样，十二只鹰“生活在社交网络之外”。而正是这种神秘的隐居生活才让人们一直讨论他的真实身份。

> 《游侠》的主角是一个哈里昆人。她从来不用信用卡，也不去银行开户，甚至不会长期居住在同一个地方，她就这样一直生活在社交网络之外。她意识到“任何能够反映哈里昆人日常生活习惯以及生活圈”的现象都能被“巨型机器”捕捉到，并进而查到她的所在地，所以她总是“随机行事”。也就是说，她依靠随机数生成器来替自己做决定。“奇数是对，偶数是错。只用按下按钮，随机数生成器就会帮你做决定”，而这样一来她的活动也就变得完全不可预测了。

书中不仅描绘了一场善恶争斗，将读者带到了一个犹如西奥多•卡鲁扎呈现给爱因斯坦的五维世界当中，还融合了日本剑术武打和量子计算机科学等诸多元素。但它回避了一个问题：谁能将这个可预知人类行为的“巨型机器”建造出来？

我们完全相信粒子物理学家能将对质子的运动轨迹的预测误差缩小在微微米的范围内，也相信火箭专家能够成功发射一颗卫星，并保证在9个月后在火星上放置一个机器人。但跟质子和卫星不一样，人类会在不断改变的世界中寻求新的体验，所以想要预测人的长期行为是不可能的。事实上，基于我忙碌的行程安排，到目前为止我发现任何试图预测我在一周之后的行踪的尝试都是徒劳。这也让我更确信“巨型机器”将会永远待在属于它的地方——科幻小说中。然而，最近我开始对此有所怀疑。

让数据变得更有意义

我们心中有一个根深蒂固的观念：年轻意味轻狂和未知。受到西方20

世纪六七十年代主张教政分离者那种反主流文化的影响，加上如今的网络青年开创的那种速食潮流，“年少轻狂”成了无数广告宣传、电影剧本和前40名榜单金曲的惯用标语。基于此，我们开始将大学，这个青年文化的摇篮浪漫化，将学生视为最天真率直，至少是最容易被预测的人。然而，经常跟学生交流的麻省理工学院的教授桑迪·彭特兰（Sandy Pentland）却发现这个观点十分荒谬。

在20世纪90年代早期，彭特兰教授在麻省理工学院的媒体实验室开始了对便携式电脑的研究。他指出，随着电脑的不断变小，不久之后，我们会将它一刻不离地带在身边。桑迪的预测惊人地准确，因为现在电脑已经变成了我们的行头以及时装配件之类的东西。实际上，通常情况下我们已经不称它们为“电脑”，而是简单地称之为“智能电话”。

2004年秋天，桑迪实验室里的博士生内森·伊格尔（Nathan Eagle）免费给100名学生每人发了一部当时最高级、最值得拥有的诺基亚智能手机。不过，这可不是白给，条件是手机拥有者的一举一动都会被记录下来：他们在何时何地给谁打电话，他们的聊天时长，他们的位置以及周围都有些什么人等。在为期一年的实验结束后，内森·伊格尔和桑迪·彭特兰一共搜集了45万小时的数据。这些数据是对75位媒体实验室的教员和学生，以及25位斯隆管理学院的新生的通信、行踪以及各种行为的记录。

为了使数据变得有意义，内森将每个学生的行踪分为三部分：家、工作地以及“其他”。最后一项指的是他们既不在家也不在工作地，而是在沿着查尔斯河慢跑或在朋友家聚会的时候。然后，内森开发了一个运算系统来探测重复的行为动作，并很快发现工作日学生们大多在晚上10点到早上7点之间待在家里，在早上10点到晚上8点之间待在学校。他们的行动只有在周末才有细微的变动，那时候他们往往愿意一直在家待到早上10点。

每个熟悉学生生活的人都不会对这一结果感到惊奇。但系统对他们行踪的预测确实准得惊人。内森发现，如果他知道一个商学院的学生上午待在哪儿，他就能以90%的准确率预测出他下午的行踪。对媒体实验室的学生来说，这个系统发挥得更好，准确率一度达到96%。

生活如此抵触随机运动，渴望朝更安全、更规则的方向发展这一点引起了我们的兴趣。如果真是这样，那么学生们的生活就是按部就班的，而不是像掷骰子那样日复一日地进行着。事实上，内森的运算系统一周之内只有两次没有预测出他们的行踪。在这短暂的“叛逆”时光里，他们终于表现出了人们内心中的狂放和自由。但这些不可预测的时间并不是随机的——是星期五和星期六晚上，典型的聚会时间。在每周剩下的时间里，一天24小时中的22小时，他们既不是如遁形般难以定位的奥萨马•本•拉丹，也不是无处不在的布兰妮•斯皮尔斯，而是一成不变地过着机械生活的普通人。所以，那些坚持用随机数生成器做决定的哈里昆人可能真是想到哪儿做到哪儿吧。但如果他们在麻省理工学院读书，那么他们的行踪就不再是秘密——对内森来说不是，对“巨型机器”来说更不是。但我们还是可以避免《游侠》一书中描绘的那种奥威尔式世界的出现。

对我来说，当我在2007年夏天买了一支巨型手表之后，无助感就油然而生了。那是一块扎眼的反流行表，同时也是个能每分每秒定位我的位置的GPS装置。我戴上它几个月后，一个计算机专业的客座学生瞿泽辉（Zehui Qu）利用内森•伊格尔和桑迪•彭特兰的运算系统计算了GPS上记录的数据。果然，瞿在熟悉了几天之后已经能以80%的准确率预测到我的行踪了。

虽然这个运算系统的表现令人吃惊，但内森用它对麻省理工学院学生所做预测的 96% 的准确度，同对我的 80% 的准确度之间的差距还是有待分析。我和麻省理工学院的学生都不能代表大部分人。玛尔塔对手机记录的研究已经解释了这个问题：**一旦涉及人类的运动模型，每个人都是有差异的**。一些人，如麻省理工学院的学生和我，都是在家和工作地之间往返的类型。但还有一些人是经常旅行，几乎不着家的异类。

这是不是就意味着有些人比麻省理工学院的学生和我更难预测？是那些一连好几周全国各地到处跑的卡车司机？抑或是那些开着小面包车载着孩子在钢琴课和剑术课之间跑来跑去的“足球妈妈”？还是我们的那位“行踪可疑”又惹祸上身的超级旅行者哈桑•伊拉希？这些人跟你我有什么差别？我们周围真的有靠掷骰子做决定以至于我们永远无法预知他们行踪的哈里昆人吗？

你的重复性决定你的熵

如果丹尼尔每个工作日都是上午 8 点开始工作，中午在同一个餐厅吃午饭，然后在下午 6 点左右下班，并在家里一直待到第二天早上，那么他未来的行踪对我们而言就没什么秘密可言了。用物理学或信息科学的术语来说，丹尼尔的熵就是零。换句话说，他的行踪是完全能被预测的。相反，利用随机数生成器做决定的哈里昆人的熵就趋于无限大，如此一来他们的行踪就是完全不可知的。

熵是用来描述一个体系的混乱程度的（或者是有序度）。奥地利物理学家路德维格 · 波尔兹曼（Ludwig Boltzmann）将熵 S 和系统可用状态数

Ω通过公式$S=\log\Omega$联系了起来。换句话说，如果系统现在的状态很明朗，那么状态数就是1，也就是说$\Omega=1$，那么熵就是0。然而，如果一个系统的状态数是N，那么它有一个无限大的熵，也就是$S_{max}=\log N$。

如果丹尼尔的日常生活异常规律，那么任何时候他的行踪都是明朗的。所以，对他来说就是S=0。然而，对哈里昆人来说，他们某个时间可能会在N个不同的地方，那么熵就是logN。波尔兹曼同时代的人认为熵的发现很重要，因此就将它刻在了波尔兹曼的墓碑上。他们是对的，它的确很重要。

如果我想知道你有多好预测，我必须先知道你的熵，而这正是宋朝明（Chaoming Song）试图做的研究，而且不是针对一个人，而是针对无数个人做的研究。宋朝明，一个聪明的博士后研究助理，他是2008年春天加入我的实验室的。他在利用我们的手机数据库分析百万个用户的数据时很快发现，其实算出每个用户的熵没有说得那么容易。

宋发现最大的困难在于，大多数时候他并不知道这些用户的具体位置。实际上，只有在我们使用手机时，手机信号塔才能记录我们的位置。但是，我们的手机模型是具有爆发性的，这就意味着当我们连续使用手机时，在短时间内会有关于我们所在范围的很多记录；但信号塔还会有很长一段时间没有任何方位记录，因为我们那个时候没有使用手机。这种杂乱无章的记录使得用户没有想象中好预测。

事实上，由于丹尼尔总是在几个地方（家、办公室以及餐厅）规律地运动着，所以他的行踪才比较好预测。但要是我们只有在他打电话的时候才知道他的行踪，那我们就需要花上很久才会知道他的生活如此规律。如果他偶尔偏离规律的生活轨道，比如散步到附近的公园去吃午饭，或者早早下班去跟朋友一起下馆子吃大餐，那么根据我们掌握的散乱的数据，他的行踪看上去的确是随机的。**从某种程度上讲，我感到自在多了，因为那表明我们的生活被无数个爆发点笼罩着，想要追踪每个人的行踪变得很难，而想要做出预测就更难了。不过，我马上意识到爆发并不能使我们躲过所有的雷达网。**

宋朝明从我们日常活动的一个重要特性上得到了意外的灵感——重复[1]。如果我们去国外旅行，那我们的朋友肯定会很高兴定期收到我们在做什么以及我们在哪儿的状态更新。然而，如果是在工作日中，每小时给研究员打个电话核对他们的进度是一个非常惹人厌的举动。事实上，我们的工作在某段时间会毫无进展，这样我只能重复同一个答案：我还在工作、工作中、还是在工作、仍然在工作。我知道，亲爱的——你总是在工作。

宋朝明恰好能从这种重复性中获益，因为它能帮他完成一开始时那个毫无头绪的工作：揭开电话模型爆发的不确定面纱。也就是说，依靠我们做事时习惯上的重复性，朝明巧妙地设计了一个能精确预测每个用户的熵的程序。基于此，我们最终能够为那个一直困扰我们的问题给出一个定量的答案了：我们到底有多好预测？

① 说明重复问题的最好方法就是，利用克劳德·香农（Claude Shannon）在1948年发表的那篇里程碑式的论文——奠定了信息理论基础的文献中提出的一个例证。根据熵的概念，他指出英语有50%的重复性，也就是说“hlf of th ltrs o ths txt ca be dletd and w cold stll dcipr is mnig”这段话中有一半字母可以删掉，而且我们仍能理解它的意思。不具重复性的语言指的是组成一个单词的每个字母都有意义，所以漏掉或打错其中一个字母，那个单词的意思就会完全改变，比方说walking (走)和waking（醒），或goddess（女神）和godless（无神论的）。实际中，THE在英语中有明确的意思，但THE、EHT、TEH或者ETH却没有，所以不管我们怎么拼错这个单词，它都能被理解。这就是想出一个好字谜的难点所在——如果我们在表格上横向写几个单词，那么通常纵向的字母组合就无法成为单词。——作者注

每个人都有一个最大可预测性

1927年，年轻的德国物理学家维尔纳·海森堡（Werner Heisenberg）发现了一个不等式，也就是有名的“不确定性原理”（uncertainty principle）。这个原理指出，**在不确定的情况下你对一个物体的方位知道得越多，就越不能确定它会去哪儿。**也就是说，如果我们费尽心思确定一个粒子的精确位置，那么我们就不可能得出它的速度；但如果我们测出了它的速度，那我们肯定不确定它的位置。

海森堡的预测之所以违反直觉，是因为它对我们的研究质量没有什么帮助——它指出即使是最好的实验也不能同时确定一个粒子的位置和速度。但正是这一点才显示出它的重要性，从电子到人类，这个定律适用于所有事物。实际上，对于一辆正在行驶的自行车或是疾驰的汽车来说，可预测的不确定性太小以至于大家都没注意到。但事实就是如此。（我自己曾在一辆自行车和一辆疾驰的汽车之间弄伤了手腕，但海森堡不需要为此负责。）

根据海森堡的“不确定性原理”，我在想人类的可预测性是不是也存在根本的限制。为什么我不能预测你们未来的行为呢？是不是我使用的工具有一定限制？还是我掌握的数据质量不够好？再或许是我已经到达了极限却不自知？如果这个极限真的存在，那么就算我们优化了工具，完善了数据质量，未来对我们来说仍然是个谜。另外，**如果真的存在某种极限，那么发现它的确切本质就变得很重要，因为它可能揭示了我们的绝对可预测性，通过它我们就能预知未来。**

爆发实践

尼克·布鲁姆（Nick Blumm）是我实验室里的一名研究生，他证明了这个极限确实存在，而且我们都会受它影响。在我看来，这一点颇具讽刺意味，因为发现这一点的人生活中充满了意想不到的转变。在以优异的成绩获得物理学学士学位后，尼克在学术界已经争得了一席之地。但他并没有按部就班地生活，而是决定做些改变。他曾去东京当英文老师，跟随默剧大师马塞尔·马索（Marcel Marceau）学习哑剧并取得了很好的成绩，去曼哈顿辅导富人的孩子，然后又去了布鲁克林儿童博物馆（Children's Museum in Brooklyn）做了自然科学馆的馆长。过了近十年随心所欲的生活后，他看了我写的《链接》那本书后，才找到自己想要追求的东西。之后，他就回到学校攻读网络学博士学位。照这样看，尼克最有权力问这个问题：有谁能解释他那条反传统的生活轨迹？他自己？有可能，但不确定。确切地说，他证明了不管我们的预测系统多么精密，我们对熵是 S 的手机用户的预测还是会偶尔出现差错。

如果丹尼尔的熵是 0，理论上讲我们能够 100% 准确地预测出他的所在。然而，大多数人的熵都不是 0。这就意味着他们的行动会有一定的随机性——他们会偶尔做出我们始料不及的转变。所以，**每个人都有一个最大可预测性，以至于不管我们怎样努力都不能绝对肯定他的具体位置。**

当宋朝明忙于测算每个手机用户的熵时，我们已经发现人类的活动遵循幂律规律了。也就是说，大部分人都不怎么出远门，只有少部分异类会定期进行长途旅行。因此，每个人的预测程度存在很大不同这一点并不是讲不通的。如果一个人的生活局限在一个小圈子里，那么我们很容易就能找到他。但对于像哈桑那样定期去几千公里外的地方旅行的人，我们知道要想找到他们就很难了。

不过，我们这次的直觉错了——预测性并不遵循我们熟悉的幂律规律。也就是说，不管我们多么努力地搜寻，数据库中都找不到异常值。相反，我们发现所有用户的平均可预测程度都在 93% 左右。

这就意味着人们只有 7% 的时间是行踪不定的。这些不确定事件往往发生在两个人们最常去的地方之间——比方说在高峰期乘车上下班的时候，或者午饭计划有变动的时候。在剩下的时间里，大部分用户的行踪都相对容易预测。

对一些熵值低的用户来说，他们的可预测程度甚至接近 100%。这并没有什么奇怪——它只能说明我们中有些人的生活非常规律罢了。真正令人意想不到的是，我们的案例中根本没有预测程度低于 80% 的人。不管他们的生活圈子有多大，搭乘什么样的交通工具，每个人都是习惯的奴隶，这使得他们的行踪变得极易预测。

我们的手机用户中没有哈里昆人，这不禁令我们困惑起来：那些随心所欲、反复无常的人都去哪儿了？他们到底藏在哪里？

在进一步讨论之前，**我想说明的是“我们做了什么”和“我们的可预测程度有多高”之间存在本质的差别。当涉及“我们做了什么”这个问题——比方说我们的旅行距离，发邮件以及打电话的数量时，我们遵循幂律规律。**也就是说，总有一些人比其他人更活跃，他们会发更多邮件，会去很远的地方旅行。这也说明异类很平常——总有一些哈桑那样的人，他们会定期去几百甚至上千公里外的地方旅行。

但一旦涉及人类行为的可预测度的问题，幂律规律令人吃惊地被高斯分布取代了。这意味着，不管你把自己禁锢在方圆 2 公里的社区内，还是每天驱车去数十公里外的地方，又或者是乘快车甚至是坐飞机上下班，你都和别人一样好预测。一旦高斯分布出现，异常值就不存在了，正如爆发在泊松的随机世界中不存在，或者不可能在街上看到一个 3 000 米的巨人一样。**虽然人与人之间有很多不同，但我们的可预测程度都差不多，无情的统计规律使得异类根本不存在。**

但尽管统计规律百般阻挠、万般遏制，还是有人能够不受限制。这个人就是我们的朋友哈桑•伊拉希。

谁是异类

底特律被扣事件发生5年后，也就是他的追踪无常项目实施一年后，哈桑再次飞回美国。这次他乘坐的是伊比利亚航空公司的6251次航班，目的地是纽约的肯尼迪机场。最近，他过得非常自在，因为在满世界转悠的时候他几乎没再受到移民局的骚扰。但这次下飞机的时候，那种似曾相识的感觉又回来了——他又被带到一个特殊的房间隔离了起来，对方要求他在那里等候。

> "我就在那儿一直等，一直等，一直等，"他回忆道，"有人进来问了一些问题后就走了，然后过了五分钟又有人进来问了一些其他问题后又走了。他们都是传话的人。我一直没能跟负责人说上话。"

最后，他听见一个探员对房间里的另一个人喊道："嘿，坐伊比利亚航班来的那个家伙还在吗？"哈桑异常懊恼，他当然还在啊。然后他被带到了一间问讯室，这才弄清了事情的缘由。

并不是有人想告诉他发生了什么事。这种保密程序——问问题，不泄密，现在对哈桑来说已经再熟悉不过了。但是按照哈桑的话说，国土安全部是"一个非常粗心的机构"，所以即便他不想听也不想看也没辙。

比方说，他们在问讯室里落下了一张纸，刚好就放在他眼前。上面有一个被拒绝入境乘客的名单，而它明显对哈桑很不利。一定是有人粗心大意地将这张纸留在了这儿，恰好让哈桑发现那上面记了三个恐怖分子嫌疑

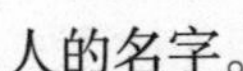

人的名字。

那三个都是穆斯林的名字，一个来自巴基斯坦，一个来自沙特阿拉伯，剩下那个来自美国。而那个美国人正好是他自己——哈桑•伊拉希。

所以，哈桑最终弄清了自己被扣留的原因。其中那个巴基斯坦人已经因“间谍罪”被拘留了。另外那个来自沙特阿拉伯的人被怀疑是“军火走私者”。而哈桑——好吧，看到他名字后面写的被扣留的原因，他感到很困惑。

上面并未提到他那个“私藏弹药”的储藏库。

也没提他那个颇具讽刺意味的监视行动——追踪无常项目。

那张纸上写着：“9•11后形迹可疑”。

“那么，到底是什么让他们觉得我‘形迹可疑’？”想到文件上写的内容，哈桑忍不住夸张地说道：“说句题外话，关塔那摩监狱的一名叫克里夫•斯坦福•史密斯（Clive Stafford-Smith）的律师说，他们发现了一份某人对自己为什么会被关进关塔那摩的原因的报告。那个人在报告中说原因是‘他下出租车的时候举止可疑’。”

哈桑说着说着就提高了音量。“一个人下车的方式有多少种？怎么区分哪些举止‘可疑’，哪些‘不可疑’呢？话又说回来，什么是‘可疑’的举止，什么又是‘不可疑’的举止呢？”

哈桑想不明白。但我不能稀里糊涂就扔下这件事，因为它产生了一种很重要的可能性：**“可疑”是不是等于“不可预测”**？

哈桑不在我们的手机用户数据库中，就算在我们也不知道，因为数据都是匿名的。不过由于他已经仔细追踪自己的行踪好几年了，所以我们不需要知道他的电话记录。他发给我们一个文件，里面包含2007年2月到2007年12月间他自己的一举一动。在这10个月里，他去了1 040个不同的地方，足迹遍布美国和欧洲。看起来他好像去了很多地方，但实际上并不是。据我那支巨型 GPS 手表显示，在 2007 年的两个月时间里，我也去了 515 个不同的地方。①

从某些方面看，虽然哈桑和我在运动上存在类似的地方，但我们俩其实非常不同。事实上，虽然我的生活不像麻省理工学院的学生们那么规律，但根据我 80% 的可预测程度，要想知道我的方位并不难。然而，当瞿泽辉利用预测系统分析哈桑的数据时，他遭遇了一次惨不忍睹的失败——他试了 4 000 多次，但只有 3 次能正确预见哈桑的位置。即便使用往世界地图上扔飞镖的方法来决定他的位置都比这准确度高。实际上，哈桑就是一个哈里昆人，是完全不可预测的。

我坦率地将这一发现告诉了哈桑，跟他说据我们的研究，他的行为完全是随意的，他的可预测程度是 0。

“不可能是 0 吧，对不对？”他笑了笑，然后紧接着说，“我是说，有些地方我会经常去啊。”

的确，新泽西州的某个地方哈桑一共去了 131 次。随后我们发现当时他的家就在那边。但就算是这样，要预测他还是没那么容易。可以比较一下，在我乖乖戴着那款 GPS 手表整整两个月的时间里，我被追踪到在家的时间有 880 次。我和哈桑的区别简单来说就是：我每晚都会在家睡觉，但哈桑在开往欧洲的火车上睡觉或睡在机场的时间跟他睡在自家床上的时间几乎

① 瞿泽辉将地图以两平方公里为单位分割开来，每两平方公里都被视为一个单独的区域。——作者注

差不多。他的确时不时回家，但并没有什么可识别的模型。

在哈桑看来，他的不可预测性并没什么特别让人感到惊讶的地方。虽然他没有明确地这么说，但我感到他认为我们的分析有点让人难以理解。[①]他能轻易对自己的每一步行动做出解释，所以他确信自己的行为是完全正常的。

“这是我的工作，”他说，“四处奔波就是我的工作。”

我并不这么认为。并不是说我怀疑他的话，真正的问题是如果我们的可预测程度跟旅行距离一样符合幂律规律，那么其中就会有很多异类，但如果不符合幂律规律，那异类就不存在。他们不可能出现，所以我们同样都是可预测的。但不论我们怎么分析那些数据，一旦涉及他的可预测程度和生活方式，哈桑显然就是个异类。由于异类在这种情况下并不存在，所以正如国土安全部怀疑的那样，他就是很不正常。

到处都是电子踪迹

回到年轻时代，很好，而且会显得很时尚。年轻人这个群体会更自由奔放吗？哈桑和我之间的不同，能不能归结为我们有五岁的年龄差距？然而，我们马上意识到不是这样的。

我们搜集了一些 14 岁到 16 岁的年轻人的资料，这样一来我们便能轻

① “从4月中旬到现在，我一直在休罗格斯大学（Rutgers）的公假。”他告诉我：“所以我的工作日不那么规律。就算去学校工作，我基本上也是坐飞机去上课，上完课后就离开。所以，这是正常的。”他想了一会儿又说道：“因为那一年我其实一直在到处跑。”——作者注

易比较不同年龄段的人的可预测程度了。结果是明确的：**不管是年轻人、中年人，还是老年人，所有人的可预测程度都差不多。其中只有一个现象值得注意：与女人相比，男人的可预测程度要低一些。**

我们经常会夸大自己和别人的不同，总以为自己的生活与周围的人相比要更规律或更不规律。然而，事实上，不管你是艺术家、摇滚乐手、会计，还是大公司的CEO，一旦将你的日常生活量化，你的可预测程度和你的邻居相差无几。由于我们的可预测性，我们又回到了熟悉的泊松和高斯世界，在那里每个人都相似，所有事都很“正常”。你可能每天会到几百公里外的地方活动，而我的生活圈可能只有3公里，但你我一样都是习惯的奴隶。那种永不停止的自由奔放只不过是个幻象。相反，**我们的行踪都深受规律影响，而它的影响力比我们想象中要大得多。**

我们会随身携带手机，会用信用卡，会经常被监视器拍下来，总之我们所到之处都留下了电子指纹。哈里昆人知道这种电子追踪的危险性，所以干脆用随机数生成器去避免习惯性的行为。但在虚拟世界之外，我还从没遇到过一个用随机数生成器做决定的人：我们一会儿在哪儿见呢——去星巴克喝咖啡，还是一起飞到东京去？让我们掷骰子决定吧！随着追踪设备的增多，再加上我们生活方式中根深蒂固的规律性，人们对隐私的关注也日益增强。我不禁也心生顾虑。嗯，我们真的要通过掷骰子做决定了吗？

要想预知未来，必先了解过去

尽管数据显示我的可预测程度很高，但熵值低并不会禁锢我的未来——只有当你知道我的过往历史的时候，你才能做出预测。另外，如果我的熵值很高，我的过去并不能说明未来会怎么样；如果我的熵值很低，

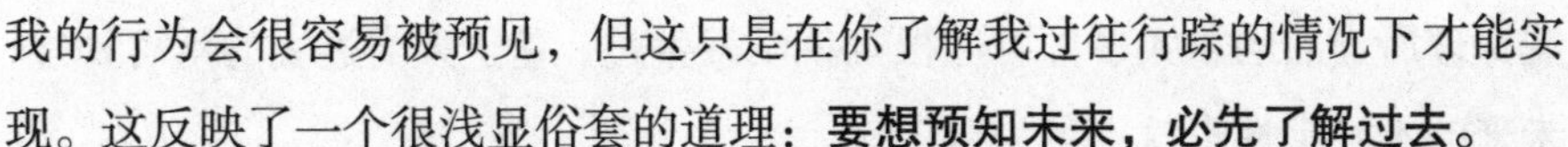

我的行为会很容易被预见，但这只是在你了解我过往行踪的情况下才能实现。这反映了一个很浅显俗套的道理：**要想预知未来，必先了解过去。**

然而，揭开过去的面纱并不如想象中那么容易。比方说，乔治·多热·塞克勒以及他一生的经历——怎么能确定之前我们忆起的那些关键事件真的发生过，而且是完全按照我们的描述发生的呢？**当熵值很低的时候，我们就会对某件事特别的确定。**

我来解释一下吧。乔治·塞克勒在贝尔格莱德的决斗是当时的著名事件，所以它的真实性几乎不存在什么争议。但他和他的部下在贝尔格莱德和内格雷克之间发生了什么事则存在很大的争议。虽然我们可以肯定主教在圣坛发起了十字军东征战役，但他是不是当即就决定让乔治·塞克勒来统领千军了呢？如今，大部分历史学家都认为乔治·塞克勒只不过是在布达被任命的众多将领中的一个，绝不可能是总司令。事实上，如果主教真的在布达正式任命了某人，在那样一个重要的时刻肯定会有书面记录留给后人。但没有任何那个时代的记录留存——我们只是在多年后的历史记载中得知了主教的选择。

由于明显缺乏证据，后代的历史学家认为是在十字军转变成起义军后，乔治·多热·塞克勒才第一次露面充当领袖。如果这是事实，他可能从来就没想带兵去攻打奥斯曼土耳其。他领导的那支十字军可能自始至终只瞄准一个靶子：贵族。

那为什么后来的史官会坚持认为是主教亲自任命乔治·塞克勒为领袖呢？嗯，也许是因为事情过去了那么多年，当时的很多细节都已被人遗忘，所以有些人觉得将塞克勒的权利看做直接来自教皇的神圣权利比较省事吧。

乔治·塞克勒和萨基主教在国王赏赐的黄金上发生的争执也是中世纪史官广为附和的故事。但那也许只是人们为这位不受欢迎的主教的被杀所找的一个善意的托词呢？所以，虽然难以理解，但一些被历史学家和读者视为理所当然的重大事件可能根本就没发生过。基于人类过去的不可知性，未来的不确定性也就不足为奇了。

我们不需要一路追溯到16世纪去弄清一件事的真实情况。要记住，虽然熵值低意味着可预测性高，但要想预知你未来在什么位置，我们必须知道你过去的行踪。虽然电话记录颇具洞察力，但要想达到预知未来的目的只依靠它们是远远不够的。要想预测你未来的所在，我必须知道过去几个月里你每个小时都在哪里。除非你使用手机的频率极高（很少有人会这样），不然你大多数时候的方位仍然是个谜。

所以，不管我们是在研究今天的事情还是16世纪的事情，我们最终面对的问题都一样：如果过去对我们来说是未知的，未来也就难以预测。但是，如果我们的过去突然变得清晰起来会怎么样？那么不管是人类的未来还是社会的未来都将不再是个谜团。所以，为了能够看到未来，我们必须及时回到过去。

这正是我们接下来要做的事情，再次回到16世纪深入调查乔治•塞克勒为围攻泰密斯瓦所付出的努力。

特兰西瓦尼亚牵制战

地点：特兰西瓦尼亚的科罗日瓦
时间：1514 年 7 月初，夏至

科罗日瓦在 1514 年时还不是特兰西瓦尼亚的首府，但由于这个地方土地肥沃、商贾云集、市场繁荣、铸造冶炼业发达，所以它变成这个国家最富有的城市也指日可待。科罗日瓦曾经是罗马的殖民地，在公元 895 年被匈牙利收复，然后在 1241 年遭到了鞑靼人的屠城。匈牙利前国王斯蒂芬五世（Stephen V）命令撒克逊人接手了这座弃城，但它的日益繁荣马上吸引了很多匈牙利人重新回到这里定居。至 15 世纪中期，全城 4 000 居民中半数都是匈牙利人，所以为了维护和平，该城的总督在 1458 年制定了一城两制的政策：城市的有效领导者，也就是士师，每年将由匈牙利人和撒克逊人轮流担任。

繁荣的经济加上作为皇室自治区而享有的税项优惠使得它有大量财力可以投入到防御工事上去。所以科罗日瓦城外环绕着 2.25 公里的高墙，上面设有 18 个塔楼，每个塔楼都有重兵把守。城墙四周的拱形吊桥连接着大门，每扇门都有铁闸保护，这也是所有防御工事的最薄弱之处。

这座城的宁静和繁荣最终在1514年被打破。夏至刚过，昼渐长天渐暖。科罗日瓦城城门紧锁，吊桥也被升起，守城官兵佩戴石弩和火绳枪在城楼上放哨。与此同时，不安的士师正在市政厅和议会大臣一起商议大事。一支人数众多的十字军现在就驻扎在城外要求进城。这座城市的未来和城内居民的死活都取决于大臣们的反应。

如果大臣们对这座城的防御能力有信心，那么他们无论如何都会紧锁大门。然而，他们知道城内的士兵再怎么训练有素，也不是城外洛林茨教友率领的十字军的对手。名声在外的洛林茨拥有过人的胆识和决策力，这在他攻克匈牙利众多守卫森严的防御重镇时已经有目共睹。另外，城内的穷人都支持十字军——或者说是革命者，这取决于你从哪个角度看他们。所以，如果围攻开始，城内守兵很可能会遭遇城内的叛乱者。

然而，打开城门放弃抵抗也绝不是好办法。那不仅意味着城内富有的大臣和市民要放弃地位和财富，将它们拱手让给农民，还意味着他们会被国王和总督视为十字军的共犯。

马提亚王在1467年平息了一场特兰西瓦尼亚的叛乱后回到他的家乡科罗日瓦时的一幕幕，城内所有人至今仍历历在目。马提亚王大笔一挥废除了这座出了叛贼的城市的皇室自治权，当众斩杀了三个贵族，并将所有叛军一一治罪。最后，这些反叛者都被烧红的铁钳撕成了碎片。

几年后，科罗日瓦才重新获得了贸易权利。所以当再次面临悍兵围城时，科罗日瓦的富有大臣们既害怕丢了小命，又害怕失去君主的信任。然而，他们没什么选择了，因为他们的保护者、特兰西瓦尼亚的总督现在下落不明。他们不得不靠自己的力量抵抗洛林茨的大军。那位总督到底在哪儿？他计划如何应对这场突如其来的革命呢？

1505年，国民议会下令如果乌拉兹洛王死后没有继承人，只有匈牙利人有资格登上王位。这很奇怪，因为当时的国王和女王都是从势力强大的皇室成员中挑选的，民族并不能作为参选的有利条件——现在人们心目中的民族观念在当时并不存在。

当时的国王乌拉兹洛是波兰国王和一位匈牙利公主的后人。由于冲突和纷争，乌拉兹洛王并没有一并统治波西米亚和匈牙利。[①]相反，他头戴的双层皇冠被认为是力量的象征，代表着增进捷克和匈牙利联盟的利益。

国民议会之所以期望匈牙利人当选国王，是因为他们想看到当时只有18岁的约翰•萨普雅登上王位。一年后，乌拉兹洛王的儿子的出生不仅引发了塞克勒人和国王那群如狼似虎的亲信的血战，更让萨普雅失去了称王的机会。然而，这位比国王还富有并手握兵权的年轻伯爵并没有老老实实地退居幕后。在贵族的施压下，乌拉兹洛王被迫任命萨普雅为特兰西瓦尼亚的总督。这个显赫的职位成了萨普雅继续觊觎王位宝座的有利据点。

1514年，当贵族武装一个接一个臣服在乔治•多热•塞克勒的脚下后，人们越来越清楚地认识到只有一个人能跟十字军抗衡：特兰西瓦尼亚的总督约翰•萨普雅。所以他迟迟未现身着实令人感到奇怪。有人怀疑他一边带领自己的十字军在奥斯曼土耳其边境打仗，一边坐山观虎斗——事实上，虽然匈牙利沦陷了，但特兰西瓦尼亚还是一片祥和景象。那儿没有招募新兵，没有十字军营地，更没有血腥的战争。[②]

---

① 当时的王国在如今大致包括匈牙利、捷克共和国、斯洛伐克以及部分塞尔维亚和斯洛文尼亚的领土。这些地方加起来共称为特兰西瓦尼亚，也就是今天的罗马尼亚。——作者注

② 事实上，哪怕是为了取悦皇室，萨普雅也会同意在特兰西瓦尼亚公布教皇诏书。但鼓动农民参军的任务落在了阿尔巴尤利亚主教身上。比起战争或政治，这位主教更热衷于艺术和科学，所以最终他的身边并没有多少士兵，而是成天被一群著名的人文学者包围着。比方说，有受俸牧师伊斯特凡·斯蒂尔拉塞尔，也就是4年后记录1514年战争的陶利努斯；还有执事长约翰·巴拉巴西，也就是莱纳德的侄子以及未来的乔纳德主教。由于急于维持总督对他的信任，这位主教早早就动身去了奥尔福德，但却颇合时宜地在走之前忘了将教皇的诏书交给牧师们。等他回到家时，正好赶上红衣主教正式废除了十字军，所以他干脆坐享因疏忽大意带来的政治利益，使特兰西瓦尼亚免遭匈牙利的不幸命运。——作者注

另外，匈牙利的悲惨境遇对萨普雅来说并不是什么坏消息。他从一开始就反对十字军东征，现在他更是心满意足地观望，因为随着时间一天天过去，越来越多的政治劲敌会在混乱中屈服。他的宿敌巴赛瑞遭到了攻击，被困在泰密斯瓦城内，而且还负债累累。乔纳德和泰密斯瓦附近被十字军占领的大部分土地都是乔治•布兰登伯格（György Branderburg）的领地。这位曾收到过吟游诗人陶利努斯呈献的史诗的边疆伯爵一直大力支持哈布斯伯格（Habsburg）继任王位，所以他不可能赢得萨普雅的同情。

然而在军营中，这位总督的缺席令很多人感到难以理解，而且流言已经如瘟疫般传遍整个军营。普遍的观点是他们的领袖乔治•塞克勒已经和总督定下了不开战的协议。事实上，由于萨普雅长期以来都支持削减贵族，所以很多人都认为总督也站在他们那边。

但当十字军挺进特兰西瓦尼亚边境的时候，现状就被打破了。洛林茨教友和他的军队首先到了特兰西瓦尼亚的门户和主要防御重镇奥拉迪亚。在1474年遭到土耳其人的围攻后，这座堡垒已经被重建并用高墙大瓦加固，而且作为主教的城堡，这里一直由威猛的皇军把守。难怪当这座以坚不可摧著称的不倒之城被洛林茨攻下后，消息竟很快传到了远在千里之外的意大利和布拉格。

为了维护无畏领袖的威名，洛林茨处死了守城官兵并扣押了城内的贵族。但他并没有在奥拉迪亚闲着。他留下一个小分队，又从当地招募了几千战士，然后带领他们一同进入特兰西瓦尼亚，向宝城科罗日瓦①挺进。

听到洛林茨向科罗日瓦进发的消息时，萨普雅已经穿越了南喀尔巴阡山脉，正在回特兰西瓦尼亚的路上。所以6月7日，他立即在德瓦堡（Déva）写了一封信要求整个特兰西瓦尼亚的贵族联合抗敌。第二天，他意识到形势紧急，所以就改了命令，要求所有贵族全副武装最迟在7月25日赶到奥拉迪亚，而且每个骑士也要全副装备并带领旗下1/10的农民应战——这是一个不寻常

① 宝城科罗日瓦（Kincses Kolozsvár）不久之后就变成了这座城市的完美昵称。——作者注

的命令，表明总督意识到了形势的严峻。

萨普雅先最后期限一周就到达了奥拉迪亚并在那里表明了自己的立场：任何称自己为十字军或想成为十字军的都要被抓起来，“砍头，剥皮，或被烧死、被杀死，遭受酷刑折磨至死”。

● ● ●

科罗日瓦的士师意识到萨普雅不会来救援，而且单靠自己肯定挡不住城外的十字军，所以他想出了一个万全之计——答应洛林茨的要求打开城门，但只有军官和随从可以进城，剩下的士兵只能驻扎在城堡附近。洛林茨也认为这是折中之法，免得还要长期围城。

城内大臣乖乖合作，作为交换，十字军不会进城抢掠，而被他们关押的一众贵族也将一并带进城交由士师监禁。这是士师在为未来押宝，他希望国王和总督能看在他保护了这么多显贵的份上，对他的投降举动网开一面。

但他不知道，科罗日瓦的沦陷正中乔治•塞克勒之意，而且也打乱了萨普雅的计划。

作为特兰西瓦尼亚的统治者，萨普雅意识到他有责任去解放这座宝城。然而，他也敏锐地意识到这么做虽然能够让他夺回特兰西瓦尼亚的统治权，但他却可能输掉整个战争。既然他异常渴望登上匈牙利的王位宝座，那他就不会眼睁睁地看着匈牙利遭受苦难而毫不作为。而且，笑到最后才笑得最好，最后的胜利才能保证未来的国王宝座归自己。而要想取得最后的胜利，他必须先放弃特兰西瓦尼亚，把它让给洛林茨教友，然后带军去泰密斯瓦攻打乔治•多热•塞克勒的十字军。

当总督到达奥拉迪亚之时，他已经想出了一个计划。他命令克伦斯塔（Kronstadt）[①]的撒克逊人不要跟其他贵族一起来奥拉迪亚，而是把他们交给塞

① 克伦斯塔城现在被罗马尼亚人称为布拉索夫（Braşov），被匈牙利人称为布拉什（Brassó）。——作者注

克勒人的领袖安德拉什•拉沙尔指挥。这个拉沙尔正是7年前莱纳德•巴拉巴西写信交付乔治•多热命运的人。按照传统团结在一起的塞克勒人和撒克逊人，再加上周围村子过来帮忙的罗马尼亚人，就这样一起被派往科罗日瓦解救困在里面的匈牙利人和撒克逊人。

萨普雅自己并未领导这支自由之师，而是将之交由副总督莱纳德•巴拉巴西指挥。这位年轻的总督眼里有更大的猎物，他带领特兰西瓦尼亚的贵族骑兵一路前往泰密斯瓦，决定跟乔治•多热•塞克勒正面对阵。

这个战术当然存在风险，因为萨普雅分散了自己的武装力量。这是一次冒险赌博，他有可能像巴赛瑞、贝贝克、萨基以及其他很多低估了十字军战斗力和决策力的人一样遭受失败。但这位27岁的总督甘愿冒这个险。

BURSTS

THE HIDDEN PATTERN BEHIND
EVERYTHING WE DO

| 第三部分 |

谁掌控着我们的未来

爆发来到大数据时代

数据，是一把双刃剑

虽然我们的过去由安全防火墙和隐私法保护着，但通过精密系统的预测，我们的未来却极易被人掌握。未来比过去更具价值，那么谁掌握着我们未来行为的信息？谁又会从中获利？

处于测试状态的 LifeLinear 网的页面上没有任何图标、商标或标志语，只是在黑色背景上设置了一个简洁的白色搜索框，不禁让人联想到谷歌那干净的界面或是 AC/DC 乐队的专辑《回到黑暗》(*Back In Black*) 的简洁封面。我将自己的姓“巴拉巴西”打进了搜索框中，按了回车键，电脑屏幕上就出现了一组名单，上面只有两个名字：

> 艾伯特 - 拉斯洛•巴拉巴西，布鲁克林，马萨诸塞州
> 丹尼尔•莱文德•巴拉巴西，瓦屏九瀑布市，纽约

我点击了自己的名字，页面上出现了一张熟悉的照片——是我穿着一件蓝色衬衫的照片，旁边配有我的基本履历资料，一眼就能看出是从维基百科上复制下来的。剩下的基本都是一些数据和一些大家耳熟能详的地名链接。

我点开了一个最近更新的链接，地址是波士顿的马萨诸塞大街。接着，屏幕上出现了一则视频，上面显示的是涌入哈因斯地铁站的人潮消失在地铁入口处的黑色大门后的情景。两秒钟后，我在视频中看到自己推开了地铁站那厚重的大门，然后左转去了马萨诸塞大街。我并没有注意到摄像头，而是直接走出了它的监视范围。

另外一个链接上的时间显示是10秒钟后，点开后上面出现了一张一群年轻人站在马萨诸塞州收费高速公路的铁架桥上开怀大笑的照片。我的第一反应是那上面的人我一个都不认识，但随后我马上意识到这张照片出现在我的条目下面并不是因为那些年轻人，而是因为背景中一个模糊的身影正是我，是我离开地铁站后被偶然捕捉到的。

然后，我又点开了一个链接，上面还是在马萨诸塞大街被捕捉到的一个小片段。这一次我从左侧进入镜头，经过柏克莱音乐学院，不一会儿就在醒目的基督科学会世界总部旁边从镜头中消失了。

每次看到自己出现在视频中，我总是会觉得浑身不自在。但现在可好，我的一举一动已经被LifeLinear网的系统给记录了下来。我接着往下点，一路跟着镜头中的自己进了我在东北大学复杂网络研究中心的办公室。目瞪口呆的我又点开了其他一些链接。最终，我意识到，不管我在哪儿，LifeLinear网上都有我的影像记录。通过整合陌生人、朋友或认识的人所拍的视频和照片，以及网页和博客的链接，我在私人住处以外的大部分生活都被分类保存在数据库中。

从数千人中找出某个人在前几年还是一项颇具挑战性的计算机任务。这项任务对人来说更是难上加难：蓄着长长的白胡须的拉多万•卡拉季奇无疑是塞尔维亚最臭名昭著的战犯，但面部特征如此明显的他竟然公开在贝尔格莱德生活了好几年，期间跟他有日常接触的几百人都没能认出他来。事实上，LifeLinear的成功并非得益于面部图像识别系统这项发明的出现，他们所用的设备也并不比其他监控企业的好多少。他们之所以能够追踪到大部分美国人的生活片段得力于一颗执著的心：他们从一开始就不跟丢任何人。

LifeLinear的前身是一家合资监视设备公司。他们在全美各地安装了几百万台无线摄像机，然后将反馈数据连接到了一个单条检索数据库中，并指示他们的计算机追踪所有运动中的人。他们的技术是在两个原理的基础上建立的。

● 第一个原理就是LifeLinear编程师口中所说的“守恒定律”（Conservation Law）：没有人会凭空出现或消失。换句话说，不管你是进了一座大厦、坐上了一列火车，还是乘上了一架飞机，你迟早都会从里面出来。

● 第二个原理我们已经知道了：我们根深蒂固的规律性生活导致了我们的可预测性。基于此，LifeLinear为每个人都建立了一个行为模型，然后仔细分析我们平时的方位，再预测我们将来的行踪。

比方说，他们的系统分析出我通常在中午12点和下午1点之间离开家。所以，当他们的街头摄像机在某天中午12点半的时候在我家门前捕捉到我的影像后，他们就不需要在成千上万美国人的照片中寻找我的照片了——他们的软件已经知道在那个时间点出现在那个地方的人一定是我。

一旦我坐上市区列车，在接下来的20分钟内LifeLinear根本不需要费心找我。只有当列车差不多到达哈因斯车站的时候，摄像机才再次开始反馈我的信息，并意识到这好像是我最常到达的目的地。当我步行去办公室的时候，系统会用一台接着一台的摄像头追踪我的位置，并将记录下来的片段上传到我的LifeLinear页面上去。如果他们在哈因斯车站找不到我的踪影，也没什么大不了——他们的系统知道朗伍德站是我第二常去的站，因为如果我在哈佛医学院有课的话，我就会在那儿下。只有当我偶尔打破常规，打车上班或乘飞机旅行的时候，他们才会投入实时资源来追踪我。

你可能已经注意到，LifeLinear就是我们之前提到的“巨型机器”的化身。它也是臭名昭著的整体情报识别计划（TIA，Total Information Awareness program）[①]的公开版。

---

① TIA是一个政府项目，是由海军上将波因德克斯特发起的，是一个以反对战争或打击恐怖主义为托词建立的能够搜索大量有关商业、交通、金融、通信以及法律等方面数据的项目。——作者注

> 这个计划是由海军上将波因德克斯特（Admiral Poindexter）发起的，是一个以反对战争或打击恐怖主义为托词建立的，能够搜索大量有关商业、交通、金融、通信以及法律等方面数据的项目。但LifeLinear与TIA和“巨型机器”有本质不同：现实世界的TIA和虚拟世界的“巨型机器”是用来彻底搜寻个人和政府数据的，包括银行、电子邮件、电话以及联邦调查局记录。但LifeLinear搜集的是每个人都已公开的数据，比方说当我走在街上时被捕捉到的影像以及从一些网站上获得的我的个人信息。

这三个项目都侵犯了个人的隐私，而且很多人都认为应该将它们直接定为违法行为。但是美国法院一贯都规定公民在公共场所，比方说公园或街道上没有隐私权。所以，LifeLinear的创立者坚信他们的行为有坚实的法律依据。

归根结底，对大部分人来说，LifeLinear、“巨型机器”和TIA没什么本质区别，而且他们引发的另一个问题也同样令人不安：不管我们本人是否同意，就对每个人进行实时追踪真的可行吗？又有谁敢操作这个项目呢？在一个充斥着功能强大的LifeLinear、TIA或“巨型机器”的世界里，人们是不是就没有隐私可言了？

然而，人们为什么会有隐私期待呢？

越是相互依赖，隐私期待就越少

在特兰西瓦尼亚的村子里，婚礼前两三天，一群老妇人会聚集在新娘的屋子里清点佩内（perne）——嫁妆。这是一个由商业交易演变而来的仪式，佩内女和新娘家人之间的这种贵重物品交易是这里的一个古老风俗。清点完毕后，这些贵重物品将由一个佩内女通宵把守，直到第二天三辆马车来到为止。第一辆马车装亚麻织品，第二辆装家具，第三辆装剩下的其他东西。

热气腾腾、美味可口的肉汤在大锅里慢慢炖着，辛辣可口的辣粉肠和培根摆在盘子里，一个个玻璃杯倒满了果子白兰地，每个人都觉得温暖而幸福。新娘的父亲按照礼仪感谢那些帮忙往马车上装嫁妆的人，还不忘打趣着提醒他们："你们要保证别把东西退回来！"一连串双关语、谚语以及诗歌，听起来好像是随口说出的俏皮话，但实际上都严格遵循着礼仪，而且是所有新娘在婚礼当天都必经的礼数。

当亲朋好友吃吃喝喝并往车上搬贵重物品时，旁边的一位妇女会仔细清点并做记录。她的职责就是保证床单、毛巾、床罩、枕头，甚至是新娘儿时的玩具都正确地摆放到马车上去。她不必将注意力放在整齐度上——她的职责只是保证每件东西都清楚易见。

装车完毕后，身着色彩鲜艳传统服饰的佩内女和她们的丈夫会唱起欢乐的歌儿跟着马车在村子里巡游一番，他们的歌声嘹亮清脆。村里的女人都走出厨房，男人都放下牲口，专心看着热闹的游行。吵闹的孩子和不知谁家的小狗一路跟在游行队伍的后面，因为他们知道只要有热闹事儿就有好吃的东西。这个壮观而持久的仪式只有一个目的：让村里的每个人都能看到嫁妆。

塞克勒人在出生、订婚、结婚以及死去时都会举行各种仪式，因为他们坚信这样的大事不应该偷偷摸摸地举行。实际上，只有让部落里的人都看见才能证明这件事有效。

> 若孩子出生时没有办洗礼仪式，大家会说他"像狗一样取了名"；男女在订婚、结婚时没办典礼则会被认为是"像狗一样生活在一起"；而人死时没办葬礼则会被说成"像狗一样被埋掉"。

“为了上帝的荣耀和人民的快乐。”[1]塞克勒祈祷着。他意识到自己的行为一样会得到上帝和同乡的支持。自从乔治·多热·塞克勒开始了人生的冒险之后，家乡的人们仍然没有丢掉所有事情都要让周围的人知道的惯例和习俗。每个人的生活都暴露在众目睽睽之下——爱情、偷窃、患病、困苦、友谊或憎恶，所以什么事都不可能瞒很久。知道邻居所有的事并不让人感到羞耻。那是维持部落团结安康的一种责任和必要因素。在特兰西瓦尼亚的小村庄里，大家对美国人所期待的那种高度隐私几乎闻所未闻。

当然，这是没得选择的，大家必须这么做。住在这片贫瘠的土地上，挨着天寒地冻的冬天，挤在喀尔巴阡山的大片松林旁，这里的居民必须学会互助互惠、互通有无。为了生存，不论在和平时期，还是在遭受战乱时，他们都必须互相帮助。如果不融入这种丰年时互通有无，荒年时互救互助的生活方式中，你很快就会发现自己被排挤到了边缘。

观察这些塞克勒人的习惯能让我们一窥掌管我们隐私的一个基本方程：

一个社区里的人越是相互依赖，对隐私的期待就越少。人们越是需要家人和朋友，就越难以对某件事守口如瓶。只有在信赖金钱化的北美和西欧，人们才会要求独处的权利。

如今，越来越多的研究表明，幸福和健康的关键取决于我们的朋友的数量和质量。所以，谁说我们做的就一定对？我们的隐私是不是拿幸福换来的呢？

① 原文为匈牙利语：Isten Dicsöségére, emberek tetszésére。——译者注

无处不在的数据信息系统

2008年1月8日，我将这一章的草稿发给了艾妮可·扬科（Enikö Jankó）。她是一位专门帮我将手写稿打出来并备份的朋友。之后，我收到了她丈夫波尔迪萨的一条短信：

> “LifeLinear的网址是什么？”他问，然后又说，“好像在谷歌上搜不到啊。”
>
> 我笑了笑给他回复道：“这很重要吗？”
>
> “我可以用它查查我生日聚会那天大家是怎么胡闹的。怎么了？难道是保密的吗？”4分钟后他这样回复道。
>
> 我很高兴能抓到机会戏弄他一下，于是回复道：“没错。”不一会儿我又收到了一条回复：“你就告诉我吧！”
>
> 被我拒绝后，他开始瞎想，然后又马上给我打了个电话。他说一开始他觉得我会拒绝向自己的好朋友透露这一信息，是因为我疯了。那后来的想法呢？“LifeLinear根本不存在。”他说。

他的第一个理由可能是对的，但这不是我们现在要说的重点。有一件事无可否认：LifeLinear到目前为止只是我想象出来的。然而，波尔迪萨没有马上意识到它是虚拟的这一点，可以表明它不是那么令人难以置信。

我从不怀疑现在的科技有能力造出LifeLinear这样的系统。我也相信在未来的某一天我会生活在一个有TIA、LifeLinear和“巨型机器”的结合体出现的世界中。但这并不意味着我会主张或容忍这种监视系统。相反，基于我和我的团队针对人类行为所做的一些研究，以及我们所看到的一切，一想到这种系统的潜在能力我就觉得毛骨

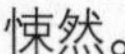

> 悚然。
>
> 我想说的只是，科学和技术的发展已经使造出像LifeLinear这样的系统成为了可能。而且，如果某项技术存在隐患，不管我们有多么不安，它的某些好处总能迅速诱使人们接受它。

“巨型机器”或TIA之类的系统必定要不断搜集我们的信息，就跟天气预报要依靠现在和过去的大气情况才能做判断一样。而如今这样的信息简直遍地都是：

- 手机运营商掌握着我们的实时通信信息和行踪；
- 我们的花销和旅行习惯对银行来说已不是秘密；
- 我们的社会关系和个人爱好都被电子邮件供应商归了档；
- 监视器会经常录下我们和身边人的一举一动。

虽然这些记录到处都是，但我们仍然对隐私保持着期待和幻想。我们总是自欺欺人，认为那些搜集来的信息都分散存储于不同的专门数据库中，要想跨越那么多障碍获得并将它们联系起来是不可能的。

然而事实上，“9·11”之后世界各地的情报机构已经投入了上百亿美元资金试图将平时搜集来的数不清的电子记录联系起来。哈桑·伊拉希在多年相安无事后因“形迹可疑”被扣留这件事，恰好证明了国土安全部正致力于将个人和政府的数据融合起来。虽然这些系统的预测能力不见得比得上虚拟的LifeLinear和“巨型机器”，但它们肯定就是以此为目标设计的。除非明令禁止，否则它们总有一天会实现那个目标。现在的问题已经不是我们能不能造出一个像LifeLinear这样的完美预测系统，而是谁敢去造，是政府还是私人呢？

没有隐私的未来？

在美国，我们经常会向公司透露我们的个人信息。作为交换，我们能获得一些真正的或认知上的利益，比如产品或服务的打折。然而，如果我们意识到政府正在搜集我们的个人信息，我们又会齐声抗议。欧洲干脆就顺着人们：法律明文禁止企业之间分享客户的个人信息，但欧洲联盟法规定所有通信公司都必须将客户的信息（包括个人的行踪和通信记录）保存6个月到两年时间，并与政府分享。

结果，美国人普遍认为企业是好的，但政府是坏的。欧洲人却恰恰相反，他们认为政府是好的，私企则是大反派。隐私到底有没有一个普遍的界定？如果有，谁会强制大家遵守？如果缺少强制性，又有谁会去造“巨型机器”？在欧洲，严格的隐私法限制了私营企业，所以政府赞助的TIA或“巨型机器”似乎更有可能出现。但基于美国制度与文化的禁忌和敏感度，如果真的出现一种无处不在的监视设备，那很可能是一种由私企开发的类似LifeLinear的机器。

有一家公司已经具备了将LifeLinear变成现实的技术和资源。它的名字叫谷歌。我相信你肯定听说过。

大数据时代的隐私保护

在过去几年里，我曾好几次打算放弃对人类行为的研究。科技已经远远超出我们能够合理运用的能力，而且我也不能保证我们的研究成果不会被一些类似于“巨型机器”的不法企业利用。

我们的论文发表后，大篇大篇的新闻报道让人们注意到自己的很多信息都已经被记录了。一些人读到我们的论文后的第一反应就是杀死那些提供这些信息的人，并将我们视为独裁者。不断的失眠促使我问自己，研究者的责任究竟是什么呢？这已经不是什么新颖的问题了。它是萦绕在一代又一代科学家脑中的问题，而且涉及从核能到基因的各个领域。跟人类动力学一样，这些研究能带来巨大的利益，如新型药物的研究以及清洁能源的发现等。

现在，所有研究人类动力学的人都陷入了同样的两难境地：我们怎样才能避免为监视国家或大型联合企业的建立做贡献，让世界进入奥威尔在《1984》那本书中所描述的状态？

爆发实践

哈桑对这个问题的见解令人耳目一新：

“所有情报机构，不管是哪里的，都是一个经营信息的企业。”他注意到。“它们的信息之所以有价值，”他补充道，“是因为没有人有权使用它。”

那他的解决办法又是什么呢？只要放弃了，它们就没价值了。“信息的保密性使它具有价值。”他如是说。于是，他就学塞克勒人那样将自己隐藏在众目睽睽之下，将自己生活中的一点一滴都上传到网页上。

但他真的放弃自己的隐私了吗？如果你打开他用于追踪自己的那个网站，你马上就会发现哈桑本人从未在他上传的几万张照片中出现过。没错，他就在镜头的另一边。他的相册里也没有经常出现的面孔。不管你花多久去浏览他的照片，你心里都会有一个感觉，那就是他没有同伴，没有家庭，也没有朋友。你越研究他的网站，你就越想问：这些都是什么啊？我为什么要来看这个家伙用过的厕所和吃过的饭？

“从某种意义上说，我在给你们看了所有东西的同时又什么都没给你们看。”他曾这样告诉我，“在那成堆成堆的数据中，我虽然公开了我的生活，给出了该给的信息，但实际上我的私生活相当保密。你可能知道我的财务细节，知道我住在哪儿，也知道我的房子是什么样儿的——你可能知道我所有

> 的一切，但对我的私人生活你还是一无所知。所以，从某种意义上看，虽有悖于常理，但通过完全放弃我反而保护了我的私生活。当所有事情都摆在眼前的时候，反而没有人会在意了。”

遗憾的是，在涉及研究和隐私的内在冲突时，我必须想出一个万全之策。放弃学术研究只会让人类动力学的研究落入秘密政府实验室以及口风很紧的私人企业手中，他们绝对不会向公众透露半点信息。事实上，现在私企对这个问题的研究已经远远超过学院派。谷歌的摇钱树广告联盟计划就是针对人类行为的一个大型实验，目标就是增大广告理论创造最大季度收益。

那我们还有必要进行学术研究吗？除了急于找出答案，我觉得自己更有责任将这门新兴技术的前景和不足之处公之于众。我杜撰 LifeLinear 主要也是出于这个考虑，我想阐述一下这一研究可能出现的结果。如果我们真的不想生活在一个处处受到监视的世界中，我们还是可以利用很多方法（法律和科技手段）来避免这一情况出现。

“准隐私”模型

在我们思考人类动力学研究的命运时，还有一个看似荒谬的问题引起了我的注意：**我们的未来掌握在谁手中？**现在，我们有数不清的隐私条款、规章制度以及实践经验保护每个人的数据。另外，我们心中抱有的一丝恐惧和小心也在更大程度上保护了我们的信息：从电子邮件供应商到手机服务商，大多数公司都太功利了，以至于他们不敢随便处理个人信息，激怒消费者。所以我们可以说，虽然那些数据存在很多潜在风险，但相对来说，我们的过去还是被保护得很好。

未来又会怎样呢？我们的未来又受到了多少保护呢？

正如我们已经看到的，预测个体的行为已经变得非常容易了。未来比过去更具价值，因为我们的旅行和购物计划可能是商业圈中最有影响力的商品。虽然我们的过去由安全防火墙和隐私法保护着，但通过精密系统的预测，我们的未来却极易被人掌握。基于此，我想出了一个新的模型并称之为“准隐私”。简单地说就是：谁掌握着我们未来行为的信息？谁又会从中获利？

这是一个很奇怪的视角，我们需要借助历史来理解。虽然迄今为止我们遇到的所有事情都在遥远的过去发生过，而且我们已经知道了它们的结果，但那些结果离我们还是很遥远。那些促使我们得出结论的战势也开始变得明朗了起来：在风扫落叶般占领了大半个匈牙利之后，乔治·塞克勒率军来到了泰密斯瓦，想在那里建立一个永久的根据地。无畏的副官洛林茨教友也迫使繁荣的科罗日瓦为他打开了城门。接着，那只沉睡的雄狮觉醒了。既然起义军都打到家门口了，特兰西瓦尼亚的总督萨普雅伯爵不会也不能再沉寂下去了。面对两场棘手的战事，他做出了一个大胆的决定：将自己的军队分成两部分，分别赶赴两个战场。

所有事情都已就绪，到了该摊牌的时候了。

塞克勒人 VS. 塞克勒人

时间：1514 年 7 月 15 日，大屠杀后不到两个月

“现在轮到你们去惩罚那些可憎的敌人了！”乔治·多热·塞克勒用全军都能听见的声音大声喊道。他看着眼前这群两个月前追随他攻打内格雷克的士兵，包括商贩、铁匠、织工、裁缝以及几乎消失在大群亡命之徒和农民之中的市民，有种似曾相识的感觉。然而，这里不是内格雷克，而是泰密斯瓦堡垒附近那广阔的尤里克斯田野。两个月的变化都刻在战士们那一双双透着经验之光的眼睛上：经历了多场胜利后，战士们那肮脏不堪的紧身上衣外都套上了盔甲。大部分人都扔掉了斧子和镰刀，换上了长矛和利剑。

战争对大家都造成了伤害，而这场战役将更粗暴、更残酷。他们不再是一群无知的惊兽，盲目地进攻之后看到快速冲来的骑兵又一齐逃跑。战争和苦难已经将这个队伍彻底净化了——弱者都已倒下，而那些失去勇气或信心动摇的人都已逃跑了。尝到并且已经习惯轻而易举就取得胜利的那群自以为无敌的幸存者，组成了一个非常奇妙的、纪律严明的队伍。

“为亲人的自由而战的时刻到了！”乔治·塞克勒用惯常的自信口吻说道。他深刻地意识到今天，特别是今天，他必须激发出战士们的所有潜能和士气。

因为在他们面前那一座座连绵起伏的山里，身穿彩衣盔甲的萨普雅伯爵正在集合他的军队。那是一个可怕的劲敌，乔治•塞克勒非常清楚这一点。当他还是边疆一名普通的雇佣兵时，这个人的威名就已经响彻军营。

萨普雅的一线部队是一群可怕的撒克逊火枪手。他们个个头戴德式头盔，腰别火绳枪，肩挂子弹夹。他们身后是几千名手持长剑和长矛的乱成一团的农民军。虽然他们人数众多，但乔治•塞克勒并不把他们看在眼里。他知道自己的农民军比起这群被萨普雅强行拖上战场的可怜人更有经验、更坚强。

一排加农炮将步兵和后排分成左右两大边路的骑兵分开了。他们是重骑兵和骠骑兵的组合，骑手全是20～40岁的壮年男子。刺绣短上衣和醒目的队旗使他们成了队伍中最引人注目的一部分。他们雄赳赳气昂昂地在马背上摇晃着身子，兴奋和激动不言而喻。他们互相鼓励，互相打气，兴奋地迎接这场即将打响的战役。就是他们让乔治•塞克勒感觉颇为棘手。他知道战场上制胜的关键就是快速机动的骑兵，而他那支以步兵居多的十字军根本不是这些特兰西瓦尼亚骑兵的对手。

“向那些毁了我们祖国的人复仇！打倒这群残暴的敌人！”乔治•塞克勒最后总结道。当战士们欢呼喝彩的时候，乔治•塞克勒的思绪仍然停留在特兰西瓦尼亚步兵身后那群人数虽少，却威猛无敌的骑兵身上。他和他们流着同样的血，因为他们都是塞克勒人。看着马背上的他们，他一眼就能认出来。然而，他们的队形和人数倒是令乔治•塞克勒感到很惊讶。按照以往的传统，在战场上打头阵是塞克勒人的责任。但总督这次却将他们和雇佣兵以及自己的宫廷卫队一起放在了主力部队后面，很明显是不想让这支强队在这场恶战中受到伤害。或者他是不是害怕塞克勒人会倒戈，听从自己的同族而不是他自己的命令呢？到最后，这就是一个优先权的问题。

但最让乔治•塞克勒感到困惑的还不是他们的队形，而是骑兵的人数。剩下那些人去哪儿了呢？一旦战事爆发，塞克勒人能够集结3万兵力，所以很容易派出1万人跟随总督上战场。但这支塞克勒骑兵队的人数却出奇地少，可能一共也就 1 000 人。“剩下的兵力被总督部属到哪儿了呢？”乔治•多热•塞克勒心想。

虽然萨普雅的军队明显很有实力，但乔治•塞克勒一眼就能看出弱点——不仅塞克勒人不多，勇猛的撒克逊人以及罗马尼亚人也不见了。他们的缺席应该就是总督将经验不足的农民军编入队伍中的原因。所以十字军在人数和经验上的优势，让乔治•塞克勒觉得即使没有强大的骑兵，他们也有希望赢得这场战役。

● ● ●

与此同时，在离泰密斯瓦 300 公里外的科罗日瓦城内，穷人们已经当家做了主人。仗着十字军的统领已经在城里的客栈安了身，城里的贫民明目张胆地打劫了来城内避难的贵族。城外的情形也再令人激动不过了——十字军宰杀了城里人的牛，并将周围所有能找到的东西洗劫一空。不断扩大的危机让城内的大臣们方寸大乱，因为他们现在才意识到自己不仅管不了洛林茨教友和他在城外的部下，甚至连城内的局面都控制不了。

然而，城里的气氛很快就由欢呼雀跃变成了恐慌和困惑。食物的短缺，管理的缺失，无组织无纪律的状态使贫民对十字军的热情降了下来。所以当士师突然变脸，以迅雷不及掩耳之势放下闸门，将那群目无法纪的农民军关在城外的时候，城内的贫民竟然袖手旁观。城内，士师来了个瓮中捉鳖，将十字军的军官都逮了起来。

洛林茨教友在那个关键时刻应该不在城内，因为我们知道他逃过了这一劫。士师的突然倒戈应该不是一时冲动，他肯定已经听说救援部队就在路上。事实上，正当大家因十字军军官被捕乱成一团时，副总督巴拉巴西已经神不知鬼不觉地带兵靠近了城外十字军的营地。这支救援部队正是由缺席萨普雅在泰密斯瓦对阵乔治•塞克勒的那场战役的塞克勒人、撒克逊人以及罗马尼亚人组成的。

7月中旬，所有战线都已准备就绪。在泰密斯瓦，乔治•塞克勒的十字军遇上了人数虽少但却更有经验，而且是由特兰西瓦尼亚的总督亲自领导的部队。在科罗日瓦，一支由副总督带领的由塞克勒人、撒克逊人以及罗马尼亚人组成的军队，正准备突袭洛林茨教友那支已经乱成一团的十字军。

两个战场，两场战役，每场的结果都不确定。但有一点可以确定：如果十字军打赢了总督的队伍，那整个匈牙利或者特兰西瓦尼亚都没人能阻止十字军的前进了。

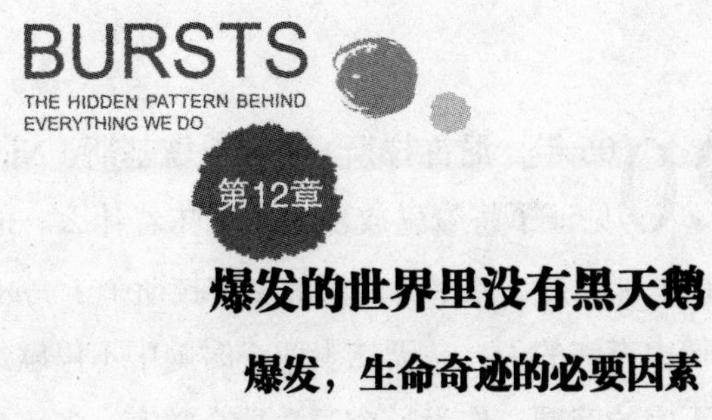

爆发的世界里没有黑天鹅

爆发，生命奇迹的必要因素

生命远不是流畅或随机的，而是在所有时间尺度内都具有爆发性的——从几毫秒到几小时的细胞活动；从几分钟到几周的人类活动；从几周到几年的疾病来袭；从几千年到几百万年的进化过程。爆发，是生命奇迹的必要因素，是生物为了适应和存活所进行的不懈斗争。

2006年，尼古拉斯·克里斯塔基斯（Nicholas Christakis）亲眼见证了将魔鬼放出瓶子意味着什么。他会告诉你事情并没有你想象中的那么好。四十五六岁的尼古拉斯个子高高的，而且总是很活跃。他是个精力充沛的人，一天二十四小时脑中不停歇地冒出有趣的想法，永远有问不完的问题。作为一个医学社会学家，多年来他一直在研究“鳏夫效应”，也就是老年伴侣之间的死亡时间间隔明显很短的现象。

一天，他开始觉得也许这种现象不仅仅局限在配偶和死亡问题上。比方说，我的健康状况会不会影响到熟人的健康？很明显，传染病——比方说流感、SARS以及艾滋病，都是从一个人传给另一个人，但我们得的非传染性疾病跟朋友们有关系吗？如果我的心脏病发作了，我最好的朋友会不会也跟着因心力衰竭而进急诊室？朋友的癌症会不会让我的细胞也癌化？

从某种角度看，这种假设太荒谬了，只是说出来就能让你丢掉工作。但尼古拉斯从2001年起就是哈佛大学的终身制教授了，所以他不可能丢掉工作，只会坏了名声。最后，他和痴迷于网络研究的政治学家詹姆斯·福勒（James Fowler）合作，一同前往波士顿近郊的一个小镇做起了研究。

弗雷明汉心脏病研究（Framingham Heart Study）可能是迄今为止最著名的健康调查研究。这个计划始于1948年，波士顿大学的研究员从那时起开始对马萨诸塞州弗雷明汉镇的5 209名男女进行身体检查和生活方式调查。1971年，他们让这些参与者的孩子加入了研究。2002年，这些人的孙子也跟着加入了研究。研究小组要求他们每两年就过去进行一次身体检查并做一组实验室测试。

这一不朽研究产生的影响再怎么夸大都不为过——我们现在很多关于心脏病的认识，从胆固醇的作用到高血压的影响，都来自弗雷明汉研究。

尼古拉斯和詹姆斯对心脏病并无兴趣。但是，他们知道弗雷明汉很多居民的病史都已被编纂入目，所以，如果他们从这里着手研究他们的课题的话，将会节省很多钱和资源。他们两个下一步要做的就是找出适合他们课题的研究对象，将他们的病史搜集起来。

虽然他们想节俭从事，但这项研究还是需要花费惊人的2 500万美元。他们向美国国立卫生研究院（National Institute of Health）寻求支持，但对方对这个项目不感兴趣。

在将那么多纳税人的钱投入到这个未经证实的理论之前，他们二人需要搜集一些初步的资料，任何能够证明这一理论不仅是假说的资料都行。所以，尼古拉斯回到了弗雷明汉，抱着一个遥遥无期的目标开始了初步研究。

“并不是我自大，”他告诉我，“但我非常注重资料。我需要知道关于它们的一切——它们是怎么搜集来的，谁搜集的，每条数据被选上的依据是什么。”为了满足自己的好奇心，他需要去拜访所有参与搜集弗雷明汉心脏病研究相关资料的人。

有一天当他正在做这件事的时候，一位女士为他解开了所有难题。

> 她拿出了一个文件夹，上面记录着当初他们搜集的每一位参与者的资料。然后她指着那一连串标准的人口统计信息说道："这里是每个人的姓名、地址以及工作地。"然后她又指了指有关"兄弟姐妹、家庭成员以及好朋友"记录的那几栏。
>
> 尼古拉斯简直不敢相信他刚刚听到的。"在那一刻我意识到了，'天啊，他们已经有我们做研究需要的数据了！'"

搜集朋友的信息并不是传统调查程序中的一项。但鉴于这项研究会持续很长时间，弗雷明汉研究项目的医生担心一些参与者可能会搬走，而且可能不会更新自己的地址。据他们分析，即使某些人搬走了，他们的好朋友也肯定知道怎么找到他们。所以除了调查他们的父母，第一批研究员还仔细记录了每个人的社交圈子。

此外，还有一件幸运事降临在尼古拉斯和詹姆斯身上。由于弗雷明汉在 1984 年时是个非常小的小镇，所以大部分参与者的朋友，以及朋友的朋友，都有资料留在数据库中。所以最后，他们不再需要国立卫生研究院的 2 500 万美元了——尼古拉斯和詹姆斯需要的数据都已经记录在案了。

爆发实践

为了使初步研究具有说服力，他们决定集中研究无法自报症状的疾病。在经过一番调查后，他们发现有一种病符合他们的条件：肥胖症。在诊断这种病的时候，你需要的只是患者的体质指标，或者说体重指数，也就是体重公斤数除以身高米数的平方得出的数字。这项诊断不会有半点误差：体重指数在 30 公斤 / 平方米以上的人即为肥胖，而在 25 公斤 / 平方米以上的为超重。最重要的是，每位参与者都是两年去称重一次，所以研究者就有 30 年的体重数据。

研究结果超乎了他们的想象。尼古拉斯和詹姆斯发现，如果你的朋友发胖，那么你在未来两到四年时间里发胖的概率会上升 57%。如果那个人恰好是你最好的朋友，那么风险就会变成3倍——在这种情况下，你发胖的概率就是171%。实际上，肥胖症的传染性跟流感或艾滋病差不多，都是通过社交网络在人与人之间传播。

他们得出的结论简单得惊人：为了避免发胖，请确保你的朋友不是胖子。然而，他们的发现并不那么容易被接受。美国大约65%的成年人超重，合计1.27亿人，其中6 000万是肥胖症患者。很多人被“胖子朋友对你的健康不利”这样的新闻标题激怒。那些人深感受到了侮辱——特别是当媒体给他们贴上了“肥胖载体”的标签或者视他们为朋友的危险因素时。很快，尼古拉斯和詹姆斯就被淹没在电话、邮件以及信件的洪流中，而这些并不都是来恭喜他们的。一些人认为“那些所谓的大学知识分子肯定嗑药了”，还有人认为这项研究完全是个失败。“太歇斯底里了——我们真的想把这些人介绍给彼此，然后再躲开。”尼古拉斯快活地回忆道。

这项发现很快构成了一种文化现象，恶魔在那里获得了新生。杰伊·莱诺（Jay Leno）开始在《今夜秀》（*The Tonight Show*）里将它当做俏皮话；威廉·夏纳（William Shatner）在《波士顿法律》（*Boston Legal*）中饰演的丹尼·克瑞恩（Denny Crane）被迫炒掉了他的胖助理，理由是她危及了他的健康。然而，不是所有人都能笑出来。很多人在读到《纽约时报》上一个读者的评论时都感到很难过。那位读者说：“这篇文章让我觉得很沮丧。我敢保证它发表后我的朋友会越来越少，因为我真的很胖。”

人类的行为不是随机而偶然的

2005年，在我休哈佛医学院公假的几个月里，我始终没能解答出最初将我带到波士顿的那个问题：**人类患病的时间是随机的，还是遵循着某**

种既定的模型？爆发会影响我们的健康状况吗？我很清楚怎样才能取得进展：我需要一大群人的病史。然而，我发出的邮件没有得到回复，最大的线索没有了。我试图找到合适数据库的努力一再受挫。

但有一天，我的幸运之神终于降临了。在我给剑桥的瑞士领事馆（Swiss Consulate）做完演讲后，一个个子高高、笑眯眯的男子过来找我，笑着问我是否可以谈谈，我们谈了谈。几天后他洪亮的声音就在一间小会议室里响起来。他的演讲是关于社交网络和肥胖症的。但他顺便提起的一句话倒是引起了我的注意。我的这位新朋友，你可能已经猜到了，就是尼古拉斯•克里斯塔基斯，那个时候已经搜集了100万对老年伴侣的资料，目的是想解释为何配偶会一起去世。这恰好是我研究爆发对死亡的影响这个问题时需要的资料。

在美国，任何一个65岁或65岁以上的老人不管什么时候去诊所或医院就诊，都需要将就诊的详细记录，包括时间、地点以及诊断情况，递交给医疗保险计划处—— 美国的一个健康保险项目，它可以帮患者付诊费。所以，医疗保险项目有大多数老年人的病历，而尼古拉斯设法拿到了10年的记录。所以，在他的帮助下，我的研究小组里的一名博士后研究员吴作栋（Kwang-ll Goh）汇总了200万个病人看医生的时间——不管是主治医师、专科医生，还是急诊室的医务人员都算。

“我们不知道时间，不知道在哪一天的几点几分。”塞克勒人在提到死亡时这么说。其实疾病也是这样。实际上，我们会在何时得什么样的病取决于众多因素，从我们的遗传基因到饮食、运动、抽烟以及喝酒的习惯，再到我们的工作性质以及环境等都会产生影响。所以，疾病降临的那一天应该是随机的、不可预测的。

然而，这也是令我们感到吃惊的原因。我们从数据上发现，所有被调查的人的病历看起来都不是随机的。相反，我们发现有很长时间他们都不会去看医生，这表明他们在相当长一段时间内都很健康。随后他们就跟约好了一样在短期内频繁就诊。健康史跟网页浏览和电子邮件模型类似，都具有爆发性，而不是一系列掷骰子般随机的活动。

如果接受人类所有的行为都不是随机而是具有爆发性的这一观点，那我们在病史中的发现也许就不那么令人吃惊了。不过，我们确实吃了一惊。你知道，疾病的紧急程度绝对不是依靠优先级清单做决定的。如果我们真能按照意愿给疾病设置优先级的话，我敢肯定大家都会直接将他们放在“待办事宜清单”的最底部。通过给疾病设置低优先权，我们就能保证自己永远不生病，一生都过得健康充实。遗憾的是，事实并非如此——疾病会“攻击”我们，会随心所欲、出其不意地将受害者撂倒。

不过，既然我们在一个接一个病人的病历中发现了爆发，那么我们就要加把劲儿找出其中的原因。毕竟，这关系到人类的健康和生命。但要找到原因，我们必须先出其不意地来个逆转，一起进入哈利•波特的魔法世界和贝比•鲁斯魔咒中。

偶然的内在秩序

每逢暑假的周末孩子们才能爬爬树，串串门，释放所有上学时被压抑的能量。这时候也是意外发生最多的时候，而且并非巧合。所以，6、7、

8 这三个月的急诊室总是很快被腿骨折，手臂、手腕、脚踝碎裂以及脑震荡患者挤满了。然而，你会发现 2005 年 7 月 16 日星期六，英国牛津约翰拉德克利夫医院（Oxford John Radcliffe Hospital）的创伤外科门诊部里很安静，医生们很轻松。

当然，**每次意外都是跟随一系列独特排列的事件而来，所以什么时候会发生根本无法预测。但就算是偶然，它也具有内在秩序。**正是因为每次意外对每个人来说都是不定的，急诊室的负荷量才能在某种程度上被预测，恰如正是因为人们在一天之内随机打电话，电话信号塔的承载量才能被预测。对约翰拉德克利夫医院来说，那一天比起每个周末 70 个病例来说负荷量要稍少。上一周医院更忙，大约接待了 80 位病人。

爆发实践

那一年的 7 月 16 日有点不一样——由于某种奇迹似的原因，孩子们大都没惹麻烦。

整件事都没道理。那天的天气很好，而且孩子们又不用去学校，应该有很多人骨折才对啊。

“我们闲得都有些无聊了。”约翰拉德克利夫医院的医生斯蒂芬·格威利姆（Stephen Gwilym）说道。因为病人太少了，格威利姆让他的同事吉斯·威利特（Keith Willetl）医生先回家，因为一个医生就能轻松应付。

作为 5 个孩子的父亲，威利特医生通常会很高兴抓住这个机会跟家人多待一会儿。然而，那天他犹豫了。真的没必要回家去，他解释说，因为 5 个孩子都窝在沙发上看《哈利·波特》，那就是他们一天的冒险活动。那天他们一点儿也不需要他们的父亲。威利特医生说这些的时候，他的脑袋上似乎浮现出一个虚拟的电灯泡。真的是哈利·波特的魔法世界让孩子们不再惹祸了吗？

每个哈利·波特的忠实粉丝都知道，2005 年 7 月 16 日那天在麻瓜世界（Muggleland）中可不是个寻常的星期六。就是在那天，万众期待的《哈利·波特与混血王子》（*Harry Potter and the Half-Blood Prince*）——这个大受欢迎的7卷本儿童读物的第6部发行了。它在第一天就卖出了900万本。威利特医生对这一点再清楚不过了，因为为了避免到了阅读年龄的孩子们争抢，他一个人就买了5本。但《哈利·波特与混血王子》和空荡荡的急诊室之间真的有联系吗？

好奇的医生们拿出了2003年7月21日和22日这两天的病例记录，因为那两天刚好是《哈利·波特》的上一部《哈利·波特与凤凰社》(*The Order of Phoenix*)发行的日子。果然，那个周末去看急诊的病人也很少，甚至比平时的一半还少。这些数字令人吃惊。在这三年里，看诊人数从来没这么少过，这不禁令医生们猜测分心疗法或许是避免儿童受伤的最好方法。所以，医生们半开玩笑地总结道，我们需要的就只是“注意安全，再加上能写出以预防伤害为目标的高质量书籍的天才作家”。

我们可以对《哈利·波特》对骨折病例的影响做个简单有趣的解释：当孩子们看书时，他们就不会惹事。然而，这个现象并不是《哈利·波特》特有的。事实上，波士顿儿童医院的研究者同样对当地的棒球俱乐部对病人人数的影响感到吃惊。

爆发实践

在1918年之前，波士顿红袜队囊获了5次世界大赛的冠军，可谓棒球史上最成功的队伍之一。然后他们将传奇击球手贝比·鲁斯（Babe Ruth）卖给了纽约洋基队。自此，曾经的烂队洋基成了大联盟中最成功的球队，而红袜队则陷入了“贝比·鲁斯魔咒”中，在未来85年时间里只获得过一次冠军。这不仅是对红袜队的巨大打击，也是对大多数波士顿人健康的巨大威胁——医院记录表明，球队输球时急诊室的看诊量增加了15%左右。

2004年，波士顿红袜队才再次赢得了冠军。在美联冠军赛的冠军晋级赛以及世界大赛的决赛中，红袜队赢得了一个世纪以来的第一次胜利，而急诊室的看诊量则锐减 15%。

一般来讲，病人是因为疼痛和疾病才去医院看病的，所以看诊时间应该是随机而且不可预测的。但《哈利•波特》和红袜队的事例表明，我们的健康跟优先级的联系比想象中要多很多。

体育娱乐的大型事件跟我们“什么时候”去看医生相互联系。如果症状表明我们需要去及时处理，比如手腕骨折或剧烈腹痛，那么“什么时候”指的就是“马上”。然而对大多数疾病来说，最初的症状都不明显——头疼、疲劳、偏头疼、关节痛等，这使得我们去看医生的时间变得随机起来。如果症状消失了，我们可能会等个一两天才去看医生。这对人们来说是很平常的。如果红袜队打得好，我们可能根本就没注意到哪儿不舒服。但如果他们输了，那么看医生比看洋基队的全垒打要舒服多了。

最后，症状越不严重，去看医生的计划就越可能被放在优先清单的最下面。

正如我们已经知道的，一旦优先级起了作用，爆发就随之而来——我们会迅速完成最首要的任务，而剩下的很多事情（如看医生）则会被永久搁置。这也是健康保险有很大意义的原因：实际上，我们不可能安排疾病的发生时间。

如果我们的病史是随机的，那么我们每年的健康花销预算应该都差不多。然而，由于出现了爆发，我们会在很长一段时间内保持健康，那笔保险费就浪费掉了。而一旦得了病，就会引发一连串的后续事件，使我们不得不频繁光顾诊所。但我们还是能看到一线希望——爆发使得我们迟早会享受到一段长时间无病的时光。

爆发可以拯救生命

到 2020 年，抑郁症可能会成为全美仅次于心脏病的致命杀手。它是这个时代最大的健康灾难之一，大约 1 800 万美国人都患上了此病。而且它经常会致命，60% 自杀的人都是因为情绪失调。抑郁症也是最易被曲解的疾病之一，因为超过半数的美国人都将它视为小病。它的瑕疵部分来自于诊断——医生主要根据病人的自报症状做诊断，这肯定带有很强的主观性。所以，如果技术发展到对抑郁症的诊断像对癌症或心脏病的诊断那样准确、严谨的话，那上百万人就能获得帮助，而大家对这种症状的困惑和忽视也会消除。

抑郁症的常见症状是行为举止明显变慢。“你就像被嵌在了水泥里一样，根本没办法从床上起来。”一位抑郁症患者回忆道。这不禁令我们思考，是抑郁症改变了人的行为，还是那种感觉只是患病的大脑发出的信号？我们知道正常的行为模型是什么样的，所以我们想问的是抑郁症患者会有什么与众不同的行为呢？

爆发实践

东京大学的一个研究小组首先解答了这个问题。他们给 25 个人装上了手腕加速传感器，以便能捕捉到其手部最细微的动作。传感器根据手腕的细微动作探测出人类行为是具有爆发性的。实际上，研究者发现休止时期，即研究对象的手腕不运动的时候遵循幂律规律。大部分休止时期仅持续几秒钟，最多也就几分钟。但这些简短停顿会与睡觉、休息或沉思时捕捉到的长达几个小时的停顿共存。

25 位参与者中有 14 位比其他人显示出更多的间歇式休止。他们是临床抑郁症患者。他们的动作有显著不同：健康参与者的平均休止时间是 7 分钟，而抑郁症患者是 15 分钟。另外，健康人的标度指数，即标志每个幂律函数特征的数字，要比抑郁症患者的大很多。所以“被嵌在水泥里”并不只是一种错觉，而是与抑郁症患者的行为模型相对应的。

一般情况下，基础科学转化成实际应用需要走很长的路。20 世纪的科学奇迹量子力学在近半个世纪以来都没有发挥什么实际作用，直到晶体管出现后才打破了这种僵局。同样，尽管人类基因组的解码引发了医学革命，但 10 年后市面上的所有药品还是通过基因组发现之前所使用的试错法研制出来的。

基于此，当看到爆发那么快就从基础科学转为实际应用的时候，我颇为吃惊。实际上，即使没有获得博士学位，你也能理解这一发现的潜在影响。不说别的，它至少促进了一种简单而不受干扰的抑郁症诊断方法的产生。你觉得情绪低落，而且所有症状都显示出一种潜在的情绪紊乱吗？那么就戴上能追踪你一举一动的腕表吧，医生马上会给出诊断结果，帮你赶走即将来临的抑郁感。

爆发，生命奇迹的必要因素

我们越是发现自己的身体细胞容易出现问题，就越觉得我们能经常保持健康是个奇迹。如果 P53 号基因发生突变，妨碍蛋白质杀死受损的细胞，那人们很快就会患上癌症。如果一个误折叠蛋白质促使其他蛋白质也折叠，那么疯牛病就会随之而来。如果神经细胞中的血清素减少，人们就有得抑郁症的危险。但一想到两个蛋白质找到彼此的可能性要比你和最好的朋友在纽约市闲逛时奇妙的相遇的可能性小得多，你可能不禁会问，我们的基因为何能做得如此成功呢？

你并不是唯一一个想不通的人。生物学家一直对细胞协调众多基因、蛋白质、代谢物以及构成组织的RNA分子的能力感到不可思议。我们之所以对这个过程知之甚少，主要是因为要想一窥细胞的内部世界真的很难。

爆发实践

物理学博士伊多·戈尔丁（Ido Golding）加入普林斯顿大学的爱德华·考克斯（Edward Cox）实验室之后就开始捕捉一个基因产生单个RNA分子的那一瞬间。要产生一个RNA分子可不是一件容易的事儿。首先，细胞需要从很多成分中搜集聚合酶。大约在同一时刻，其他蛋白质和代谢物必须在DNA链上找到聚合酶会附着的那个点。这本身就是一个非常难的过程。鉴于RNA的产生集合了很多不确定的因素，标准理论预测它的出现是一种符合泊松过程的随机而不可预测的过程。

然而，伊多·戈尔丁的实验表明这个过程绝对不是一个泊松过程。相反，他清楚地发现那是一个再清楚不过的间歇模型。也就是说，在任意一个1分钟到15分钟的时间里，一个基因开始活动，并一连产生2~7个RNA分子。这些爆发点会伴随很长时间的静止期，时间间隔为10分钟到几个小时不等。细胞活动不是随机的，也不是像瑞士表的秒针一样精确运行。相反，细胞运动模型是二者的结合。我们的基因进行着一种杂乱而具有爆发性的运动。

在另外一个完全不同的时代和领域里，查尔斯·达尔文猜测每个新物种的出现都是一个渐进的过程，现有物种孕育出多少有些差异的后代需要经历一个漫长的过程。但这种连续变化的证据不仅过去少有，就算是现在也很少见，因此达尔文称它是“对我的理论最有利的反驳”。实际上，几百万年前的化石几乎没有显示出进化改变。大致上每隔几万年就会出现一种新物种，这跟进化的时间相比简直犹如一瞬。进化具有爆发性，这在一代又一代的化石中都有记录。

我们在前几章提到的一些现象，如电子邮件的使用以及旅行模型，都表明爆发与人类的意志和智力之间存在很深的联系。优先级设定只是加强了这种联系，因为正是我们的偏好决定了某项任务是立即完成还是永远搁置。这表明爆发的出现需要你具备设定优先级的能力。

但从这个角度看，上面讨论的结果并不理想。它们说明，爆发不是人类发明的，而是在地球上出现智能生物之前就已经在起作用了。

生命远不是流畅或随机的，而是在所有时间尺度内都具有爆发性的——从几毫秒到几小时的细胞活动；从几分钟到几周的人类活动；从几周到几年的疾病来袭；还有从几千年到几百万年的进化过程。爆发是生命奇迹的必要因素，表明生物为了适应和存活会进行不懈的斗争。

在颇感奇妙的同时，这些发现也引出了一系列难解的谜题。**首先，如果不是决定和优先级设定产生了爆发，那么为什么爆发会出现在这么多系统中？我们能够解释这种普遍性吗？**

最近，系统生物学家研制出了基因活动模型，用以捕捉人类细胞内部的爆发点。20 世纪 70 年代，进化生物学家奈尔斯·埃尔德雷德（Niles Eldredge）和斯蒂芬·杰·古尔德（Stephen Jay Gould）共同推出了一个新理论，他们称之为“间断平衡论”（punctuated equilibrium），指出了古生物学中的快速进化变化。然而，他们并没有解答出所有问题。相反，我们对这个问题认识的不足却引发了一个更深奥的哲学难题：**爆发是否证明了大自然母亲的朴实，以至于她在各种不同环境下都使用同一种解决问题的办法？或者它是不是体现了某种更深层次的现实的不同面？**[①]

知识似乎也具有爆发性，一个灵感的火花可能照亮几个世纪以来都未明了的混沌。一旦我们找到一个解决办法，我们真的能解决所有问题，还是会引发更多问题？这两个问题不矛盾，因为很多思想或科学上的大变革带给人的启迪总是多于禁锢。

不管怎样，一旦涉及历史，总是有很多事情人们不会知道。比方说，我们所讲的历史故事中很多人物的动机我们都不得而知。就算是这样，这些事情的结果还是很明了。

当朱利斯•凯撒（Julius Caesar）渡过卢比孔河 (River Rubicon)，打响了大罗马帝国的内战之时，他说过一句话："无可反悔！"当萨普雅回到特兰西瓦尼亚，试图夺回那里的统治权并登上匈牙利的王位时，他将自己的部队分成了两部分去镇压十字军农民起义，这时他也渡过了另外一条卢比孔河。乔治•塞克勒在泰密斯瓦对阵萨普雅，而洛林茨在科罗日瓦对阵巴拉巴西。当这些角色开始拼杀的时候，让我们躲在一旁仔细观看他们的表演。然后，让我们再回到我们的预言家泰勒格迪那里，看看他的预测成绩如何。最后我们要问自己：他预测得有多准？他是怎么做到的呢？

---

① 在20世纪八九十年代，佩尔•贝克（Per Bak）和他的合作者唐超（Chao Tang）及科特•威森费尔德（Kurt Wiesenfeld）提出了一种更流行、更具影响力的理论，即自组织临界性（self-organized criticality），旨在利用一系列简单的模型和普遍的原理解释这一问题。——作者注

决战

时间：1514年7月15日，举行大弥撒仪式发动十字军过后不到3个月

有一个细节得到了大多数编年史家的认同：两支军队确实在泰密斯瓦相遇了。他们指出乔治•多热•塞克勒带领着十字军的主力，另外两支分队交给了他的弟弟格瑞格里以及洛林茨神父（Father Lőrincz）[①]。约翰•萨普雅带领着步兵总督，另外两支分队分别交给了他的两个副官。之后发生了……嗯，那还是个谜。

鉴于泰密斯瓦之战的重要性，我们对史官们的不同记载感到很吃惊。布鲁特斯（Brutus）、约维斯（Jovius）、伊斯特凡、陶利努斯以及巴塞林那斯等史官描绘了一场血腥之战。但奇怪的是，其他史官却平静地否认那场战役有过流血冲突。

按照大部分史书的叙述，萨普雅提醒骑士们无数贵族都被农民军残忍地用斧子剁成了肉酱。他向大家承诺这一仗很容易取胜，因为敌军的内疚感会让他们在与高贵的特兰西瓦尼亚军队的第一次交锋中就仓皇撤退。

① 这是Cegléd的洛林茨神父，跟带军攻打科罗日瓦的Bihar的洛林茨教友没有关系。——作者注

然后，萨普雅派了一位使者去敌方军营传信：投降的都可以安全回家，只要你们头戴绿枝以示和平，骑士们就会饶你们一命。抵抗的只有死路一条，因为坚持反抗贵族的绝不会得到宽恕。

这条信息对大多数农民来讲都不陌生，因为在前面一些战役中贵族们做过类似的承诺。但他们不确定他们的仁慈是否真诚，因为到目前为止没有一个贵族地主能活到展示他们的仁慈。

然而，这次他们已经在这里进行了一个月无果的围攻，期间关于十字军战败的流言早已传遍了整个匈牙利。所以一些疲劳消沉的士兵非常在意萨普雅的游说。

兰多斯利姆（Randoszlav）就是其中之一。这位塞尔维亚的将领之前受命带领军队占领了大半个匈牙利南部地区，直至贵族一路将他赶回泰密斯瓦。现在他已经准备接受贵族的宽恕，放下武器不作抵抗了。据当时两部史书记载，当乔治•多热•塞克勒发现了兰多斯利姆的变节之心后，立即去与他当面对质。剑术高明的乔治•塞克勒将兰多斯利姆击下了马，在他的部下面前将他的头砍了下来。当他正忙于处置变节者的时候，科罗日瓦那边的战事出现了富有决定意义的转折。

● ● ●

"莱纳德来了。"陶利努斯关于科罗日瓦战事的记载的第一句话如是说。

> 巴拉巴西家族的骄傲，
> 好心的贵族，我们的副总督，
> 带领勇敢的塞克勒人开始作战，
> 后面跟着的是全副武装的撒克逊人。

这个时候，陶利努斯放弃了华丽的散文体，也没有引用任何希腊神话。他坚持详细说明这场战斗，书中的细节都来自于确凿的独家消息。他的描述之精确表明即使他没有亲眼目睹战斗的过程，至少也从很多亲历战斗的人那里获得了第一手资料。

陶利努斯同样描写了另外一位特兰西瓦尼亚副总督约翰•索纳莱（János Thornallai）。他最近刚经历了丧子之痛，而他的儿子正是两个月前被乔治•塞克勒吊死的内格雷克的米克洛什。我们的诗人还提到了约翰•班菲（János Bánffy），他早前被洛林茨的军队赶出了自己的领地，现在也已加入贵族的队伍。还有约翰•德拉格斐（János Drágffy），他参加战斗的事情后来被特兰西瓦尼亚的主教保存下来的信件证实了。据信中描述，这位圣人命令他的管家将教区内所有农民都聚集起来跟他一起参加战斗。另外，还有塞克勒人安德拉什•拉沙尔、撒克逊人克伦斯塔，以及当地的罗马尼亚人。这些人联合起来一心想将洛林茨教友带领的十字军打败。

与此同时，在泰密斯瓦，萨普雅总督利用乔治•塞克勒和部下发生的内讧组织了第一次进攻。然而，他很快就意识到虽然农民军内部出现了骚动和叛乱，但这场仗可没他承诺的那么好赢。敌军的猛烈抵抗让他着实吃了一惊，而几个小时后看着尸骸遍野、血流成河的战场，他意识到能不能胜利还是未知。

当那群轻装上阵的亡命之徒争先恐后地攻击他的士兵时，萨普雅变得越来越沮丧。在敌军的猛攻下，他的步兵很快失守。骑兵们的战马深陷在血海泥泊中，高度和速度都受到限制的他们根本无法扭转局势。很明显，战势渐渐转向了人数众多的十字军一方。

在一片厮杀呐喊、兵戈碰撞声中，这位年轻的总督开始对将部队分成两部分的决定感到后悔了。如果被派到科罗日瓦的塞克勒人和撒克逊人前来参战，他们就会势如破竹，取得压倒性的胜利。随着时间一分一秒地过去，他越来越痛苦地意识到让他们缺席是一种错误。

回到科罗日瓦，在被士师出卖，扣押了他众多将领之后，洛林茨教友的实力一下子削弱了很多。可是，我们该怎么解释陶利努斯的诗句呢？诗中暗示了那是一场伏击，而不是正面的冲突。

> 农民们在营地之间穿梭，
> “拿起武器！拿起武器！”他们齐声喊道。

正如人们所料，陶利努斯是从贵族的视角描写这场战争。我们从诗中看到，德拉格斐的战马被农民军用镰刀砍断腿之后就跌倒了，但这时候班菲和索纳莱迅速冲到了他的旁边，经过一番激烈的营救，终于将他带回了安全的地方。基于此，他们双双成为了科罗日瓦之战的英雄。

这种描写在当时很普遍——农民们丢尽颜面，而贵族们总是英雄，就连他们的死也被描写得异常壮烈。由于贵族最终赢得了胜利，所以陶利努斯诗中的所有主教都活了下来。只有一个我们都熟悉的人没有在科罗日瓦之战中生还，他就是伊斯特凡•泰勒格迪。我们之后再对此加以说明。

在洛林茨教友的英明指挥下，很多被击败的十字军都安全撤了出来，而且是有序地撤退。贵族们毫无疑问是胜利了，因为十字军之后再也没能重振旗鼓，但他们的胜利也并非压倒性的。那些被抓的则遭到了敌人残忍的虐杀。陶利努斯的描述如下：

> 那些活下来的农民都被关进了黑暗的牢房，
> 一直监禁在那里，
> 直到被用不同的方式杀死：
> 有些人死在战斧下，有些人被钉在了尖桩上；
> 很多人被绑在木桩上烧成了灰烬，
> 他们的鲜血滴了下来，在火堆里嗞嗞作响。
> 只留下一堆堆灰尘和白骨，
> 有些未烧化的残骸被挂在了木桩上，
> 在热浪中慢慢风干，形容可怖。

再来看泰密斯瓦那边的情形。未发生的跟已发生的一样重要。按照中世纪的战术习惯，如果有部队来救援被围的城堡，守城将领应该坚持守城，跟救援部队一起夹击敌人。但令人费解的是，伊斯特凡在史记中确认巴赛瑞没有遵循常理，而是在十字军与特兰西瓦尼亚的军队交锋时躲在城墙内毫无作为。在战场的另一头，总督无助地看着自己的轻骑兵在农民军面前跌下马来。最后，他不得不派出自己的后备军，将他的皇军卫队、雇佣军以及焦躁不安的塞克勒人送上了战场。

萨普雅同时代的人坚持认为塞克勒人的军备品“丝毫不占什么优势”，因为“他们完全缺少专用装备、武器，也没有勋章”。即便如此，他们还是犹如毒箭般射向了战场的正中心。据中世纪的史官记载，不是强大的装备，而是“坚定的信念和无畏的精神支持他们战斗到了最后”。果然，那些后备军刚加入战斗，战势就毫无悬念地转向了贵族这方。正如陶利努斯记载的，“农民军稍稍动摇了，然后就放弃了阵地，最终仓皇而逃”。

只有紧跟着乔治•多热•塞克勒的一群亡命之徒还在继续战斗。他们发动了疯狂的猛攻，保护着他们的首领。但当两翼的十字军先后撤退后，乔治•塞克勒和他的卫队就腹背受敌了。彼得•皮特洛维奇（Peter Petrovics）利用对方防线的崩溃，瞄准了乔治•塞克勒就是一击——这位年轻的骑士是总督的远房表亲。双方酣战之时，彼得将乔治•塞克勒击下马去，然后活捉了他。差不多就在同时，乔治•塞克勒的弟弟格瑞格里也被俘虏了。

领袖被俘给了农民军最后一击，群龙无首的他们在战场上乱成一团。因战友的被杀而怒不可遏，又因近在咫尺的胜利兴奋不已的骑兵们，毫不留情地骑马追上了那群逃跑的农民军。至此，泰密斯瓦之战跟科罗日瓦之战一样都以屠杀农民军告终。

当我们为十字军的突然瓦解而悲叹，为反腐败反封建的农民起义的悲惨下场而叹息时，我们注意到其中存在一个巨大的讽刺：乔治•塞克勒，一个塞克勒人，从一个名不见经传的特兰西瓦尼亚贵族迅速成为一个全国知名的人。在没有任何预谋的情况下，他几乎要成功地还匈牙利以塞克勒式的自由。但正当他和他的农民军要击退萨普雅及其特兰西瓦尼亚军队时，一股力量的到来让他的梦想落空。就在最后一刻，他被一小组塞克勒勇士，他的同族，他的兄弟击溃了。

然而，按照另外一些历史学家的说法，那天根本就没有发生战斗。确切地说，当总督要求他们和平投降时，很多农民在第一时间就放弃了抵抗。在这一版本中，兰多斯利姆仍然没有幸免。在内讧的骚乱中，彼得•皮特洛维奇捕获了乔治•塞克勒，战争在真正开始之前就结束了。

其他一些资料则坚持认为，是乔治•塞克勒因想弄清特兰西瓦尼亚军队的人数和位置而去侦查时被皮特洛维奇擒获。在这个版本中，农民军在他们的首领被俘后就直接逃散了。

乌拉兹洛王在他 1514 年 7 月 24 日写的一封信中证实了后一种说法。在这封写给德国国王的信中，他指出乔治•多热•塞克勒被俘了，之后“泰密斯瓦的农民平静地逃散了，两军没有发生流血冲突”。很多历史学家怀疑他可能没有把真相全都说出来。因为这位国王热切希望贬低萨普雅在平息内战（他和主教是导火索）中的功劳，所以他可能会故意回避泰密斯瓦之战的重要性。

不管你相信哪个版本的历史，所有史诗对其中关键的一点都没有异议：乔治•多热•塞克勒和他那顽强的弟弟格瑞格里都被活捉了。在科罗日瓦，洛林茨教友没有被俘，他之后继续在匈牙利的其他地方为自由而战。最后我要说的是，只要我们的主角们还活着，我们的故事就没有完结。

结语

爆发，宇宙运行的科学

我们正处在一个聚合点上，在这里，数据、科学以及技术都联合起来共同对抗那个最大的谜题——我们的未来，既是个人的又是社会的。无处不在的爆发，是科学的台柱，而它的影响力将与 20 世纪初期的物理学或者基因革命的影响力不相上下。

在我之前参加过的会议上，我至少认识其中一个人。在演讲者、主办者或者参与者中，总有一张熟悉的面孔。但是在 2006 年 11 月 9 日那天，当我在布拉格市长的府邸中扫视屋里上百号休闲、优雅的人时，却没有一个认识的人出现在我的视线中。所以我端起一杯酒开始跟大家轮流交流，直到我融入了跟一位 60 岁出头的男子的谈话中。

由于旁边很吵，我没听清他的名字。他个子不高，长相一般，地中海人，穿一件黑色的鹿皮夹克配一件黑色的耐克衬衫。寒暄了几分钟后，我问了一个方便引出话题的问题："你是做什么的？"

他当然是个艺术家，就跟参加这个装饰艺术沙龙的所有人一样。所以我马上提出了进一步的问题：你搞什么样的艺术？

有一瞬间，他显出了困惑的表情。我随后才知道，他是这次会议的主讲人，正因为他我才有机会来布拉格。但我的飞机晚点了三个小时，所以我错过了他的演讲，最终使得我可能是这里唯一一个不知道他是谁的人。在露出一丝几乎让人觉察不到的犹豫后，他开始兴致勃勃地考验起我来。

> "这就是我做的。"他说着，然后用右手将左侧的袖子提了上去，慢慢露出他苍白的皮肤。然后，在距离肘部 10 厘米的地方，光滑的皮肤上突然出现了……一只耳朵。

不是文身，也不是粘在他手臂上的小道具，而是一个普通人的耳朵覆盖在同样苍白的前臂上。

我不自觉地向上看了一下，马上确定了他的两只耳朵还长在脑袋上。第三只耳朵，而且是看起来非常正常的一只耳朵，优雅地长在了他的左臂上。

第三只耳

我终于知道了。他的皮肤就是他的帆布，而那只多出来的耳朵就是他的艺术作品。

在那天的晚宴上，我找了个机会确定了那只耳朵的真实性——我甚至还摸了它，感觉就像是真的。我还知道了这个人的名字：斯特拉克（Stelarc）。

就只是斯特拉克，没别的了。

那就是他护照上写的名字。

而第三只耳朵无疑是使他声名鹊起的东西。另外，他的悬挂系列使他早在几十年前就名声在外了。他在表演时通常是全裸的，或者将自己吊在东京的电缆上，或者头朝下倒挂在曼哈顿的东十一街上。

路人并不是因为他裸体才驻足，或者至少不仅仅是因为他裸体，而是他将自己悬在半空中的方式吸引了大家。他用了很多肉钩子勾住从肩膀到膝盖的皮肤，使自己悬在高处。他是为艺术而挂。当滑轮将他提到空中时，他的皮肤被牵引、被拉伸了。

在他最近一次的表演上，他正打算将自己的耳朵通过外科手术移到额头上。但他的医生劝他打消了这个念头，因为这种移植很可能导致耳朵死亡，这样一来他就既失去了他的耳朵，又失去了他的杰作。最后，他们又为他做了一只耳朵。

医生在他的皮肤下面嵌入了一个柔软的假体，而他必须每天往里边注入盐溶液。两个月后，他的皮肤上鼓出来一个包。外科医生就在这个包上做出了一个耳朵形状的模型，然后，在他的身体里注射了干细胞，来使这只耳朵长出软骨。

随后，我们的话题从他的第三只耳转向我接下来要做的有关人类行为的演讲，我们私下里讨论了这个话题。这一直是个敏感的论题，所以我已经准备好接受他的激烈反应。实际上，斯特拉克的激烈反应真是把我吓了一跳，但原因并不是我想的那样。

> “我不认为我们在很多情况下被监视了，”他说，“相反，我们很少被监视。”
>
> 吃惊的我让他做出解释，而他也欣然答应了。他认为我们需要更多更好的监视器，不仅设在我们身边，而且还要装在我们的身体里。它们应该监视所有的一切，从我们的行为到我们身体内部的所有变化。
>
> “我想知道我的细胞什么时候出现问题。”他说。他希望在血管中装上一个袖珍机器人，去探测所有可能使他生病的变化。它们会成为他身体内部的“巨型机器”，在细胞癌变之前就将它们制服，或者在中风之前就将血液里的血块爆掉。

监视？我随后意识到，**他的第三只耳朵就是一个实施自我监视的工具。**但现在还不是，原因只有一个：他的第三只耳仍然是聋的。

他一开始并不想让它是聋的，他甚至在里面装了一个小麦克风，但他的皮肤感染了，所以只好将麦克风移了出来。然而，他并不打算就此放弃。在交谈中，他透露会再试一次，而且如果需要会一直试下去。一旦装上麦克风，他会将它连到网上，这样一来，任何浏览他网页的人就都能对他进行实时窃听了。“它不是一只会听的耳朵，而是一只会将声音传送出去的耳朵。”他解释说。如此一来，他就能公开并即时地进行自我监视了。

斯特拉克的耳朵现在可能还不能发挥功能，但他要求更多监视的愿望会很快实现。这个信息丰富的社会的一个意想不到的副作用就是我们会发现自己的生活细节会被空前详细地记录下来。与此同时，一项新兴的科学已经开始将我们所做的一切量化，迫使我们重新思考那些理所当然的事情，比如自由和隐私等。

在我看来，这项新科学的最重要的发现之一是：当我们将生活数字化、公式化以及模型化的时候，我们会发现其实大家都非常相似，而你可能还没准备好接受这一点。坦白讲，你会做那些对你最有利的事，而且会在你能力所及且最方便的时候完成它。

可能你住在洛杉矶，而我住在波士顿；可能你是亚洲人，而我是匈牙利人；可能你开了一个餐馆，而我在做研究、教学，偶尔还写写书。这些不同当然重要，没有人质疑过这一点。但如果我们将注意力集中在我们的行为和时间安排上，我们会发现你我之间都遵循同一个模型，而且几乎所有人都一样。

我们都具有爆发性，而且非常规律。看上去很随意、很偶然，但却极其容易被预测。当然，我们遇到的一些事情会显得杂乱无章，但我们徜徉在其中的方式却是一样的。

预见未来的新思维

你可能已经被这个问题困扰很久了：乔治·塞克勒这位16世纪的英雄为什么会出现在一本讲人类动力学的书里？为什么把科学和历史混在一起？

很明显的一点可能是：他是一个过快地用光自己燃料的爆发点。

> 从他起义到被俘只不过短短三个月，从历史角度看那犹如一瞬。但这几个月多么重要，多么精彩啊！他来自底层，然后几乎爬到了顶层。一些人认为他很有可能登上王位——还有一些人认为他确实称了王。①

他的故事生动地告诉我们，当涉及爆发时，我们不应该只想到电子邮件、网络等其他电子设备，而应该更多地关注生活和历史，比如疾病以及16世纪的战争。

但爆发并不是我们重新审视乔治·塞克勒和他那群奇特的十字军的唯一原因。泰勒格迪对我们来说也同样重要。**他的预言给我们带来了一种可能性，即我们的未来（或许会很血腥）可能不再是个谜。如果泰勒格迪能够预测16世纪时发动十字军的结果，那么我们这些500年后的人类难道不能运用科学超越他吗？**

就连我们最负盛名的哲学家怀疑论者卡尔·波普尔都认为，对那些“完全孤立的、静止不动的，以及周期性的体系”进行长期预言是有可能的。行星和恒星符合他说的条件，所以我们能够预测出它们的轨道。然而，“这些体系在自然界极其稀少，而现代社会肯定不是其中之一”，波普尔继续说道。于是，我们想预测未来的尝试就被永远禁锢了。

所以，真正的问题是：这两个预言家的话，我们该相信哪个呢？是该相信那位在1959年的论文中用哲学和科学的无情逻辑证明我们永远无法预知未来的卡尔爵士呢？还是应该相信泰勒格迪和他那被无争的事实证明有效的预言呢？

---

① 很多历史学家猜测，如果乔治·塞克勒在内格雷克为惨死的前哨部队复仇之后，直接出兵攻打防守较弱的布达城而不是转向泰密斯瓦堡垒，那么他肯定会登上王位，而历史也会变得更有趣一点。看起来似乎是他对王权的尊重阻止了他这么做——他和他的十字军部下都一贯坚持他们是忠于国王的，至于争端和起义只是针对那些地主贵族的。然而，很多传闻都说他的十字军实际上已经拥护乔治·多热·塞克勒称王了。——作者注

事实上，现在我们还远远无法向泰勒格迪在那个时代那样做出如此准确的长期预言。你可能会说那根本不是预言，而是大家在辩论时都会做的事——利用我们的专业知识和个人经验对未来某件事的结果做出预测。没有人质疑科学——是什么就是什么，明确的建议最有效。如果我们错了，历史会忘记我们；如果我们对了，也不能说我们是预言家。

然而，预测历史（社会的集体情绪）和预测我们的日常行为之间存在一个很重要的不同。我们可能不如行星那么规律，但我们的日常行为总是有很多重复，以至于很多时候都可以预见。所以，尽管在社会层面上预测对我们来说仍然是迷雾一团，但就个人层面来讲预测已经成为了可能。

不是说我们的行为规律到一定程度才可被预知。奈飞DVD租赁网（Netflix）和亚马逊会预测人们的购物偏好；银行会估计我们的财务诚信度；保险公司会猜测我们被车撞的概率。很多最近出版的书籍，如伊恩·艾瑞斯（Ian Ayres）的《超级数字天才》（*Super Crunchers*）和斯蒂芬·贝克（Stephen Baker）的《当我们变成一堆数字》（*Numerati*），已经说明了数据挖掘技术怎样利用我们根深蒂固的可预测性，改变了人们生活的方方面面。[①]事实上，放眼四周，那些科技设备正紧盯着我们，设法将我们的需求转化成钞票。购物、旅行、娱乐、爱情、疾病、人际、慈善以及工作等，我们的所有行为都从根本上受到了这种无处不在的数据挖掘技术的影响。斯特

① 人类形态学和数据挖掘技术的不同点在于：数据挖掘技术是通过对人类行为模式的记录进行预测，我们甚至不需要知道那个系统开发出的模式的起源。而研究人类形态学的学生则设法开发出能解释我们会在何时何地为什么做出惯常的举动的模型和理论。——作者注

拉克的梦想离实现已经不远了——我们可能很快就能在血管中装上小型设备了。

没人会相信这些预测工具会完全准确。地球上有谁能预测到，我会忍受时差反应去布拉格参加一个鸡尾酒会，并在茫茫人海中选择跟一个有三只耳朵的人交谈呢？没有人能，而且不管我们多么努力地按照既定路线行事，我们还是会在路上遇到一些坎坷异常。

> 还记得我们之前提到的朋友丹尼尔吗？就是那个日复一日在家和办公室之间往返的人。就连他也不是完全可预测的。你怎么知道他不会在某天决定下班后跟朋友去酒吧玩呢？他那仅有的一次看起来毫不起眼的偏离就会增加他的熵值，所以他不可能是完全可预测的。

迄今为止，没有一位物理学家能够成功预测出气体中 10^{23} 个分子的运动轨迹，但这无法阻止我们预测气体的压强和温度——毫无疑问，它们比每个分子的运动轨迹要重要多了。对人类动力学来说，道理是一样的。**我们根深蒂固的不可预测性不需要上升到社会层面。如果我们仔细地将偶然性和可预测性区分开来，我们也许就能预测出社会结构的很多特征了。**

当我们思考可预测性和偶然性之间那模糊的界限时，我们必须意识到的一点是：虽然波普尔具有无上的权威性和影响力，但很明显，他错了。虽然他极力声称，但并没有拿出可以证明社会体系不可预测的有力证据。鉴于此，未来有两种可能性。

一种可能是：会有另外一个海森堡出现，提出一个全新的不确定性原理，告诉我们波普尔是对的，并证明预知未来不仅很难而且是根本不可能的。

另外一种可能是：受到商业利益的驱使，预测工具会不断完善，尤其是那些将人类行为量化的工具。为了增加准确性，这些工具会将注意力从个人转移到团体，因为一旦你偏离惯常的轨道（下班后去酒吧而不直接回家），那最应该归咎于你的朋友。这些预测工具也会将预测时间从几分钟延长到几小时，而鉴于人类行为的短期惯性，这一突破是完全有可能的。当将这些工具的预测时间从几小时延长到几天时，它们一开始肯定会不太准确，就跟几十年前的天气预报一样。但它们的预测能力肯定会提高，直到有一天人类意识到未来不再像以前那样是个谜了。

爆发，21 世纪的基因革命

虽然你可能觉得这个故事已经接近尾声了，但其实它刚刚开始。

我们正处在一个聚合点，在这里，数据、科学以及技术都联合起来共同对抗那个最大的谜题——我们的未来，既是个人的，又是社会的。一路走来，乔治•塞克勒、哈桑以及无处不在的爆发点，帮助我们了解到要解开人类动力学的秘密远远超出了智力层面的较量。它是科学的台柱，而它的影响力与 20 世纪初期的物理学或者基因革命的影响力不相上下。

科学家不是好的预言家，因为他们经常看不到自己的研究成果。幸运的是，还有工程师和企业家帮助我们填补理论和实践的差距。我自己也不例外——很多企业已经成功利用我的网络研究获得了利益，这些都是我没预料到的。**对人类动力学来说，道理也一样——我太短视了，以至于根本无法充分意识到人类行为预测的潜力。**

刘易斯·理查森的第一本书曾是个大失败。然而，现在的天气预报系统就是按照他在法国战场上开救援车时想出来的理论设计的。在他的第二本书《致命争吵的统计数字》中，他更加大胆，竟试图通过对冲突和战争的预测帮助人类在某一天避免它们的发生。他再次失败了。所以真正的问题是：我们真的高明到能相信自己的预测能力的程度了吗?

如果巴科兹主教不是一心想在罗马站稳脚跟，他可能就会听从泰勒格迪的建议，一开始就避免发动那歹运的十字军。相反，他刚愎自用，以至于梦醒时，成千上万的农民和贵族都已惨死，而奥斯曼土耳其人则安然无恙。他同时失去了两个阶层的信任，从此农民再也不会为国家而战。事实上，12年后在莫哈奇（Mohács）之战中，贵族不得不单独对阵奥斯曼土耳其人，结果他们不仅输掉了战争，还输掉了国王和整个国家。在群龙无首的时候，哈布斯（Hapsburgs）占领了波西米亚和匈牙利西部，而特兰西瓦尼亚则变成了一个半独立的公国。剩下的国土则归属于一个新王，也就是匈牙利王约翰一世（John Ⅰ），而他之前的名字大家都知道：约翰·萨普雅。

科罗日瓦之战过去3年后，路德（Luther）将他的《九十五条论纲》（*Ninety-Five Theses*）钉在了诸圣堂（All Saints' Church）的大门上，自此宗教改革（Protestant Reformation）便席卷了整个欧洲。十字军开了反对权势的先河，为宗教改革在东欧的广泛传播铺平了道路。随之而来的宗教暴乱也给了特兰西瓦尼亚一次考验，促使有史以来第一部宗教宽容宣言的诞生。

> "牧师可以按照自己的理解在任何地方宣讲福音书（Gospel）。如果群众喜欢，无可厚非；如果不喜欢，没人能强迫他们，因为这样他们的心不会得到满足，但他们可以任意选择与那些赞同其宣讲内容的牧师为伴。"

《宗教宽容和信仰自由法令》（*Act of Religious Tolerance and Freedom of Conscience*）如是说。这部法令是由约翰·萨普雅之子，也就是后来的匈牙利王约翰二世（John Ⅱ）在1568年颁布的。这比1786年颁布的《弗吉尼亚宗教自由法令》（*Virginia Statute of Religious Freedom*）要早两个世纪，比1689年英国颁布的《宽容法令》（*Act of Toleration*）要早131年。它也促使了唯一神教派教会（Unitarian church）的诞生，而创始人正是科罗日瓦的本地人弗朗西斯•大卫（Francis Dávid）。他是当时怀着恐惧和惊叹的心情目睹了洛林茨神父的农民军和莱纳德•巴拉巴西的贵族军队在科罗日瓦的决战的仅有的四个幸存者之一。最后，巴科兹主教的自私之举不仅断送了整个匈牙利的独立完整，而且还永久地摧毁了他一直觊觎的教皇宝座。

我们是否注定永远要由领袖们自己的优先级来决定他们的，同时也是我们的下一步，把我们一次次拽进流血冲突中？我由衷地希望不是这样。我希望某一天刘易斯•理查森那用知识指导我们的优先事宜的梦想能够实现。如此一来，到最后，人类动力学的预测力量就不仅仅是简单的信用评分和数字运算了。那是一个由希望趋动的旅程，通过这个旅程，我们的星球将变成更美好的家园。

这是最好的结局，除非我们还有一些未尽的事业。我敢保证有一天大家会重新审视泰勒格迪和他的预言。我也想跟哈桑•伊拉希一起审视一下他现在正待的国土安全部和他们的预测模型。当然，还有乔治•多热•塞克勒。他和他的弟弟格瑞格里在泰密斯瓦被俘后的命运是怎样的呢？

先说说泰勒格迪。但我警告你，你可能希望到此结束，因为我最终揭示的秘密将使你非常不安。不过，既然知道了我们所目睹的一切都是真实的，那么亲眼看着秘密揭开也是很美妙的。

再造历史

在修缮不周的匈牙利宫廷，伊斯特凡•泰勒格迪曾坚决反对主教的十字军东征计划："我相信很多农民都会积极应召。但是他们会不会只是想逃避辛苦的耕作，报复平时受到的不公，或是逃脱惩罚、避免严刑拷问呢？"

但大家对他的话充耳不闻。

回溯过去，他的预言简直太惊准了——很多农民不是出于对宗教的热忱，而是苦于经济的拮据才加入了十字军，而这正在泰勒格迪的预料之中。很多不法之徒也加入了军队，因为军营可以让他们免遭起诉。

"如果贵族们抱怨土地杂草丛生，"他也曾这样说道，而且贵族真的就遇到了这样的难题，"你能让这群乌合之众听你调遣吗？"

但最令人震惊的是他做出的结论："那些配发给他们做上阵杀敌之用的刀剑会不会反过来对准我们……"

鉴于我们目睹的事情的全部经过，泰勒格迪的预言再一次让我们吃了一惊。[①]直到现在，也就是5个世纪之后，我们才开始在预测人类行为上有一些进步。但我们预测战争和暴动的能力跟20世纪40年代路易斯•理

① 有一件事是明确的：泰勒格迪的预知力量并没能救他自己的命。据塞雷米记载，泰勒格迪也在内格雷克做了俘虏，跟萨基主教和其他贵族一起被处死了。然而，我们知道虽然这位人文主义神父动机是高尚的，但他的话也不见得都可信。关于泰勒格迪命运的另外一种说法使我们不得不怀疑塞雷米的准确性。

1514年7月3日，约翰•班菲预感到即将到来的大战的危险性，因此决定先留下一份遗嘱。根据当时的传统，很多贵族都看了这份遗嘱，而泰勒格迪正是其中之一。那时离乔治•塞克勒处死内格雷克的俘虏已经过去一个多月了，所以这份遗嘱可以证明我们的预言家并没有在内格雷克走到生命的尽头。但他并没有比他的签名多活很久——在维也纳找到的一份文件上指出，在他签名后还不到十天，他就在科罗日瓦被俘并被洛林茨教友下令处死了。——作者注

查森的预测一样容易遭到质疑。卡尔·波普尔以无上的权威宣布："出于严格的逻辑考虑，要想预测历史的未来走向是不可能的。"也就是说，预测未来不仅仅是困难或靠不住的，而且是彻底不可能的。好吧，卡尔爵士，那么泰勒格迪又是怎么办到的呢？

人文史学家利用古罗马历史学家的叙事方式来书写历史，所以他们将它视为文学，而不是历史或科学。也就是说，他们不仅为那些死去多年的英雄们设计诗化的预言，而且坚信用这种方式再造历史是他们的责任。

克罗地亚的行乞修道士图贝罗神父曾在1522—1527年在里得里亚海（Adriatic）的姆列特岛（Mljet）上创作他的史书，并在书中将乔治·多热·塞克勒描写成一个能言善辩的人。吉阿米切利·布鲁托（Gianmichele Bruto）在1580年的著作中为乔治·塞克勒设计了长达3页的独白。在伊斯特凡那本作于1605年左右的广为传诵的史书中，乔治·塞克勒和洛林茨教友都有大篇幅的演讲，而且他们的话几个世纪以来都被人广为引用。

事实上，没人注意到在布达城的宫殿里巴科兹主教提出十字军东征的计划以及泰勒格迪坚决反对的情景。我们能知道泰勒格迪的预言还多亏了塞雷米和他那部具有影响力的中世纪匈牙利史。书的名字为《匈牙利王国灭亡信札》[①]，写于1545—1547年，也就是起义事件发生30年后。

泰勒格迪反对主教的计划可能是史实，但他的预言似乎归功于这位人文史家的想象，而非主人公自己的实言。历史学家和科学家之流经常苦恼于一个问题，而这里也存在这个问题：没有比预测过去更容易的事了。

① 原文为匈牙利语：Epistola de perditione regni Hungarorum。——作者注

哈桑，一个新的开始

“今天是周二吗？”这人的声音很平静，同时也令人不安，因为那就像一个刽子手准备给犯人打上致命的一针时的语气。

“我们现在是在佛罗里达吗？”

“你的名字是哈桑吗？”

他对每个问题都做了肯定的回答。实际上，他没有别的选择——那天是周二，他是在佛罗里达，而且他的名字是哈桑，确切地说是哈桑·伊拉希。

快被淹没在柔软的旧皮革椅子上的哈桑盯着对面的条纹墙纸，而此时他身上各处都有用来监视他的血压、呼吸以及脉搏的金属丝。这里不是诊所，也不是医院——审讯者正审视着他的生命表征的变化，那是鉴别他是否撒谎的方法。哈桑同意通过测谎仪来永久地结束底特律被拘事件以来的苦难命运。

最后，在问了一系列无趣的问题之后，对方开始切入正题：“你是否从属于任何想对美国造成伤害的组织？”

我该怎么回答呢？哈桑想。如果他简单地回答是或不是就会破坏问题的公正性。到现在为止，他一直都很诚实，但他这次的矛盾心理会不会让系统读数发生改变？

“好吧，你知道，我在大学工作，”他最终这样说道，“我确信那里有一些教授对美国不是很满意。也许你想知道这些人是谁。”

现在，他是不是承认了自己隶属于一个想破坏美国安全的团体呢？或者，他是不是想在这个不适合开玩笑的时候坚持开玩笑呢？监看测谎仪的长官并非没听到他刚刚的话，但他继续用单调的声音说道：“除了我们刚刚谈过的事情，你是否从属于任何想对美国造成伤害的组织呢？”

哈桑这次的答案是简单的“不”。

哈桑竟然通过了，然后那些人就让哈桑走了。在出去的路上，那位他熟悉的联邦探员向他道贺，并告诉他通过了测谎审查，可以回家了。这当然是个好消息，死里逃生的哈桑松了一口气，然后才敢问道："好吧，我可以要一份证明文件吗？"他想要的就是能证明他无罪的文件，因为"最终，我还是可能会再次被带到这里，虽然这种可能性很小，但确实存在"。

当然，他永远也拿不到那样的证明。

"我知道，不论发生什么事，那都是不受法律管辖的。"哈桑这样对我说，他的声音里没有一丝辛酸感。也就是说，事实上，哈桑不是一个嫌疑犯，也从未被拘留、审讯或骚扰过。基于此，没有人能确定他到底是有罪还是无罪。

哈桑不受法律管辖的生活持续了大约 7 年，直到 2009 年 2 月我注意到他的 facebook 上有了一则更新。更新的内容很简单但字号很大：

哈桑·伊拉希现在拿到美国国土安全部的正式通关证了！！！

哇哦，我想着，然后马上给他发了一封电子邮件。我想问他，到底是怎么回事？为什么现在行了？我原本以为他们会给他一份详细的责任书，或者是一封道歉信，再或者政府还会因他多年受到的骚扰给他一份丰厚的补偿。但什么都没有。相反，那只是一个简单的奇遇。

哈桑受邀有偿为圣何塞国际机场（San Jose International Airport）的最新登机楼设计一个艺术品。由于要接受佣金，所以他必须是机场的工作成员，而每个机场工作人员都要接受美国国土安全部的一个"安全威胁评估"。所以最后，正如哈桑所说："我绕了一个大圈子，为了进入机场的禁区而获得了一个安全认证，这足以证明我不被大家认为是一个安全威胁。"或者，至少不是一个不能获得认证的大威胁。

政府通过一种消极进攻的方式什么也没承认，什么也没说明。他们只是随他去，正如他们之前一再的出尔反尔——在底特律的拘留，在坦帕的一次又一次审问，在佛罗里达的测谎试验，在肯尼迪机场他偶然间发现自己"形迹可疑"威胁到了国家安全一样。但哈桑应该为他不是出生在 16

世纪而感到庆幸。过去，人的生命更轻贱。在类似的情况下，他可能会得到跟乔治•塞克勒或他的弟弟格瑞格里一样的下场。值得庆贺的是现在是21世纪，所以他可以全心拥抱一个新的开始。

大多数人在被拽进联邦调查局后可能就会保持缄默，避免任何麻烦，并希望一切都能结束，但哈桑不是。他乐在其中，并将自己的苦难看做打通社会的方式。他把自己所有的恐惧和困扰转移到了艺术创作上，让它们成为这个疑心病过重的时代的见证者。当然，他还放弃了自己的隐私作为交换。不过，我们都没有隐私了，不是吗?

我和哈桑之间唯一的不同可能并不怎么重要：他的生活围绕着博物馆和艺术画廊，而我的生活则显示在设置了密码保护的硬盘驱动器上。我的安全感只是一个错误的表象。一路走来，哈桑帮助我们明白了异类并不仅仅是一些杰出的人，如爱因斯坦、毕加索、盖茨或者令人恐惧的本•拉丹，也可以是一些渴望旅行，有着不寻常的日常习惯的普通人。他让我们看到了，做不寻常的人不一定非要变成天才或是恐怖分子。

虽然得到了通关证，但哈桑的计划还没完。他现在想释放自己的DNA序列，给国土安全部一个机会让他们从他30亿个碱基对中分离出恐怖基因。他们或许还不知道他们要搜查的不是编码为恐怖主义的基因。那个基因决定了我们缺少可预测性，而且是我们对抗“巨型机器”最有力的武器。我甚至给它取了个名字，即随机数字生成器，或者骰子基因。

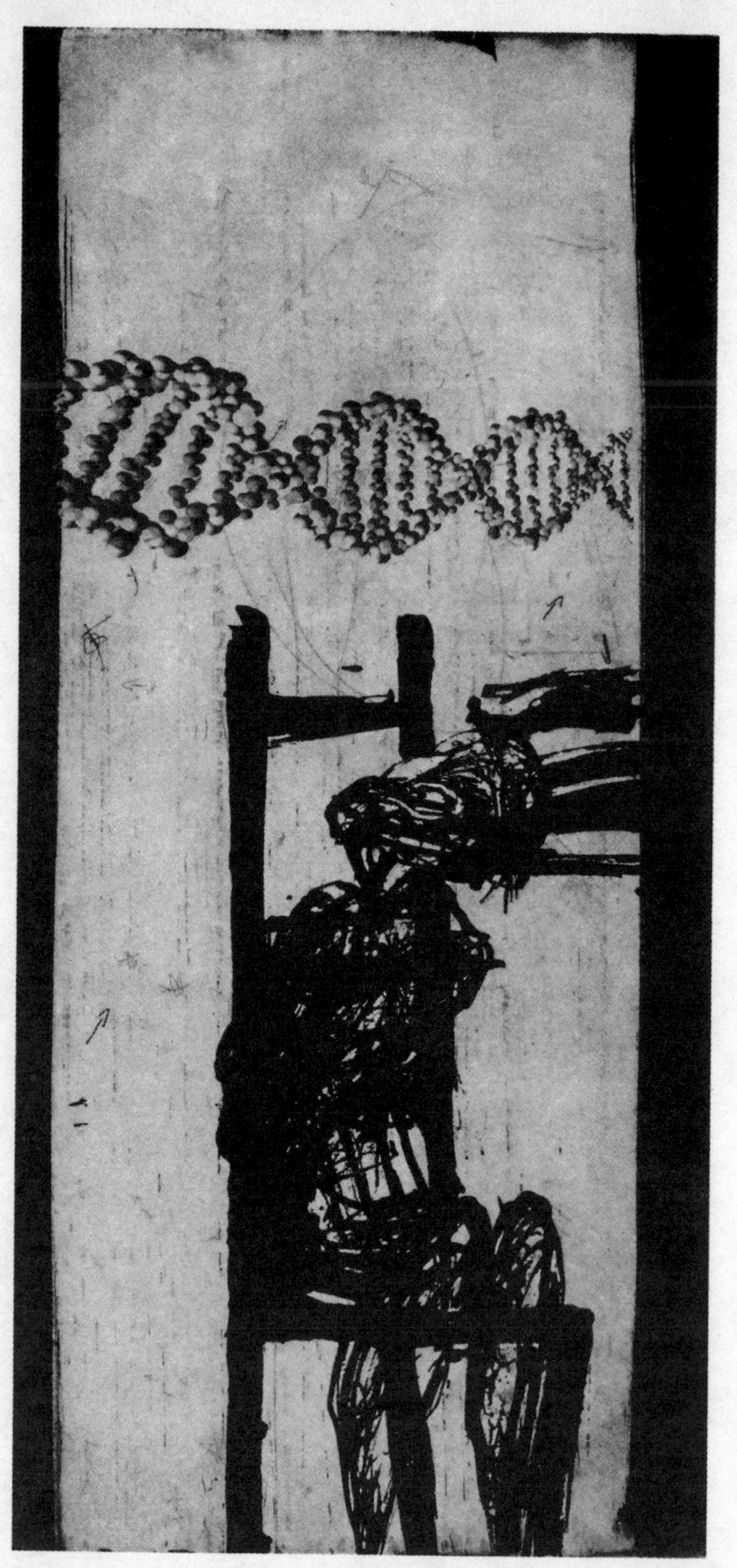

血肉之躯

地点：泰密斯瓦

时间：1514 年 7 月 20 日，距离一切开始不足 3 个月

泰密斯瓦周围的湿地还没有完全干涸，所以城外异常湿热。然而，人们还是聚在了一起，先出来的是男孩们，紧接着是曾经无比繁荣的商会的学徒们——这群年轻人现在无所事事，因为生意还是没法做。所有在围剿后幸存下来的人都悠闲地看着热闹，就连身份更高一些的人都不愿离开——屠夫、铁匠、面包师、裁缝以及城里的富商都赶来一睹究竟。不管是富人还是穷人，年轻人还是老年人，骑士还是市民，大家内心都有一个相同的疑问：他们会怎么处置他？他会被怎样处死？

一队教士走了出来，人群分开来为他们让道。教士们在空地上选择了一个最佳点，看着刽子手们从炙热的火堆中夹出一块块铁片。当一块块的铁片被焊接在一起的时候，人们慢慢知道了他们到底在准备什么：刽子手正在锻造一个铁制的御座，旁边还配以一个王冠和权杖——所有皇室的标志物。他们是要处死他，还是要为他加冕？

贵族的血不轻流——他们可以病死床榻或战死沙场，但很少会死在刽子

手的斧下。会不会是国王赦免了他呢？

不过，他虽然是个贵族，但他曾吊死了一个主教，还将很多骑士严刑拷打致死。国王绝对不会原谅他的所作所为。战争虽然残酷，但也有个不成文的规定：你可以拷打农民、歹徒和罪犯，但不许动主教和贵族一根毫毛。胆敢不遵守这一未被言明的规定的，必将以复仇为名处以极刑。罪犯该被吊死；遭贬谪的贵族该被快速而无痛地斩首；巫师应被绑在立柱上烧死；杀人犯则应被刺死。所有这些死法对乔治•多热•塞克勒来说都太轻了。他们肯定会用一种特别的方法来惩罚他所犯下的罪行。

大门开了，一小队士兵出了城门。先出来的是士兵，紧跟着是关押着 10 个囚犯的囚车。众人没有从他们的脸上看到期望中的视死如归，看到的只是行将就木、虚弱不堪。是不是饥饿摧残了他们？传言说自从他们被俘后就颗粒未进。最后出来的两个囚犯就是塞克勒兄弟，乔治和格瑞格里。格瑞格里还是跟往常一样平静，而乔治也保持着他的尊严。至少，很多人愿意这样记住他们。

他从未求饶，但传言他确实提出了最后一个要求：放过无辜的人，也就是他的弟弟格瑞格里。

他会这么做吗？人们都对此表示怀疑。他们的理由是这两个人所犯的罪不同。犯有同谋罪的格瑞格里应该被处死，但大家都知道他曾发出理性的声音——虽然通常都无效，但还是救了很多人的性命，也许这一点可以让他免于死刑。但当格瑞格里跟其他囚犯一起被押送出来时，争论就停止了。

在当时，死刑并不是阴暗的反面事件，而是人人惊叹的壮举。鉴于那天一共要处死 10 个人，那场面应该相当壮观。而且这些人并非一般的囚犯，而是能在数日之内将他们尽数杀死的人，所以他们都有理由按照传统在囚车经过他们时对囚犯施以无情的谩骂。

然而，人们却对这些囚犯表现得极其尊重。这些人不是小偷或强盗，而是骑士和战士，看着这些囚犯，人们有一种敬畏和恐惧交加的感觉。

众人静静地看着囚犯被带出来。然后，刽子手们将乔治•塞克勒带到了一边，剥去了他的衣服，将他按在一个高大的椅子上，也就是那个从火里拉出来的御座上。然后他们将一个烧红了的王冠戴在了他的头上，将冒着火花并散着炙热的权杖放在了他手里。

一些人不忍看到这残忍的一幕，将头转到了一边。另一些人知道了什么是痛苦致死——胆敢反对国王的骑士将遭受铁铸头颅的极刑。但对不太熟悉王室象征的大部分人来说，他死去的方式还带有一种执行官没有注意到的象征意义：他活着的时候是王，死去的时候也像个王——坐在御座上，手拿权杖，头戴王冠。

炙热的御座不足以要了他的性命，而这正应了那些折磨者的心思，因为他们不想让他那么快就死。他们将那9个惊吓过度的囚犯带到了乔治·塞克勒的“御座”前——他们站在死亡的门槛上，感受着死亡，个个都脸色苍白。

这是第二场表演，看客们终于明白了，同时也被吓呆了。他们还准备了什么呢？没人敢问。那些站在旁边的人，那些教士、牧师以及学者齐声唱起了赞美颂。

这个时候唱这首歌真是奇怪啊。虽然赞美颂确实符合这个场合——不管过去犯下了什么罪，这一刻都将得到宽恕，赞美颂为被选定者进行最后的祈福。但其实时间和场合都搞错了。

如果事情如预期发展，乔治·塞克勒仍然能听到这个旋律。但不是在这儿，也不是现在，而是在布达城，在马提亚教堂，当他在君士坦丁堡取得胜利将败者的旗帜降下来的时候。然而，没人注意到时间和空间都错位了，因为事情还是沿着现在的轨迹发展：在歌声中，乔治·塞克勒的弟弟，那个跟他一起被抓的格瑞格里，在他面前被砍成了三段。

剩下的囚犯的命运会跟格瑞格里一样吗？谁也不想那样。

然而，他们没被杀死，至少现在还没有。

刽子手从火堆里夹出了很多钳子，然后兴致勃勃地将他们夹在了乔治·塞克勒那活生生的皮肉上。有些人恶心的吐了，有些人昏了过去。只有当事人岿然不动——他将命运交给了上天，默默地忍受着一切。

然后，他们命令剩下的囚犯用牙齿将乔治•塞克勒的肉从他的身上撕下来，撕下那些被铁钳烫得嗞嗞作响、鲜血直流的肉，然后再将它们全部吞下。

虽然那个场面异常骇人，但学者们却又一次从这样的设计里面发现了道理。正如国王经常强调的那样，国家正如人的身体，生机勃勃而又活力四射。乔治•塞克勒必须像那千疮百孔的故土一样死去——身体被活生生地咬碎。

有两三个囚犯拒绝那么做，所以马上被砍死了。剩下的人看到这一幕后就疯也似地跑到乔治•塞克勒跟前，大张着嘴，撕啃着他身上的肉。

一些愚昧无知的人又一次从这里面找出了熟悉而令人感到安慰的象征意义："拿着，吃吧，这是我的身体。"当赞美颂在夏日炎热的空气中唱响的时候，这些人觉得这一幕正应合了这句话。对很多人来说，这已经不再是死刑，而是对殉道者进行的礼拜仪式。

然而，他还活着，而且那些农民清楚地看到，虽然痛苦万分，但乔治•塞克勒并不害怕。他既没有哭泣也没有呻吟，而是怒骂着那些刽子手。"你们这些走狗！"他不断地骂道，虽然他自己也曾是其中之一。

几个世纪以来很多人都怀有一个疑问：真的有人能忍受那种痛苦吗？没错，真的有人能，如果他不是普通人的话。乔治•塞克勒是个边疆士兵，也是一个塞克勒人。游牧民族的热情和匈奴的强悍增加了他的斗志，杀人不眨眼的他只求义无反顾地默默承受最残忍的刑罚。

最终，当疼痛加剧，无法忍受时，他咽下了最后一口气。

那些曾经的十字军，现在沦为囚徒、等待接受处罚的奴隶和农民，到最后竟然全被安然释放。谁愿意吞下他的肉，谁就是他的门徒。①

多年来，乔治•塞克勒咽气的地方都被人们视为圣地。事实上，目击者们发誓，圣母玛利亚将亲自接他去天堂。

---

① 关于乔治•多热•塞克勒最详细的记载应该就是他被处死的那一幕。很多知道他的人（在匈牙利和特兰西瓦尼亚1514年事件被编进了教科书里）可能不知道那段历史的所有细节，但都很清楚那悲惨的结局。对与他同时代的人来说也是这样——每个撰写这段历史的人都会描述他被处死时的骇人场面。很多史料都或多或少具有一些真实性，所以我就将他们融合了一下。——作者注

如今，布达山上那座乔治•塞克勒曾被封骑士，泰勒格迪曾做出预言的文艺复兴堡已经不见了，取而代之的是一座巴洛克式的宫殿，也就是匈牙利国家美术馆（Hungarian National Gallery）。如果你沿着宽阔的大理石台阶上到第15层，你就会发现自己站在一个大圆顶下面。那儿伫立着一座用铁和红铜铸造的足有3米高的威武雕像。那是一个孱弱见骨的男人——全身上下只有一点肌肉尚在。一眼看上去，你可能会认为那是基督，因为你可以想到他遭受过多少苦难和痛苦。他的嘴巴异常扭曲，仿佛要将自己的痛苦吐出来一样。

雕像基座上的那块匾上刻着几行小字——燃烧的御座（*Tüzes Trón*），后面是创作这座雕像的特兰西瓦尼亚雕刻家的名字。雕像上缺少介绍，这并不奇怪，反而会让游客去猜测到底他的肌肉是被几个世纪的风吹日晒腐蚀掉了，还是像特兰西瓦尼亚某些雕像一样从无肉的状态新生成这样的。相比他那残缺不全的肉体，雕像上有两样东西是完整的：他的御座以及不规则的王冠。

他是谁？作为一个游客，你可能会这么问。但当地的孩童一看到雕像马上就知道：乔治•多热•塞克勒，戴着王冠，坐在燃烧的御座上。你可能觉得这会吓到他们，但孩子们却一点儿都不害怕。

直到19世纪，大部分历史学家——那些依然对过去的时光怀有浪漫情绪的贵族或牧师，都将乔治•塞克勒视为一个不折不扣的罪犯。然而，那些对阶级秩序没有兴趣的人却持有一个不同的看法，而且几个世纪以来这种看法都占据了主导地位。但直到19世纪后，历史学家才开始还他以清白：乔治•多热•塞克勒并不是一个鲁莽、残酷的人，也不是一个投机分子，他是怀着巨大的梦想，为了改变现有的不公秩序，为劳苦大众的利益而战的革命家。突然之间，各类小说、戏剧和诗歌都开始歌颂他的丰功伟绩，而历史课本也还他以崭新的形象。字里行间，他不再是凡人，而成了一个神话般的人物：一个沿着约翰•泰勒格迪预言的宿命前进的人。

巴拉巴西教授的这本新书让人眼前一亮。就跟他要阐明的问题“人生看似杂乱无章，其实有规可循一样”，这本书的谋篇布局看似杂乱，一会儿提到被拘留的当代艺术家，一会儿又带着大家回到了中世纪，但看到最后你会发现一切都豁然开朗，所有事情都在他的掌握之中。

巴拉巴西教授此前写过一本书，在那本书中，他用惊人的科学事实证明了我们所在的世界中，一切都是相互连接成网的。而在本书中他则立志探索人类行为和预知未来的问题。这本书看似玄妙，但处处都有严格的科学例证。作者将一个一个事例和故事娓娓道来，即使你不懂统计学、不懂物理，也能马上理解其中的意思。

过去，我们常常认为《1984》中试图控制人们一切行为的独裁者——“老大哥”仅是小说中的人物而已。但今天，我们的行为模型可能正在被一些移动电话公司、谷歌、政府情报机构仔细分析研究。为了开发下一个受欢迎的产品，抑或为了发现潜在的恐怖分子，无数的计算机和研究人员正在集中精力预测人类行为。

那么，人类行为究竟是不可预测的呢？还是说，在每一件事情背后确实存在一种隐藏的模型？巴拉巴西教授认为是后一种。要想知道其中的玄妙，相信读完这本书，你已受益匪浅。

这本书的翻译有很多难点，所以有错误之处请各位不吝指出，我自当感激不尽。最后，感谢吕刚给予我的莫大支持和帮助；感谢曾珂和郑雅宁为我提供的宝贵意见；感谢马国栓和冯朝伟的谆谆教诲和鼓励；感谢马岭的理解与激励。

一切为了您的阅读价值

★ 您知道自己为阅读付出的最大成本是什么吗？
★ 您是否常常在读过一本书后，才发现不是自己要看的那一本？
★ 您是否常常发现很多书都是一时冲动买下，至今一字未读？
★ 您是否常常感慨书的价格太贵，两百多页，值四十多元钱吗？

阅读的最大成本

读者在选购图书的时候，往往把成本支出的焦点放在书价上，其实不然。

时间才是读者付出的最大阅读成本。

阅读的时间成本=选择花费的时间+阅读花费的时间+误读浪费的时间

选择合适的图书类别

目前市场上的**图书来源**可以分为**两大类，五小类：**

1. 引进图书：引进图书来源于国外出版公司，多从其他语种翻译成中文出版，反映国际发展现状，但与中国的实际结合较弱，其中包括三小类：

a）教科书：理论性较强，体系完整，但多为学科的基础知识，适合初入门的、需要系统了解一门学问的读者。

b）专业书：理论性、专业性均较强，需要读者拥有比较深厚的专业背景，阅读的目的是加深对一门学问的理解和认识。

c）大众书：理论性、专业性均不强，但普及性较强，贴近现实，实用可操作，适合一门学问的普通爱好者或实际操作者。

2. 本土图书：本土图书来源于中国的作者，反映中国的发展现状，与中国的实际结合较强，但国际视野和领先性与引进版相比较弱，其中包括两小类，可通过封面的作者署名来辨别：

a）"著"作：大多为作者亲笔写就，请读者认真阅读"作者简介"，并上网查询、验证其真实程度，一旦发现优秀的适合自己的作者，可以在今后的阅读生活中，多加留意并了解。

b）"编著"图书：汇编了大量图书中的内容，拼凑的痕迹较明显，建议读者仔细分辨，谨慎购买。

阅读的收益

阅读图书最大的收益，来自于获取知识后，**应用于**自己的**工作和生活**，获得品质的**改善和提升**，油然而生无限的**满足感**。

我们出版的所有图书，封底和书脊都有“湛庐文化”的标志

并归于两个品牌

找“小红帽”

为了便于读者在浩如烟海的书架陈列中清楚地找到我们，我们在每本图书的书脊上部 47㎜ 处，全部用红色标记，称之为——小红帽。同时，“小红帽”上标注“湛庐文化”字样，小红帽下方标注所属图书品牌名称。

湛庐文化主力打造两个品牌：**财富汇**，致力于为商界人士提供国内外优秀的经济管理类图书；**心视界**，旨在通过心理学大师、心灵导师的专业指导为读者提供改善生活和心境的通路。

用轻型纸

您现在正在阅读的这本书所使用的是轻型纸，有白度低、质感好、韧性好、油墨吸收度高等特点，价格比一般的纸更贵。

关注阅读体验

我们目前所使用的字体、字号和行距，是在经过大量调查研究的基础上确定的，符合读者阅读感受。每页设计的字数可以在阅读疲劳周期的低谷到来之前，使读者稍作停顿，减轻读者的阅读疲劳，舒适的阅读感觉油然而生。

所有的一切都为了给您更好的阅读体验，代表着我们“十年磨一剑”的专注精神。我们希望湛庐能够成为您事业与生活中的伙伴，帮助您成就事业，拥有更为美好的生活。

湛庐文化2008-2011年获奖书目

《牛奶可乐经济学》

国家图书馆“第四届文津奖”十本获奖图书之一，唯一获奖的商业类图书。

搜狐、《第一财经日报》2008年十本最佳商业图书。

用经济学的眼光看待生活和工作，体验作为“经济学家”的美妙之处。

《大而不倒》

《金融时报》·高盛2010年度最佳商业图书入选作品。

美国《外交政策》杂志评选的全球思想家正在阅读的20本书之一。

蓝狮子·新浪2010年度十大最佳商业图书，《智囊悦读》2010年度十大最具价值经管图书。

一部金融界的《2012》，一部丹·布朗式的鸿篇巨制。

《金融之王》

《金融时报》·高盛2010年度最佳商业图书。

蓝狮子2011年度十大最佳商业图书，《第一财经日报》2011年度十大金融投资书籍。

权威透视国际金融界大佬在大萧条中的群像著作。

一部优美的人物传记，一部独特视角的经济金融史。

《富可敌国》

蓝狮子·《第一财经日报》2011年度最佳金融商业图书。

《第一财经日报》2011年度十大金融投资书籍。

源自300个小时的真实访谈，一部权威的对冲基金史。

《认知盈余》

2011年度和讯华文财经图书大奖。

看“互联网革命最伟大的思考者”克莱·舍基如何开启无组织的时间力量。

看自由时间如何成就“有闲”世界，如何引领“有闲”经济与“有闲”商业的未来。

《微力无边》

2011年度和讯华文财经图书大奖“最佳装帧设计奖”。

中国最早的社会化媒体营销研究者杜子建首部作品。

一部微博前传，半部营销后传。

《神话的力量》

《心理月刊》2011年度最佳图书奖。

在诸神与英雄的世界中发现自我，当代神话学大师约瑟夫·坎贝尔毕生精髓之作。

《facebook效应》

《金融时报》·高盛2010年度最佳商业图书入选作品。

蓝狮子·新浪2010年度十大最佳商业图书，《新智囊》2011年度最具价值十大经管图书。

首度公开facebook非凡创业的26个细节，马克·扎克伯格及40多位核心高管倾情讲述。

《真实的幸福》

《职场》2010年度最具阅读价值的10本职场书籍。

积极心理学之父马丁·塞利格曼扛鼎之作，哈佛最吸引人、最受欢迎的幸福课。

《绕着大毛球飞行》

蓝狮子·《职场》2011年度最佳职场图书。

畅销13年的职场创意手册，贺曼贺卡公司创意总监倾情之作。

湛庐文化 Cheers Publishing

延伸阅读

《认知盈余》

◎ 腾讯掌门人马化腾首度亲笔作序。

◎ “互联网革命最伟大的思考者”克莱•舍基最新力作。

◎ 看自由时间如何成就“有闲”时间。

《人人时代》

◎ “互联网革命最伟大的思考者”克莱•舍基经典作品。

◎ 无组织的组织力量，引领互联时代的变革与未来。

◎ 互联时代的里程碑著作，全球思想家正在读的20本书之一。

《驱动力》

◎ 全球50位最具影响力商业思想家之一丹尼尔•平克力作。

◎ 这个时代不需要更好的管理，而需要自我管理的复兴。

◎ 我们天生就是玩家，而不是小兵；我们天生就是自主的个体，而不是机器人。

《弯曲的旅行》

◎ 当今世界最权威的额外维度物理学家丽莎•兰道尔力作。

◎ 美国威斯康星大学知名物理学家韩涛鼎力推荐。

◎ 灵魂真的存在吗？穿越时空真的可以变成现实吗？9年实验挑战爱因斯坦“四维空间”理论。

《影响力》教材版

◎ 著名营销专家孙路弘全程阅读导航。

◎ 新增逾两倍的第一手案例。

◎ 更鲜活的图文并茂解析。

◎ 更实用的影响力思考练习。

Bursts:The Hidden Pattern behind Everything We Do by Albert-László Barabási.

ISBN 978-0-525-95160-5

图书在版编目（CIP）数据

爆发：大数据时代预见未来的新思维 /（美）巴拉巴西著；马慧译 .—北京：中国人民大学出版社，2012

ISBN 978-7-300-15474-9

Ⅰ. ①爆… Ⅱ. ①巴… ②马… Ⅲ. ①网络经济－经济发展趋势－研究 Ⅳ. ①F062.5

中国版本图书馆 CIP 数据核字（2012）第 063488 号

本书法律顾问 北京诚英律师事务所 吴京菁律师
北京市证信律师事务所 李云翔律师

爆发：大数据时代预见未来的新思维

［美］艾伯特-拉斯洛•巴拉巴西 著

马慧 译

Baofa: Dashuju Shidai Yujian Weilai de Xinsiwei

出版发行	中国人民大学出版社		
社　址	北京中关村大街31号	邮政编码	100080
电　话	010-62511242（总编室）		010-62511398（质管部）
	010-82501766（邮购部）		010-62514148（门市部）
	010-62515195（发行公司）		010-62515275（盗版举报）
网　址	http:// www. crup. com. cn		
	http:// www. ttrnet. com（人大教研网）		
经　销	新华书店		
印　刷	北京中印联印务有限公司		
规　格	170 mm × 230 mm 16开本	版　次	2012 年 8 月第 1 版
印　张	21.25 插页2	印　次	2014 年 3 月第 5 次印刷
字　数	270 000	定　价	59.90元

湛（zhàn）庐（lú）

铸剑大师欧冶子『十年磨一剑』，炼就了『天下第一剑』湛庐剑。

——《吴越春秋》记载